Een nieuwe belofte

Julie Eller

Een nieuwe belofte

Roman

Vertaald door Dominique Schoenmaker

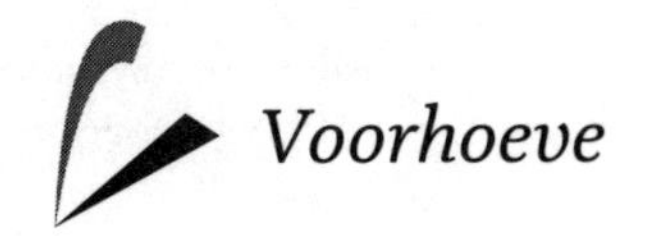

Postbus 5018, 8260 GA Kampen
www.kok.nl

Oorspronkelijk verschenen onder de titel *A New Promise* bij Tate Publishing & Enterprises, LLC, 127 E. Trade Center Terrace, Mustang, Oklahoma 73064, USA

Vertaling Dominique Schoenmaker
Omslagillustratie Masterfile
Omslagontwerp Mark Hesseling
ISBN 978 90 297 1922 3
NUR 302

Dit boek is opgedragen aan mijn dierbare Heer, die alle goede dingen schenkt. Het is mijn diepste verlangen dat U dit boek tot Uw eer zult gebruiken, om Uw koninkrijk uit te breiden en om hen die het moeilijk hebben te bemoedigen. Moge Uw trouwe liefde ervaren worden door iedereen die U zoekt en mogen zij Uw heilige aanwezigheid en vrede ervaren wanneer alles hopeloos lijkt.

Laten de woorden van mijn mond U behagen,
de overpeinzingen van mijn hart U bekoren,
HEER, *mijn rots, mijn bevrijder.*
Psalm 19:15

Proloog

De koplampen doorkliefden de zomernacht en naderden het donkere bakstenen gebouw met een gestage snelheid van zestig kilometer per uur, waarbij ze het struikgewas verlichtten en hun licht werd weerspiegeld in de verduisterde ramen. Een Chevrolet uit 1992 met de radio op tien, reed over de stoep het goed onderhouden gazon op en trok diepe sporen in het met dauw bedekte grasveld.

'Zet die radio zachter, Dwight!'

'Omdat jij het zegt?'

Een derde stem snauwde: 'Houden jullie je mond dicht, idioten! Kom op, Parnell, doe wat je moet doen en laten we dan wegwezen!'

'Moment.' Hij zwaaide zijn in een spijkerbroek gehulde benen uit de wagen. De jongen met de donkere ogen haalde de dop van een fles whisky, nam een flinke teug, kwam met moeite overeind en salueerde naar het raam dat zich recht voor hem bevond.

'Hoe gaat het, mam? Nou? Nog steeds niet opgegeven, denk ik.'

Dat was de bittere waarheid. Ze verbleef al een jaar in het verzorgingshuis, maar merkte daar zelf niets van. Ze lag daar in haar bed, vlak achter dat raam. Als hij het gewild had, had hij haar waarschijnlijk zelfs kunnen zien. Hij hoefde er alleen maar heen te lopen, zijn hoofd boven de vensterbank uit te steken en naar binnen te kijken. Als hij dat wilde, maar dat was absoluut niet het geval. Ze lag daar met een slang in haar keel om voor haar te ademen en een slang in haar maag om haar te voeden. Dat was geen manier van leven. Je kunt het zelfs geen leven noemen, toch? Het is pas leven als iemand een nieuwe dag kan zien beginnen of kan praten met zijn of haar geliefden, of op z'n minst iets kan eten, toch?! Als zijn tijd kwam… nou, *zijn* tijd zou niet komen. Die beslissing had hij al genomen; hij zou niet in leven willen blijven voor *zo'n* einde.

'Kom op, Parnell, laten we wegwezen!'

'Doe eens *rustig*, Dwight!'

'Ja, toon eens wat respect, Dwight.'

Gehinnik en een luide, dronken boer overstemden de muziek die de pick-up deed schommelen en de grond waar hij op stond deed trillen.

Hij draaide de dop weer los en zette de fles opnieuw aan zijn lippen. Toen veegde hij zijn mond met de rug van zijn hand af, pakte de fles bij de hals, richtte met een wankele arm op het raam en liet de fles wegvliegen. Hij raakte de ruit met een harde knal. Achter hem klonken kreten van ontzetting.

'Wat *doe* je nou, Ty!'

'Kom op, man, laten we gaan!'

Zwalkend over het grasveld knipperde hij tegen de lichten die in de verte opdoemden en hij hoorde de sirene van een politiewagen loeien.

'Wat dacht je daarvan, mam? Ben je *nu* wakker?'

'Kom *op*, Parnell, wegwezen!'

Goed idee, als zijn benen maar mee wilden werken. Terwijl hij de whisky als een zware deken over zijn zintuigen voelde liggen, hoorde hij de versnellingsbak en rook de uitlaatgassen van de pick-up die over het gras scheurde. De wielen kwamen met een bonk vanaf de stoep op de straat terecht en toen hoorde hij het gepiep van de banden die rubber sporen achterlieten op de weg, in een uitzinnige race tegen de klok.

De politieauto, met zwaailichten maar nu gelukkig zonder sirenes, kwam aanrijden en twee agenten sprongen uit de groen-witte Explorer.

'Handen omhoog, makker.'

Een verdovende duisternis overviel hem en Ty mompelde: 'Ik ben je makker niet.' Toen liet hij zich op zijn knieën vallen, met zijn gezicht in het gras, en liet de duisternis volledig bezit van hem nemen.

1

'Je begint het einde van je vermogen te bereiken, Scott, maar ik denk dat je dat al wist, anders zaten we nu niet te praten.'

Terwijl de woorden van de advocaat in zijn hoofd weerklonken, reed Scott Parnell naar huis. Hij had een uur lang slecht nieuws moeten aanhoren op een prachtige ochtend in juni. Met de snelweg die uit Wenatchee, Washington, vandaan leidde in zijn achteruitkijkspiegel reed hij naar Blewitt Pass. Hij wachtte tot de spanning af zou nemen terwijl hij de weg nam die omhoog leidde naar het kleine stadje Shuksan, en zijn huis.

Het leek opnieuw een perfecte junidag te worden, wat goed voor het hooien was. Zowel de ongesneden alfalfa als het drogende gras wachtten op de balenperser om verwerkt te worden tot strakke balen. Als hij deze onvermijdelijke tocht naar zijn advocaat niet had hoeven maken, was hij al uren geleden in het veld geweest. Nu had hij het grootste deel van de ochtend verloren in een tijd van het jaar waarin elk uur telde, maar daar was niets aan te doen. Na het langer dan nodig te hebben uitgesteld, had hij uiteindelijk gebeld en nu had hij de antwoorden die hij gevreesd had.

'Washington is een allrisk scheidingsstaat, wat betekent dat Rachel geen advocaat nodig heeft. In de meeste gevallen zou jij ook geen wettelijk advies nodig hebben, maar we weten allebei dat dit geen normale zaak is. Ik zou aanraden een ondertekende verklaring te vragen aan Rachels arts, waarin haar conditie staat, om aan het hof aan te bieden, evenals documentatie van de kosten die gepaard gaan met haar zorg. Maar, Scott, je zult snel een beslissing moeten nemen. Ik weet hoe moeilijk dit voor je moet zijn, maar het is mijn taak om je te adviseren en het is gewoon niet anders, vriend.'

Scott had behoefte aan frisse lucht. Hij draaide het raampje omlaag en ademde diep de zomerlucht in. De geruststellende geur van pas gemaaid gras met een vleugje mest drong de auto binnen en hij liet zich door deze bekende geuren afleiden van zijn gedachten. Even had hij het gevoel alsof hij stikte, terwijl de woorden van de advocaat weerklonken in zijn hoofd. Het idee om zo'n gesprek met welke advocaat dan ook te voeren was bijna onvoorstelbaar, maar dit was Peter en ze waren samen opgegroeid; als kinderen speelden ze in het ondiepe water van de Iclice River, wierpen ze hun vislijnen in ijzige bergmeren op zomeravonden en gingen ze ijsvissen op bitterkoude wintermiddagen. En later, op de middelbare school, toen ze hun zomerdagen niet meer luierend doorbrachten, maakten ze hooibalen en reden ze wagens vol graan naar de opslagsilo's. Ze waren in die tijd bijna als broers geweest en Scott had een aantal geweldige herinneringen aan de tijd voordat Peter verhuisde van het rustige bergstadje naar Central Washington University in Ellensburg, en toen naar Gonzaga Law in Spokane. Zijn vriend had er na zijn beëdiging voor gekozen om zijn naambordje op te hangen in Wenatchee en naar het platteland terug te keren, hoewel zijn opleiding hem de kans bood om het hogerop te zoeken en meer financiële zekerheid te vergaren. Maar, zoals Peter graag zei: 'Geld is niet alles, maat.' Scott dacht er net zo over en respecteerde zijn vriend om diens bescheidenheid en dienstbaarheid aan mensen die het financieel zwaar hadden. Peter had de reputatie bereid te zijn mensen te vertegenwoordigen die zich in een gewelddadig huwelijk bevonden of beperkte financiële middelen hadden.

Het deed Scott zeer dat hij tot deze groep behoorde, in elk geval in financieel opzicht. Hij en Rach hadden geen van de andere problemen waar Peter dagelijks mee te maken had; in hun huwelijk was wederzijds vertrouwen en respect geweest. Maar die tijd was voorgoed voorbij en bestond nu alleen nog maar in zijn herinnering en in die van de kinderen. Het was onmogelijk te weten of Rachel nog enige bewuste gedachten had; er was hem verteld dat het niet waarschijnlijk was. Nee, tegenwoordig leefde Rach alleen nog maar in de letterlijke betekenis van het woord, zonder dat er nog iets persoonlijks van haar overgebleven was. Er waren geen magische middeltjes of nieuwe behandelmethoden te verwachten, geen nieuwe wondermedicijnen die zich nog in de testfase bevonden en er was geen hoop op genezing.

In de duistere uren van de nacht vroeg hij zich soms af wat er met zijn leven gebeurd was en wenste hij dat hij terug in de tijd kon gaan, tien jaar of nog langer, naar de tijd waarin ze een normaal stel waren geweest dat de kinderen opvoedde en een weg baande naar de toekomst. Maar zoals zijn moeder in zijn jeugd vaak had opgemerkt, als hij hardop iets wenste wat niet binnen hun bereik lag: 'Als wensen paarden waren, zoon, dan zouden we allemaal rijden.'

'Dan zouden we allemaal rijden,' peinsde Scott, terwijl hij over het landschap uitkeek. De enige rit die Rachel nog zou maken, zou een kort ritje zijn in de speciale Cadillac van Bill Palmer naar het rustige kerkhof op de heuvel die uitzicht bood over Shuksan. De rit zou al weken geleden hebben plaatsgevonden als hij haar wensen gerespecteerd had.

De wekelijkse bezoekjes die hij op zondagmiddag aflegde, gekleed in zijn schoonste spijkerbroek en overhemd zonder ongemakkelijk, strak boord en waarbij hij zijn John Deere pet omruilde voor een zwarte Stetson, waren tegenwoordig meer voor Tawnya dan voor hemzelf. Tawnya kletste erop los tegen haar verlamde moeder, over haar mooie konijnen en jonge poesjes en de hoogtepunten van haar schoolweek. De machines die haar moeder in leven hielden accepteerde ze gewoon. Ze was het lievelingetje van de verpleegsters en ze nam zelfgemaakte kaarten en tekeningen mee terwijl ze de geruststelling van een vrouwelijke aanraking zocht, zoals een bij in een bloem naar nectar zoekt. En waarom ook niet; welk twaalfjarig meisje had geen moeder nodig om haar te begeleiden bij de overgang van kind naar vrouw? Het probleem was dat wanneer deze vrouwen na hun dienst naar huis gingen, ze hun eigen dochters daar op zich hadden wachten en Tawnya achterbleef in het zwijgende en reactieloze gezelschap van haar moeder.

Hij hoopte dat Rachel zich niet bewust was van het feit dat Ty nooit een stap over de drempel van het verzorgingshuis had gezet. Hij had ervoor moeten vechten om Ty op kerstavond in de auto te krijgen en toen hij eenmaal op de parkeerplaats was aangekomen, had hij geweigerd het gebouw binnen te gaan. Moe van het vechten had Scott de weg van de minste weerstand gekozen en was hij gestopt met proberen. En nu gingen alleen hij en Tawnya elke zondag nog.

Hij vertraagde zijn snelheid tot een gestage veertig kilometer per uur terwijl hij door de stad reed. Onbewust reed hij, zoals altijd, steeds langzamer op Fircrest Manor af, waar Rachel zich in die schaduwachtige wereld tussen leven en dood bevond. Iemand had een puinhoop gemaakt van de voortuin, merkte Scott op, terwijl hij de beschadigde grond bestudeerde. Jongeren, waarschijnlijk, die zich hadden volgegoten en niet meer helder dachten. Hij trapte hard op de rem toen hij zag dat het raam van Rachels kamer dichtgetimmerd was. Hij overwoog even te stoppen, maar bedacht toen dat als er iets met Rachel zou zijn gebeurd, Fircrest wel gebeld zou hebben. Als het telefoontjes midden in de nacht betrof, of het nu om Ty of Rachel ging, was geen bericht absoluut goed bericht.

Hij gaf weer gas en reed verder door de rustige straten. Toen hij aan de andere kant van de stad kwam, wierp hij een achteloze blik op het Kittitas County Sheriff's Department en verstijfde. Een rood met zilveren Chevy met enorme wielen stond op de parkeerplaats. Hij zat onder de modder en had een bumpersticker van de Shuksan Bears. Ty's auto. Scott draaide de parkeerplaats op, zette zijn eigen pick-up naast die van Ty, gooide het portier open en zette zijn voeten op het asfalt. Hij kromp ineen terwijl hij de stijfheid van zijn protesterende gewrichten probeerde weg te werken. Toen hij de verzameling bierblikjes en sigarettenpeuken in de laadbak van Ty's truck zag liggen, haalde hij diep adem en draaide zich resoluut in de richting van de ingang van het gebouw.

De receptioniste, een oudere vrouw, gekleed in een verblindend groene blouse, keek op en begroette hem beleefd.

'Kan ik u helpen?'

'Ja, mevrouw. De truck van mijn zoon staat hier voor de deur, de Chevy uit '92. Ik vraag me dus af of hij hier is?'

'Gaat het om Tyler Parnell?'

De moed zonk hem in de schoenen toen hij antwoordde: 'Ja, mevrouw.'

De vrouw stond op uit haar stoel, waarbij een bijpassende groene broek zichtbaar werd.

'Als u even plaatsneemt, zal ik sheriff Clark laten weten dat u er bent. Wilt u een kopje koffie?'

Scott sloeg haar aanbod af en liet zich in de plastic stoel zakken. Had de truck van Ty in de tuin gestaan toen hij om half zeven naar Wenatchee was gegaan? Hij had er niet op gelet, wat niet veel goeds zei over zijn observatievermogen als ouder. Natuurlijk was hij volledig in beslag genomen door de komende ontmoeting met Peter, maar dat was geen excuus om zich aan zijn verantwoordelijkheden te onttrekken. Hij wreef over zijn ogen toen hij een hoofdpijn voelde opkomen. Hij leunde met zijn hoofd tegen de muur en hoopte dat de druk achter zijn slapen zou afnemen.

'Scott?'

Scott deed zijn ogen open en kromp ineen toen de fluorescerende lichtstraal de pijn achter zijn rechteroog prikkelde. Hij stond op en schudde de andere man de hand.

'Hoe gaat het ermee, Jim?'

'Niet slecht, Scott, en met jou?'

Schouderophalend zei hij: 'O, druk, je weet wel, tot over mijn oren in het hooien nu. Maar ik geloof dat ik op dit moment een ander probleem heb, hè?'

Met een scheve grijns schudde Jim zijn hoofd. 'Jouw woorden, vriend, niet de mijne.'

'Wat is er aan de hand?'

'Nou, dat weten we nog niet precies. We zijn om ongeveer half een vannacht gebeld door Fircrest over het verstoren van de openbare orde. Een stel jongelui in de voortuin in een truck, die er een puinhoop van maakten. Eerst schopten ze alleen maar veel herrie, maar toen gooide iemand met een fles een raam in.'

Het begon tot hem door te dringen.

'Rachels raam.'

'Blijkbaar. Hoe dan ook, tegen de tijd dat wij aankwamen, was de truck weg en stond Ty in de voortuin. We kwamen net op tijd om hem het bewustzijn te zien verliezen. Nu is alles in orde met hem, Scott. Ik heb vannacht een oogje in het zeil gehouden en nu is hij wakker. Hij voelt zich niet geweldig natuurlijk, maar hij is wakker. Wil je naar hem toe?'

'Het moet maar.'

Scott volgde de sheriff door een dubbele deur en hij floot even zacht.

'Het lijkt hier wel een motel, Jim; je laat de lichten voor ze aan.'

'Ja. Maar vitrage voor de ramen en bosbessenmuffins bij de koffie zul je hier niet aantreffen.'

'Dit zou mijn plek ook niet zijn als er wel muffins waren.'

Jim bleef voor de derde cel stilstaan en opende de deur.

'Opstaan, Ty. Er is iemand voor je.'

De jongen op het bed bleef een tijdje stil liggen en hees zich toen langzaam overeind tot een zittende positie. Hij wierp een blik op de deur en toen hij zijn vader zag, kreunde hij en liet zich weer op het matras vallen.

'Kom mee, Ty. Laten we in mijn kantoor gaan praten.'

Scott deed een stap opzij om ruimte te maken voor zijn zoon om naar buiten te komen. Op dat moment had hij zelfs geen woord kunnen uitbrengen als zijn leven ervan afgehangen had. De aanblik van zijn zoon achter tralies, hoewel de deur geopend was, was iets wat hij zichzelf liever bespaard had. De jongen keek hem niet eens aan, iets wat hij natuurlijk had kunnen verwachten.

Scott volgde Jim en Ty door de gang naar een klein kantoor en nam plaats in de stoel die Jim met een handgebaar aanwees.

'Hoe voel je je nu, Ty?'

Met een stuurse blik op de sheriff antwoordde Ty: 'Gewoon prima.'

Jim leunde achterover in zijn stoel en negeerde de kreunende protesten die uit het hydraulische mechanisme voortkwamen. Hij keek naar de jongen die in de stoel tegenover zijn bureau zat. Hij verschoof zijn gewicht naar zijn linkerheup, stak zijn hand in zijn rechterbroekzak, haalde er een sleutelbos uit en gooide die op het bureau. Hij zag hoe de ogen van de jongen even knipperden en ging toen verder: 'Ik dacht dat je deze wel zou herkennen. Je truck staat voor de deur; iemand heeft hem een paar uur geleden gebracht. Interessant dat ze precies wisten waar ze jou konden vinden, vind je niet?'

Ty was te trots om te antwoorden en haalde alleen maar zijn schouders op.

Jim wierp een blik op Scott, ging weer rechtop zitten en tikte met zijn vingers op het bureau.

'Wat is er gisteravond bij Fircrest gebeurd?'

Ty bleef naar de sleutelbos kijken en antwoordde: 'Weet ik niet meer.'

'Ik geef er persoonlijk de voorkeur aan 's morgens vroeg geen spelletjes te spelen, dus recht voor z'n raap, Tyler. Vertel me het verhaal. Vertel me hoe iemand het in zijn hoofd haalt om midden in de nacht een verzorgingshuis te vernielen, een stel bejaarden de stuipen op het lijf jaagt en uiteindelijk knock-out gaat terwijl zijn maatjes hem aan zijn lot overlaten.'

Ty wierp hem een hatelijke blik toe.

'Zo is het niet gegaan.'

Scott mengde zich in het gesprek. 'Laat dan eens horen wat er wel gebeurd is, Ty, nu meteen.'

Ty keek zijn vader onheilspellend aan, onderdrukte een gaap en haalde opnieuw zijn schouders op.

'Er valt niets te vertellen.'

Even hing er een gespannen stilte tussen hen, toen nam Jim het woord. 'Fircrest dient geen aanklacht in. Deze keer. Maar je kunt je maar beter twee keer bedenken voordat je je moeder opnieuw midden in de nacht gaat bezoeken. Hoor je me, jongen? We weten het allemaal van je moeder, Ty, en zijn bereid dit door de vingers te zien. Maar alleen deze keer, begrijp je dat?'

'Het zal wel.'

Jim keek de jongen lange tijd aan en leunde toen weer achterover, terwijl de veren opnieuw protesteerden.

'Ga nu met je vader mee. Je bent vrij om te gaan.'

Scott boog zich snel over het bureau heen en pakte de sleutelbos voordat Ty hem had bereikt.

'Ik dacht het niet, Tyler. Ga in de truck wachten. *Mijn* truck.'

De mannen stonden zwijgend op terwijl Ty langs zijn vader het kantoor uit stampte.

'Bedankt, Jim. Ik waardeer het.'

'Niets te danken, Scott. Ik heb je niet gebeld toen we hem binnenbrachten omdat er op dat moment niets meer te doen was en ik wilde je bellen als ik je vanmorgen niet zou zien. Ik dacht dat je hier maar beter niet wakker om moest liggen.'

'Dat waardeer ik, Jim. Dit spijt me meer dan ik je kan vertellen.'

'Het is niet jouw schuld, man. Ik wou dat ik wijze woorden voor je had. Ik weet dat hij het nu moeilijk heeft, maar ik weet ook dat deze weg hem recht het jeugdberechtingssysteem inleidt en dat wil ik niet zien gebeuren, Scott. Laat het me weten als er iets is wat we voor je kunnen doen, Susie en ik, oké?'

'Bedankt, Jim. Doe haar de groeten van me.'

'Zal ik doen. Houd je taai, makker.'

Scott stak zijn hand op ten afscheid en liep richting de uitgang, onderweg knikkend naar een agent. Toen hij uit het gebouw het felle zonlicht in stapte, wierp hij een blik op zijn horloge. Half elf. Zuchtend bleef hij even staan, met zijn handen in zijn zij, om naar zijn zoon te kijken, die achteroverleunde in de stoel, zijn ogen gesloten tegen de felheid van de ochtendzon.

Hij trok het portier aan de bestuurderskant open en keek over de stoel heen naar zijn zoon. Terwijl hij achter het stuur plaatsnam, bleef hij de jongen even aankijken. Toen stak hij de sleutel in het contact en startte de motor. Hij verschoof om over zijn schouder te kijken, reed achteruit en keerde om de stad weer in te rijden.

'Waarom kan ik niet met mijn truck naar huis rijden?'

'We gaan niet naar huis.'

Stilte.

'Waar gaan we dan heen?'

Scott keek even opzij en zag het verwarde haar en de bleekheid onder de gebruinde kleur.

'We gaan nu naar Fircrest en je neemt je verantwoordelijkheid als een man.'

Ty liet zich kreunend verder in de stoel zakken.

'Kan ik het niet morgen doen als ik me beter voel?'

'Ik ben bang van niet, Tyler. We zijn al een halve dag kwijtgeraakt; dat gebeurt morgen niet opnieuw. We laten de dag niet voorbijgaan voordat we dit afgehandeld hebben.'

Scott draaide de parkeerplaats voor bezoekers op, zette de versnelling in parkeerstand en liep de stoep op. Tyler zat nog steeds onbeweeglijk in de passagiersstoel, met een koppige uitdrukking op zijn gezicht. Scott liep om de wagen heen en rukte de passagiersdeur open, terwijl hij commandeerde: 'Nu, meneer.'

'Jaha, zit me niet zo op de huid!'

'Dit is nog niets, Ty. Ik ben nu nog heel mild.'

Ty mompelde zachtjes iets.

Scott vroeg scherp: 'Wat zei je daar?'

'Val dood.'

Vader en zoon stonden oog in oog voor de brede, glazen deuren die automatisch opengleden bij de druk van hun voeten op de sensoren. Scott zei met opeengeklemde kaken: 'Na jou.'

Met Ty aan zijn rechterkant zei Scott tegen de receptioniste: 'Goedemorgen. Is mevrouw Westin beschikbaar?'

Met een glimlach vroeg de vrouw: 'Kan ik zeggen wie er voor haar is?'

'Scott en Tyler Parnell.'

'O.' De glimlach vervaagde en de vriendelijke houding van de vrouw veranderde in een zakelijke. Ze antwoordde: 'Als u even in de wachtruimte plaatsneemt, zal ik gaan kijken of mevrouw Westin beschikbaar is.'

Scott nam plaats in de wachtruimte en keek om zich heen in de stille lobby. Smaakvolle schilderijen van bergbeekjes en hemelsblauwe meren hingen aan de muren en op tafel stond een hoge vaas met zijden bloemen. Hoe vaak hij deze deuren ook gepasseerd had, dit was de eerste keer dat hij hier in deze stoel zat. Anders liep hij viermaal per maand door deze lobby, door de hoofdgang naar de derde deur links, om te kijken naar de stille, voortdurende lichamelijke aftakeling van een vrouw en een moeder die deze fase nooit had willen doormaken.

Hij had zelf toegestaan dat Rachel een toestand bereikt had waarin ze zich niet langer bewust was van de wereld om zich heen. Daarmee had hij niet alleen de gesprekken genegeerd die in voorgaande jaren hadden plaatsgevonden, maar ook het document waar haar beverige handtekening onder stond, getekend met een hand die instabiel was geworden door de stuipen die haar lichaam verwoest hadden. Een testament van leven. Een vel papier waarop haar wens stond om haar familie de emotionele en financiële last te besparen van deze onbekende ochtenden, middagen en avonden die in elkaar overliepen, meedogenloos en eindeloos.

'Beloof me, Scott, dat als beademing nodig wordt, je het niet toestaat. Laat me gewoon gaan.'

Haar gewoon laten gaan. Alsof die woorden de daad gemakkelijker te accepteren maakten. Ze was al acht maanden niet meer bereikbaar en ondanks haar wensen was hij niet in staat geweest toe te kijken terwijl ze worstelde om lucht in haar longen te krijgen die gehinderd werden door een verlamd lichaam. Dus had hij zich niet aan zijn belofte kunnen houden, zowel voor de kinderen als voor hemzelf, hield hij zichzelf voor. Nu werd hij echter gedwongen zijn besluit te heroverwegen in het licht van

Ty's gedrag van de voorgaande nacht en zichzelf een moeilijke vraag te stellen: hoeveel zwaarder was het voor de kinderen om Rachel 'levend' te hebben?

En nu het doorslaggevende argument. Hoe kon er van hem verwacht worden om de beslissing te nemen om 'de stekker eruit te trekken', de sondevoeding en beademingsapparatuur weg te halen, in de wetenschap dat hij haar daarmee naar het hiernamaals leidde? Tien jaar geleden was ze die weg opgegaan toen de ziekte van Huntington een pijnlijke greep op Rachels lichaam had gekregen.

Hij wist dat Rachel haar wensen geuit had, dus hoe kon hij vasthouden aan de beslissing om er niet aan te voldoen?

Beademingsslangen, sondevoedingsslang die eens in de zoveel tijd vervangen moesten worden om infecties of blokkades te voorkomen, urinekatheters, wasbeurten, doorligwonden.

Ze zou het verafschuwd hebben als ze zichzelf had kunnen zien en, dat wist hij, enorm teleurgesteld zijn in hem. Maar hoe moest hij het besluit nemen om een einde te maken aan de strijd van het lichaam om te overleven en de ziel toestaan vrede te hebben?

Hij had geloofd in Gods belofte van eeuwig leven. Hij had geloofd dat Hij een speciale plaats voor Rachel bereid had en dat daar geen ziekte en pijn meer was, net zoals hij zonder twijfel wist dat Rachel al maanden geleden bereid was geweest om naar haar hemelse Vader toe te gaan. Maar hijzelf worstelde met de grote verantwoordelijkheid die hij als Rachels man had. Dus hij liet niet los en Rachel liet niet los. Maar wat hield hij vast en voor wie deed hij dat?

Een halfuur later liepen Ty en hij de schuifdeuren weer uit, hun missie voltooid. Ty had schoorvoetend spijt van zijn daden betuigd en had ingestemd te betalen voor de ruit die hij gebroken had, evenals voor twee sprinklers die vernield waren door de banden van zijn auto. Nu, opnieuw bij het kantoor van de sheriff, parkeerde Scott de wagen, gaf Ty zijn sleutels en zei: 'Ga naar huis. Rust wat uit.'

'Hoe zit het met het hooien?'

'Je bent niet in staat om met machines te werken. Neem een douche, was je truck en zet de irrigatie van het alfalfa aan.'

Ty knikte, zonder zijn vader aan te kijken. Scott sloeg zijn armen over elkaar, leunde met een heup tegen de truck en zei: 'Ik wil dat je gaat nadenken over wat er gisteravond gebeurd is en ook waarom het is gebeurd, Ty. Want ik kan niet geloven dat je per ongeluk bij Fircrest beland bent. En het raam van je moeder is niet per ongeluk gebroken. Ik weet dat je boos bent, jongen, en dat begrijp ik. Echt waar. Maar het is niet je moeders schuld en ik wil niet dat je net doet of dat wel zo is, begrepen?'

'Ja.'

Hij zette de auto weer in zijn versnelling. 'Goed, ik moet ervandoor. Ik zie je vanavond.'

Hij keek toe hoe zijn zoon van de parkeerplaats af reed en voelde zich hulpeloos onder Tylers rebellie. Jim had de spijker op de kop geslagen: zijn zoon was een gevaarlijke weg ingeslagen en ofwel hij zag het niet, of het kon hem niets schelen. Hoe dan ook, het was een riskante weg en het uitzicht aan het einde van het pad was de tocht niet waard. Ze konden nu wel een wonder gebruiken, maar Scott rekende er in dit geval niet al te zeer op. Ze stonden er duidelijk alleen voor.

2

Het hooien was nogal veranderd in de jaren dat de Parnells de vallei hadden bewerkt die ze hun thuis noemden. De eerste jaren was hooien een loodzwaar karwei geweest waarvoor een paardenspan en een hooiwagen vereist waren en sterke mannen met zeisen en hooivorken onder de brandende zon zwoegden, waarbij altijd goed moest worden opgelet voor ratelslangen. Scott zat tegenwoordig in de cabine met airconditioning van zijn tractor en hij kon luisteren naar de landbouwberichten op de radio of, na de prijzen van sojabonen in het middenwesten of de prijs voor speenvarkens te hebben gehoord, een cassettebandje in de gleuf onder in de radio steken. Hij genoot van hooien, wat maar goed was, want hooien en oogsten vormden zijn bron van inkomsten en hielden hem bezig van mei tot september. Er ging niets boven de zoete geur van pas gemaaid alfalfa op een warme zomerochtend.

Het eerste maaien van het hooi, wat meestal sneller ging omdat het gras nog een beetje dun was na de winter, vond eind mei plaats. De tweede keer maaien was meestal halverwege juli klaar en de laatste in september, vlak na de tarweoogst. Omdat Ty dan weer op school zat en de balenperser niet kon hanteren, was het de derde maaibeurt altijd maar de vraag of het weer stabiel zou blijven of dat machinepech de oogst zou vertragen.

Scott had een goede klantenkring opgebouwd en werkte al vijftien jaar voor dezelfde boeren. Soms kreeg hij er een nieuwe klant bij, soms zelfs meer dan twintig kilometer verderop. Deze opdracht, bij de Reardans, was een van zijn favoriete; vlak bij huis en in een prachtige omgeving met de grillige granieten toppen van de Steward Mountain in zicht terwijl hij over het zuidwestelijke einde van het weiland reed.

Hij had ook altijd eigen land gehad om voor te zorgen naast de aangenomen klussen, maar dit jaar, nu het laatste stuk van tweehonderd hectare weg was, hoefde hij niet langer te bedenken hoeveel opdrachten hij aankon naast zijn eigen werk. Nu was die tijd voorgoed voorbij en afgezien van de tien hectare waarop het huis en de schuur stonden – alles wat over was van zijn bedrijf – had hij geen banden meer met of verantwoordelijkheden voor het land dat al vijf generaties overgeleverd was. Land dat hij met een gevoel van spijt en schuld verkocht had, maar waarvan de opbrengst hem in staat gesteld had Rachel de allerbeste zorg te geven. Alleen wanneer hij naar zijn kinderen keek, voelde hij een steek van spijt dat deze generatie het einde zou betekenen van een traditie die al meer dan honderd jaar geleden begonnen was, toen zijn overgrootouders zich hier gevestigd hadden en dit land hectare voor hectare hadden bewerkt. Er was achthonderd hectare geweest, goed land waarop vee gegraasd had en waar gewassen hadden gegroeid, dat nu gekrompen was tot nauwelijks meer dan tien hectare.

Aan de voet van de oostelijke helling van het Cascadegebergte, was het gebied van Shuksan gezegend met vruchtbare grond, voldoende water in meren en beken. Overal stonden pijnbomen en velden met gouden tarwe lagen tussen de bossen in en boden spectaculaire uitzichten op het Cascadegebergte. Allerlei vee graasde onder de blauwe lucht en bijna elke ranch bezat een paardentrailer; kinderen die hier opgroeiden waren enthousiaste ruiters, zowel voor werk als plezier.

Scott stopte met grasmaaien en reed de tractor uit het veld naar de weg, waarna hij langzaam naar het houten gebouw tegenover de tuin van het huis van de Reardans manoeuvreerde.

Hij bracht de tractor tot stilstand, zette de motor uit en pakte zijn lege broodtrommel. Toen veegde Scott zijn gezicht af met een versleten blauwe doek en sprong de cabine uit. Eenmaal op de grond vertrok hij zijn gezicht toen zijn benen, stijf na een paar uur te hebben gezeten, wenden aan de plotselinge schok om hem overeind te moeten houden. Hij was geen veertig meer en zijn lichaam leek hem daar steeds opnieuw aan te willen herinneren. Hij maakte de spieren van zijn schouders en nek los, keek op zijn horloge en twijfelde of hij nog een paar rondjes met de balenperser zou afleggen. Vijf uur, dus hij had nog voldoende daglicht. En aangezien tijd geld was, leed het geen twijfel dat hij nog een paar uur kon persen voordat de avondschemering inviel en het werk voor een nieuwe dag moest blijven liggen.

Timing was heel belangrijk bij dit onderdeel van het hooien; het tot balen rollen van nat gras, dat nog niet in de zon had gelegen om helemaal op te drogen, was vragen om problemen. Schimmel, ongezond en gevaarlijk voor vee en, vreemd genoeg, vuur. Er waren in de loop der jaren een aantal boerderijbranden geweest, waarbij de gebouwen en de inhoud, zelfs het vee, volledig verloren waren gegaan. Hooi dat niet voldoende gedroogd was voor het persen verspreidde een gas dat zeer instabiel was en tot spontane ontbranding kon leiden, dus het loonde niet om veel haast te hebben met dit deel van het hooien. Voordat Tyler oud genoeg was om de balenperser te bedienen, maakte hij, afhankelijk van hoe groot het gebied was dat gehooid moest worden, het maaien van de ene klus af, ging dan door naar de volgende en keerde daarna terug naar de eerste om te persen. Systematisch roteren tussen zijn klanten ging hem heel goed af. Nu Ty voor de derde zomer de machine hanteerde, had dat iets van de druk op hemzelf verlicht. Hij had zijn klantenlijst kunnen uitbreiden en zijn inkomen kunnen vergroten. Hij wilde er niet aan denken hoe hij het voor elkaar moest krijgen wanneer de dag kwam waarop zijn zoon er niet meer was om hem te helpen, of hoe hij al die balen van het veld in de truck moest krijgen en dan weer uit de truck naar de hooischuur; zijn lichaam bleef hem eraan herinneren dat hij geen twintig meer was.

Ty. En Peter. Wat een ochtend was het geweest.

Scott bekeek de nette rijen gemaaid gras, terwijl hij langzaam ertussendoor ging en de grote machine keurige balen produceerde. Hij voelde altijd een intense voldoening tijdens dit deel van een klus; wanneer hij het eindresultaat zag en dankbaarheid ervoer voor de medewerking van de natuur.

Rachel. En Tawnya. Zorgen die hem vaker wel dan niet teisterden, waren nooit ver uit zijn gedachten.

Een van de dingen die hij het meeste miste, was de wetenschap dat er na een dag van hooien of oogsten van tarwe, wanneer hij moe, vies en bezweet thuiskwam, een warme maaltijd op hem wachtte, een koude douche met schone handdoeken en er schone kleding in de kast hing. Natuurlijk was het al een aantal jaar geleden dat hij deze luxe aan den lijve had ervaren, maar er was niets mis met de herinnering.

Het was drie jaar geleden dat Rachel niet meer in staat was geweest om te koken. Niet meer in staat om veilig in de keuken te functioneren vanwege de onbeheersbare stuipen die het onverantwoord maakten om met het fornuis of messen om te gaan. Onder grote druk had ze haar schort voorgoed afgedaan. Ze had zich een aantal keren licht verbrand of met hete vloeistof geknoeid. Maar het incident dat een definitief einde gemaakt had aan de ontkenningsfase waarin Scott zelf toen nog gezeten had, had te maken gehad met een hakmes en Rachels linkerhand. Tawnya was haar moeder op een wintermiddag aan het helpen een stoofpot te maken en hakte de groenten terwijl Rachel het vlees in stukken had gesneden.

Met de gretigheid van een kind dat z'n best deed en een

inzicht dat niet bij haar jonge leeftijd paste, had Tawnya er al maanden eerder voor gezorgd dat ze erbij was in de keuken wanneer de maaltijden klaargemaakt werden, toen Rachel steeds meer moeite kreeg met de dagelijkse bezigheden. Tawnya had praktische kennis en veiligheidstips in zich opgenomen en leek te begrijpen dat het hoogstnodig was dat ze dit op dat moment deed.

Op die wintermiddag, terwijl de sneeuw buiten neerdwarrelde, had Tawnya met haar moeder in de knusse keuken gewerkt. Ze pauzeerde even om door het raampje in de ovendeur te kijken naar de chocoladetaart die erin stond te bakken. Aan de andere kant van de keuken hoorde ze de ontzette kreet van haar moeder, tegelijk met het gerinkel van een mes dat op de grond viel. Toen ze zich omdraaide, zag ze de jaap in Rachels hand en het bloed dat over het aanrecht gutste. Tawnya brulde naar haar vader, terwijl ze als verlamd bleef staan en zag hoe het bloed van haar moeder over het aanrecht stroomde, langs de kastjes naar beneden en een plasje vormde op het linoleum. Scott en Ty waren van verschillende plaatsen in het huis aan komen rennen, elk door een andere deur. En terwijl Scott abrupt tot stilstand kwam toen hij het schouwspel voor zich zag, had Ty de tegenwoordigheid van geest om een handdoek te grijpen, deze om de hand van zijn moeder te wikkelen en druk op de wond uit te oefenen. Een wilde rit naar de kleine eerstehulpafdeling van het plaatselijke ziekenhuis over een spiegelgladde weg was hierop gevolgd, terwijl Tyler druk bleef uitoefenen op zijn moeders hand. Na het schoonmaken en verdoven van de wond waren er drieëntwintig hechtingen nodig in drie lagen weefsel, naast een toediening van een tetanusprik. Toen had dokter Morgan Scott apart genomen.

'Ik begrijp dat dit een ongelukje in de keuken betrof. Ik moet zeggen dat het me verbaast dat zoiets nog geen maanden geleden gebeurd is. Ze mag gewoon geen eten meer klaarmaken, meneer Parnell. Het spijt me, maar duidelijker kan ik het niet maken.'

Voordat Rachel ontslagen was, had de dokter eenzelfde gesprek met haar gevoerd. Rachels ledematen waren actiever dan gewoonlijk geweest vanwege de opwinding en ze had gehuild en gesmeekt om een medicijn dat haar zou helpen nog iets langer onafhankelijk te blijven, iets waarvoor ze werden doorgestuurd naar haar neuroloog. Er was hun geadviseerd haar niet langer te laten traplopen, vanwege het risico van instabiliteit en een val. Ze mocht ook alleen nog maar in bad of onder de douche gaan met hulp, waarbij ook weer gevreesd werd voor een val. De dokter had Scott ronduit gezegd dat zijn vrouw in het einde van de middenfase van de ziekte van Huntington verkeerde en dat ze hard afstevenden op de dag waarop ze van totale zorg afhankelijk zou zijn, niet meer in staat om zichzelf te voeden, haar lichaam zelf te bewegen en te communiceren.

Ze kenden de diagnose natuurlijk al, op dat moment al twee jaar, maar ontkenning kwam vaak voor bij zowel patiënten als familieleden, zo was hun door drie neurologen en meelevende vreemdelingen in praatgroepen voor Huntington verteld. Rachel had al zes jaar vage symptomen, die ze voor haar man en kinderen had geprobeerd te verbergen. De symptomen waren begonnen toen ze eenendertig was. Toen was haar normale rustige, gemoedelijke aard ineens gepaard gegaan met humeurigheid en depressie, waarbij ze soms plotseling een woedeaanval kreeg. Dit ging over in een periode van overmatige seksuele begeerte, waarbij Scott verscheurd werd tussen plezier in de bereidwilligheid van Rachels reacties en een vage onrust over de veranderingen in de persoonlijkheid van zijn vrouw.

Scott keerde weer terug naar de geurige zomeravond en zat verdoofd in de cabine van de tractor, verbaasd te zien dat het al zeven uur geweest was; de schemering viel in en krekels tsjirpten. Hij had meer gedaan dan hij verwacht had, wat altijd goed was. In de afgelopen paar jaar had hij zich op zijn werk gestort, om zijn geest en lichaam bezig te houden en het geld binnen te laten stromen, want er was nooit genoeg geld tegenwoordig. De constante zorg was afschuwelijk duur en uiteindelijk had hij het laatste van zijn land verkocht. Fircrest was betaald tot oktober; wat hij dan moest doen bezorgde hem een misselijkmakend gevoel in zijn maag. Zijn wanhoop had hem naar zijn vriend geleid, die met de mogelijkheid van echtscheiding was gekomen. Als hij niet meer verantwoordelijk was voor Rachel, nam de staat Washington de kosten voor zijn rekening en zou hem de beslissing om de stekker eruit te trekken uit handen worden genomen.

Het geld was er niet, dat was een vaststaand feit. Hij kon wel naar de bank gaan en een hypotheek op het huis nemen en daarmee wat extra tijd voor zichzelf en Rachel kopen, maar wat dan? Een maandelijkse betaling op het huis dat zijn ouders volledig in bezit hadden gehad toen het op hem overging? Het voelde gewoon niet goed. Dat, en het feit dat hij het financieel nog slechter zou hebben dan nu en zich boven alles nog zorgen moest maken over de hypotheek ook.

Maar het ging om Rachel, en wat moest hij anders? Haar mee naar huis nemen? Van de kinderen verwachten dat zij haar luiers verschoonden, haar om de paar uur draaiden zodat ze geen doorligwonden zou krijgen en het infuus in de gaten hielden in verband met infecties of blokkades? Dat liet hij niet gebeuren. Hij had aan Catherine gedacht, maar het net zo snel weer uit zijn hoofd gezet; een vijfenzeventigjarige vrouw hoorde geen volledig afhankelijke volwassen vrouw te verzorgen, zelfs niet als het haar dochter was. Ze had er de energie eenvoudigweg niet meer voor.

Hoe hij zijn opties ook afwoog en de mogelijkheden door zijn hoofd liet spelen, het kwam elke keer weer op hetzelfde neer.

Hij kon zich Fircrest niet veroorloven en hij kon het zich niet veroorloven om het niet te kunnen.

'Laat me gewoon gaan, Scott. Beloof het me!'

Als hij nog geloofde dat het hielp, zou hij bidden, maar daar zag hij allang geen heil meer in. De smekende, wanhopige en uiteindelijk woedende en beschuldigende gebeden leken allemaal onopgemerkt te zijn gebleven. Het was duidelijk dat wat God tegenwoordig ook aan het doen was, Hij met het leven van iemand anders bezig was. Iemand die zijn aandacht meer verdiende dan Scott.

Nee. Gebed was voor degenen die nog hoop hadden, niet voor degenen die niet meer geloofden dat iemand ze verhoorde. Hij zou God niet meer lastigvallen en Scott moest gewoon zijn best doen om zijn eigen problemen op te lossen. Als hij niet genoeg zijn best had gedaan, dan moest hij er gewoon nog meer energie in steken. Waar een wil is, is een weg, toch? Mijn wil, mijn weg. Als het erop aankwam, wat was er dan nog meer?

Hij ging op weg naar huis, terwijl een enorme leegte hem volledig vervulde.

3

Ty genoot er altijd van om zijn truck te wassen, de modder eraf te soppen in bruingele straaltjes en de lak weer te laten glanzen. Hij draaide het ventiel van de slang en ging langzaam van voor naar achter, waarbij hij een waterstraal over de motorkap spoot, die neerkwam op het grind. Hij kon zichzelf niet bedwingen en zette zijn duim voor het uiteinde, richtte de slang op Skip, haalde zijn duim eraf en liet het water op de hond terechtkomen. Skip schudde zich woest uit en kwam uitdagend aanlopen; dit was hun gewoonte en ze genoten er allebei van, hoewel het erom spande wie natter was tegen de tijd dat de kraan werd uitgezet. Ty richtte de straal nogmaals op de hond en grijnsde toen Skip aan de andere kant van de truck verdween, om even later weer terug te keren met een blik die smeekte om meer. Terwijl hij zijn wens inwilligde, kreunde Ty: 'Nee, Skip!' toen de hond zijn hele lijf schudde en de spetters in het rond vlogen. Met doorweekte gymschoenen liep Ty soppend naar de kraan om hem dicht te draaien.

'De pret is weer voorbij, jochie.'

Ja, dat was wel zeker. Gisteravond was leuk geweest, totdat de jongens hem voor Fircrest in de steek hadden gelaten en er in zijn truck vandoor waren gegaan. Hij kon nog steeds niet geloven dat ze hem echt aan zijn lot hadden overgelaten. Hij wou dat hij zich kon herinneren waarom hij naar Fircrest was gegaan; zijn geheugen was op sommige punten nogal wazig. Sheriff Clark zei dat hij bewusteloos was geraakt, dus hij wist dat hij veel moest hebben gezopen, want dat gebeurde hem anders nooit, daar stond hij onder zijn vrienden om bekend. De sheriff had ook gezegd dat Ty een fles door het raam van zijn moeder had gegooid; blijkbaar had iemand hem gezien en dat gemeld aan de politie. Nou, Jim Clark en zijn vader waren samen opgegroeid, hadden zelf genoeg herrie geschopt op school en het waren nog steeds goeie maatjes, dus het was logisch dat hij slijmde bij zijn vader.

Wat maakte een beetje whisky nou eigenlijk uit? Als je de manier had gezien waarop zijn vader in de gevangenis naar hem gekeken had, zou je denken dat hij zich met een schaar op zijn moeders foto's had uitgeleefd of zo. Zijn vader was nooit hypocriet geweest en hij had verhalen verteld over zijn eigen kwajongensstreken toen hij nog op school zat, dus het was niet dat *hijzelf* zo onschuldig was.

Maar misschien was de wazige herinnering het gevolg van iets heel anders. Misschien was het 'datgene waar we nooit over praten', de donkere wolk die over hemzelf, zijn vader en zus leek te hangen alsof ze de warmte van de zon nooit meer zouden voelen.

Ze spraken nooit over de ziekte van zijn moeder en de onzekerheid of de erfelijke ziekte al aan hem en Tawnya was doorgegeven voordat ze geboren waren. Er was geen schaal denkbaar waarop de onzekerheid die dit opleverde, was uit te drukken. Erger nog, er was niemand met wie hij over de situatie kon praten; zijn vader had een onzichtbaar masker dat over zijn gezicht gleed telkens wanneer hij de situatie ook maar ter sprake bracht en Ty had geleerd om het niet eens meer te proberen. Afgezien van de paar gesprekken die hij met Dwight gevoerd had, was het ondenkbaar om een dergelijke kwetsbaarheid aan zijn vrienden te tonen en Tawnya was nog een kind. Dus sprak hij er niet over. Maar hij was ergens op gestuit dat *wel* hielp.

Zolang de slijterij whisky op voorraad had, had hij geen zorgen. Alleen wanneer de realiteit op zijn pad kwam, leed hij onder zorgen over de situatie. Het was toch geen wonder dat hij de voorkeur gaf aan dronkenschap boven nuchter zijn?

Omdat ik ziek ben, net als mama. Ik word ook gek en ga ook rondzwalken alsof ik dronken ben, zelfs als dat niet zo is. Elke dag weer, totdat ik helemaal niet meer kan lopen.

Hij herinnerde zichzelf eraan dat hij zich, totdat hij getest was, geen zorgen moest maken, dat hij een kans van vijftig procent had op het afwijkende Huntington-gen dat willekeurig van generatie op generatie werd overgeleverd. Hij had de fases van het ziekteproces in verband met Tawnya en hemzelf pas op zijn veertiende helemaal begrepen, toen de symptomen van zijn moeder drastisch verslechterd waren. Hij had met zijn ouders in een steriel kantoor van een genetisch deskundige gezeten, die hem diagrammen had laten zien en hem in woorden die een tiener kon begrijpen, had uitgelegd dat Huntington een slopende degeneratie van de hersenen en het centraal zenuwstelsel is. Die dag had hij te horen gekregen dat hij een genetische test kon ondergaan als hij dat wilde, om erachter te komen of hij te maken zou krijgen met dezelfde verwoestende achteruitgang van lichaam en geest, maar dat hij tot zijn achttiende moest wachten om dat te kunnen doen. De man had net zo goed kunnen zeggen dat hij nog tien jaar moest wachten in plaats van bijna vier; oneindig lang voor een jongen die elke dag leefde met een moeder die niet meer kon koken, de trap af kon lopen naar de kelder om de was te doen, haar kinderen naar school kon rijden, of de helft kon onthouden van wat tegen haar gezegd werd.

Nou, hij had drie jaar overleefd sinds die afschuwelijke afspraak bij het medisch centrum van de Universiteit van Washington. Over vier maanden zou hij achttien worden en de dag daarop was hij van plan zijn mouw op te rollen voor de naald. Hoe dan ook, of het nu goed of slecht nieuws zou betekenen, hij moest het weten. Het was al moeilijk genoeg om zijn diploma te halen en naar een vervolgstudie keek hij nog helemaal niet; wat zou iemand die toch in een plant verandert aan een studie hebben?

Tranen prikten in zijn ogen, kriebelden in zijn neus en wekten woede in hem op. Als hij zich zo liet gaan zou hij zo'n aansteller worden dat hij wel met zijn zusje met de barbies kon gaan spelen. Als geroepen verscheen Tawnya bij de voordeur. Ze droeg een dun hemd van haar vader over een korte spijkerbroek die haar mollige dijen liet zien en bukte zich om gedachteloos aan een muggenbult op haar rechterkuit te krabben.

'Ty?'

'Wat?'

'Wat doe je hier?'

'De truck wassen, dat zie je toch?'

Zijn zusje deed hem aan een jong kalf denken, dacht Ty harteloos. Ze was klungelig en onhandig en ongeveer zo gracieus als een olifant in een porseleinkast, en al net zo charmant. Het was niet haar schuld dat haar kleding eruitzag als iets dat een zestigjarige vrouw zou kunnen dragen, gezien het feit dat oma ze kocht, maar het zou haar zeker geen kwaad doen om haar haar wat vaker te wassen. En, viel Ty met oprechte schaamte op, zijn zusje had een beha nodig. Zijn zusje had zelfs veel meer nodig dan wat tips over persoonlijke hygiëne en lingerie. Ty had zelf niet veel sokken en ondergoed meer; het werd er niet beter op nu pap zijn sokkenla geregeld plunderde. Mam zou het vreselijk hebben gevonden dat haar gezin er zo slonzig bij liep. Pap leek het alleen totaal niet te beseffen.

Tawnya's stem onderbrak zijn mijmeringen. 'Nee, ik bedoel, wat doe je thuis in plaats van dat je met pap aan het werk bent?'

'Gaat je niks aan.' Snel stapte hij in zijn truck.

'Waar ga je heen?'

'De irrigatie van de alfalfa uitzetten.' Hij draaide de sleutel om en startte de motor. Toen hij weer opkeek, gromde hij vermoeid. Tawnya stond voor de truck en bleef koppig staan.

'Kom op, Tawnya, aan de kant!'

'Ik wil mee.'

Met een diepe zucht boog Ty opzij, deed de passagiersdeur open en zei: 'Kom op dan.'

Tawnya klom in de cabine, trok haar neus op en schopte een patatzak aan de kant.

'Je bent zo'n sloddervos. Wil je dat ik een vuilniszak pak?'

'Nee.'

'Maak er dan maar een zootje van.'

Ty keek op zijn horloge en vroeg: 'Wat eten we vanavond?'

'Ik heb tegen pap gezegd dat ik spaghetti zou maken, maar we hebben geen gehakt meer in de vriezer, dus eten we roereieren en wafels.'

'Je weet dat die ouwe daar een hekel aan heeft, Tawnya. "Een man wil een echte maaltijd hebben als hij voor het eten aan tafel gaat", weet je nog?'

'Nou, ik kan er niets aan doen, Ty. Oma is niet gekomen om samen boodschappen te doen en bijna alles is op. Ik heb vanmorgen het laatste brood uit de vriezer gehaald.'

Dat stomme water kon deze keer wel iets langer blijven stromen. Dit was een goed excuus om de stad in te gaan, Tawnya bij de supermarkt af te zetten en zelf op zoek naar Dwight te gaan om erachter te komen wat er gisteren nou eigenlijk was gebeurd.

'We kleden ons even om en dan gaan we de stad in, Tawn. Ik zet je af bij de winkel en kom je later weer halen.'

Tawnya volgde Ty de trap op, liep snel naar haar kamer, kleedde zich uit en vouwde haar kleren daarna netjes op. Ze haalde haar lievelingsbroek uit de kast, trok hem met moeite over haar heupen heen en liet zich plat op haar rug op het bed vallen om de rits dicht te kunnen krijgen. Dit was vooruitgang, toch? Een paar weken geleden had ze de randen niet eens bij elkaar kunnen krijgen, dus het werkte, hoe verschrikkelijk het ook was.

En dan te bedenken dat ze het als klein kind haatte als ze misselijk was. Nu was het gewoon iets wat ze elke dag deed. Wat erin ging, kwam er niet veel later weer uit. Het was niet haar favoriete bezigheid, maar het had wel effect.

Ze liep weer naar de kast, haalde er een blauw met groen geruite blouse uit, liet die over haar schouders glijden en worstelde met de knoopjes. Toen ze haar spiegelbeeld bekeek, haalde ze snel een borstel door haar haar. Ze kromp ineen toen de borstel door de klitten achter in haar nek ging. Een rond gezicht met bruine ogen staarde terug naar haar. Sproeten bedekten haar kin, wangen en voorhoofd. Voor de zomervakantie had ze een idee gekregen. Ze had mama's oude make-up in papa's badkamerkastje gevonden, alles er op een dag uit gehaald en mee naar haar slaapkamer genomen. Daar had ze geëxperimenteerd totdat ze doorhad hoe ze de oogschaduw en mascara goed kon aanbrengen. Toen ze de magie van vloeibare make-up en poeder eenmaal had ontdekt, verborg ze die oneffenheden onder een gladde laag make-up, net zoals ze boter op een snee brood smeerde.

Ze was zo opgetogen geweest dat ze nauwelijks kon wachten tot ze de volgende ochtend naar school kon gaan; misschien zou ze nu weer bij de meisjes horen met wie ze op de basisschool bevriend geweest was, maar die nu veel volwassener leken te zijn. Tussen de lessen door en tijdens de lunch stond er altijd een groepje meisjes voor de spiegels in de toiletten, om nieuwe lipgloss op te doen of hun haar in model te brengen. Tawnya vond het allemaal een beetje belachelijk; iedereen wist dat ze meteen na de lunch gym hadden. Ze zouden alleen maar gaan zweten en al die moeite was voor niets geweest.

Maar ze had zich afzijdig gehouden, uitgesloten van de kliek voormalige vriendinnen die zich nu tot tieners ontwikkelden; een aantal van hen was al dertien. Sommigen waren zelfs al ongesteld geworden. Niet dat ze jaloers was, natuurlijk.

De andere meisjes, Kendra en Kara, Crystal en Ariel, hadden om de paar weken pyjamafeestjes, waarvoor de uitnodigingen felbegeerd werden door meisjes die pech hadden of niet populair genoeg waren om uitgenodigd te worden. Op de maandagen na deze logeerpartijtjes klonken er giechelende verslagen van een moeder die moddermaskers had aangebracht op de gezichten van de meiden, of van middernachtelijke eetpartijen met pizza en brownies of ijs, in het duister, gefluisterde verhalen over hoe het nou voelde om door een jongen gezoend te worden. Ja, die logeerpartijtjes waren hoogtepunten in het ingewikkelde schooljaar van de brugklas.

Tawnya was nog nooit uitgenodigd.

Nu stond ze voor de ronde spiegel die boven de wastafel hing en de herinnering aan de opwinding die ze had gevoeld toen ze naar school ging op de dag nadat ze haar moeders make-up ontdekt had, deed haar nog blozen. Ze had de blauwe oogschaduw zorgvuldig op haar oogleden aangebracht, geworsteld met de mysteries van het aanbrengen van mascara en tevreden gezien dat er geen sproet op haar gezicht meer te ontdekken was. Ze was de trap af gestommeld en de voordeur uit gerend – om haar vader te ontlopen, die nog steeds dacht dat ze acht jaar was – toen de schoolbus aan kwam rijden. Ze had gedacht dat het optrekken van de wenkbrauwen van de buschauffeur alleen maar was uit verbazing dat de kleine Tawnya oud genoeg was om make-up op te hebben. Ze had zich verbazingwekkend volwassen gevoeld, maar haar illusies en zelfvertrouwen waren lang voordat de geur van de kantinelunch door de middelbare school van Shuksan was gedreven, volledig de kop ingedrukt.

Ze had enthousiast gezien dat de andere leerlingen haar transformatie opmerkten en de eerste twee lesuren waren in een roes voorbijgegaan. Met het heerlijke vooruitzicht om, voor het eerst, haar eigen make-up bij te kunnen werken, om eindelijk te worden opgenomen in de exclusieve groep meisjes die samendromden voor de spiegels, duwde Tawnya de toiletdeur open.

'... zelfs maar geloven dat ze het lef heeft om zo op school te komen? Ik had het niet meer van het lachen toen ik haar zag.'

'En wat dacht je van die rouge? Ze ziet eruit alsof ze in het circus thuishoort!'

'Ze *hoort* ook in het circus thuis.'

Er werd luidkeels gelachen in de ruimte en het geluid weerkaatste tegen de stenen muren.

'En zag je hoe blij ze is met zichzelf? Alsof ze geen idee heeft hoe hilarisch ze is. Als ik zo was, zou ik me meer zorgen maken over dat slechte gebit dan over make-up.'

'Ja, en het zou ook geen kwaad kunnen als ze een maaltijd zou missen!'

Op de een of andere manier had ze geweten dat ze het over haar hadden. Tawnya voelde de blos over haar wangen kruipen en haar maag samentrekken. Ze klemde haar tas stevig vast en moest een geluid gemaakt hebben, want iedereen uit de groep draaide zich om en zag haar daar bij de deur staan. Een fractie van een seconde leek jaren te duren; met een verstikte snik draaide ze zich om en vluchtte weg door de drukke gangen, langs de directiekamers, en ten slotte door de voordeur naar frisse lucht en zonneschijn. Ze had gerend totdat ze pijnlijke steken in haar zij kreeg, zich toen voorovergebogen en met haar vuisten over haar betraande ogen gewreven. Ze liet zich vermoeid op een grasveld zakken en overwoog haar opties. Ze kon vandaag absoluut niet meer terug naar school; de gedachte aan de vernedering en spottende woorden van haar 'vriendinnen' veroorzaakten een nieuwe golf van tranen in haar gezwollen ogen. Er was dus nog maar één alternatief.

Oma.

Ze had die ochtend om half elf op de stoep van haar oma gestaan, had aangebeld, gewacht, terwijl ze grote behoefte had aan een zakdoek. De deur was opengegaan en haar oma was verschenen, een verbaasde blik op haar gezicht.

'Tawnya, wat doe jij hier? Kom binnen.'

Ze volgde haar oma naar de smetteloze keuken en liep meteen naar de keukenrol die boven de prullenbak hing, snoot luidruchtig haar neus en depte haar ogen.

'Kom zitten, schat. Vertel oma wat er aan de hand is. Lieve help, wat heb je op je gezicht?'

Ze was bij oma gaan zitten en had het hele ellendige verhaal verteld, hoe ze de vorige avond zo hard geoefend had en vanmorgen extra vroeg was opgestaan zodat ze genoeg tijd had om het perfect te doen, hoe ze zo trots was geweest op haar verschijning en uiteindelijk de afgrijselijke scène in de toiletten en als gevolg daarvan haar vlucht van school.

'Ik schaam me zo, oma. Ik denk niet dat ik ooit nog terug kan gaan.'

'Het lijkt me logisch dat je je schaamt, Tawnya; je bent nog veel te jong voor make-up. Hoe haalde je het in je hoofd? Maar goed, het is nu gebeurd en morgen is een nieuwe dag. Ga naar de badkamer en haal die troep van je gezicht, dan zul je je beter voelen. We eten wat en daarna breng ik je naar huis.'

Zwijgend had ze daar gezeten, terwijl haar oma haar gadesloeg. Ze had geen poging gedaan om oma's misvatting te corrigeren, dat de meisjes haar niet uitlachten omdat ze make-up droeg, maar juist omdat ze niet wist hoe ze het goed moest aanbrengen of zelfs de juiste make-up maar had. Oma zou haar toch niet geloven. Die was zo ouderwets – ze droeg niet eens broeken!

Ze was de badkamer in gegaan, had de wastafel laten vollopen met warm water en haar gezicht schoon geschrobd. De sproeten waren weer uitstekend te zien, maar de afschuwelijke zwarte randen rondom haar ogen van de uitgelopen mascara waren tenminste weg. Toen ze de keuken weer was binnengegaan, zat oma aan de telefoon met de directrice van de school en legde ze uit dat Tawnya zich niet lekker voelde en morgen pas weer zou komen. Ze had Tawnya omhelsd en toen, zoals ze beloofd had, haar favoriete broodjes ham klaargemaakt, waarvan de korsten afgesneden waren, net zoals op een echte high tea. Ze had hun borden op de kleine picknicktafel in de achtertuin gezet, vlak bij de rozenstruik. Nadat ze wat limonade in een kan gemaakt had, en een bord met gesneden komkommer en tomaten en wat haastig ontdooide zoete broodjes, hadden ze hun lunch in de zon opgegeten.

Ze wist dat oma van haar hield en ze hield ook van oma. Toen ze nog jonger was, hadden ze echt een heel goede band gehad, maar de laatste paar jaar was haar oma om de een of andere reden kritischer naar Tawnya. Het leek alsof hoe ouder Tawnya werd, hoe minder haar oma haar goedkeurde. Het was verwarrend, omdat ze zelf niet dacht dat ze veranderd was; ze wist niet wat haar oma zo erg vond aan het feit dat ze een tiener was.

Tawnya zette de herinnering uit haar hoofd en dacht terug aan deze ochtend, toen papa zich klaarmaakte om weg te gaan. Hij had gevraagd of ze mee wilde gaan om de dag met Ariel door te brengen. Hij wist niets over het make-upfiasco of dat Ariel het stralende middelpunt was waar de andere onbereikbare meiden omheen cirkelden, in de hoop iets van haar glans te reflecteren, en haar voorbeeld volgden in het treiteren van mindere wezens dan zijzelf.

Al was Ariel Reardan de laatste persoon op aarde, dan nog zou ze geen dag met haar doorbrengen.

Soms was papa zo ondoordringbaar als een stenen muur. Hij leek te denken dat je, alleen maar omdat je met iemand in dezelfde klas zat, automatisch vriendinnen was. Wanneer was de laatste keer dat ze een vriendin had gehad om de dag mee door te brengen, laat staan de nacht? Maar nu had ze natuurlijk al helemaal geen vriendinnen meer om uit te nodigen.

De hordeur klapte dicht en de waarschuwing van beneden doorbrak de stilte: 'Ik ga over twee minuten weg, of je er nu bent of niet!'

Zuchtend deed ze het badkamerlicht uit, pakte haar tas en haastte zich de trap af. Misschien hadden ze aarbeienijs bij Harvest Foods, die romige soort met grote stukken aardbei erin. Ze zou een deel van haar zakgeld gebruiken om chocoladerepen te kopen, met amandelen erin. Wat maakte het uit of ze er sproeten van kreeg of hoeveel calorieën erin zaten?

Een meisje moest iets hebben om naar uit te kijken.

4

Celeste Malloy stapte het Capital One Building in, schudde de regendruppels van haar paraplu, streek over de revers van haar zijden jas en liep de lift in. Een junidag in Seattle was vaak regenachtig en vandaag was geen uitzondering.

Ze bedankte de mensen die de lift voor haar hadden opengehouden en begroette een financieel analist die een verdieping boven de firma werkte. Ze zette haar koffertje op de grond en zag toen dat de knop van haar etage, de zevenenveertigste, al verlicht was. Leunend tegen de wand wachtte ze tot ze zouden opstijgen richting de wolken. Een man van eind dertig met zorgvuldig gekamd blond haar, liet zijn blik snel glijden over Celeste's zwarte pumps, haar in panty gehulde benen en zwarte rok die tot iets boven haar knie reikte. Even keek hij haar goedkeurend aan. Hij schonk haar een glimlach en straalde de charme uit van een vrouwenverslinder.

'Wat dacht je ervan om vanmorgen vrij te nemen en iets spannenders te doen dan voor de baas aan de gang te gaan?'

Terwijl ze zichzelf schrap zette toen de lift op de drieëntwintigste verdieping stopte en de deuren naar een halflege gang opengingen, wierp Celeste hem een hooghartige blik toe.

'Heb je het tegen mij?'

'En nog slim ook. Mijn geluksdag. Ja, schatje, ik heb het tegen jou. Voor jou zou ik deze lift zo weer omlaag nemen in plaats van de ochtend met een accountantsgriet door te brengen.'

Celeste, die vreesde het antwoord al te kennen, vroeg: 'Een accountantsgriet, hè? Met wie heb je een afspraak?'

'Een vrouw met wie mijn vader een afspraak heeft geregeld,' antwoordde hij, terwijl hij in zijn zak naar een kaartje zocht. 'Hier staat het: Celeste Malloy. Vast een gerimpelde, oude taart. Hoe dan ook, wat zeg je ervan, schatje?'

'Ik ben nogal druk vandaag, dank je.'

Celeste bukte zich om haar koffertje op te pakken toen de lift op de zevenenveertigste verdieping stopte. Terwijl de deuren opengleden, ging ze haar klant voor naar het receptiegedeelte.

'Er komt zo iemand bij je.' Zonder hem nog een blik waardig te gunnen liep Celeste door naar de open kamer in de gang die naar haar kantoor leidde. Gloria, de beangstigend efficiënte secretaresse, begroette haar bij naam. Vanuit haar ooghoek kreeg Celeste een korte indruk van de vertraagde reactie van de man en ze grijnsde terwijl ze verder liep naar haar kantoor.

De klant liep naar de receptiebalie en vroeg, net iets te terloops: 'Is dat Celeste Malloy met wie ik vanmorgen een afspraak heb?'

'Ja, dat klopt. Ik weet zeker dat het maar een paar minuten zal duren voordat ze u kan ontvangen.'

'Is ze een goede accountant?'

'O, ja, ze is een van onze nieuwe talenten, een kandidate voor een volledig partnerschap binnenkort. U bent in zeer goede handen.'

'Geweldig.'

De klant nam met een diepe zucht plaats tegenover het aquarium en staarde somber in het kristalheldere water.

In haar kantoor trok Celeste haar jas uit, beluisterde haar antwoordapparaat en maakte een vlugge notitie voor zichzelf: 'Lunch met Analiese, twaalf uur.' Ze zette haar koffertje op het bureau en haalde het dossier eruit dat ze het afgelopen weekend thuis had bekeken.

Spencer Beckwith was de negenendertigjarige verwende zoon van een invloedrijke rechter aan het hooggerechtshof van King County en diens rijke vrouw. Hij was een aantal keer in een afkickkliniek geweest, had twee mislukte bedrijven gehad, drie mislukte huwelijken en meer schulden dan hij nog kon overzien. Het financiële zwaard van Damocles dat op dit moment boven zijn koppige en onverantwoordelijke hoofd hing, werd echter stevig vastgehouden door de fiscus en bedroeg een kwart miljoen dollar aan achterstallige belastingen en boetes. De edelachtbare was hem in de loop der jaren trouw te hulp geschoten, maar had blijkbaar zijn financiële en emotionele bodem bereikt. Uiteindelijk had hij zijn goede vriend Jefferson Biddle gebeld, senior partner van Biddle, Sutton and Swales, Certified Public Accountants.

'Ik heb een klant die ik aan jou wil overdragen, Celeste. Zijn vader is een oude vriend van me en ik wil graag dat jij dit afhandelt. Rechter Beckwith zal zeer dankbaar zijn.'

Celeste was nooit iemand geweest die voor een uitdaging wegliep en had de opdracht aangenomen. In de dertien jaar dat ze al accountant was, had ze zo ongeveer elke denkbare financiele crisis gezien en genoot ze van het vooruitzicht haar spreekwoordelijke mouwen op te rollen, zichzelf diep te begraven in de belastingverslagen van de staat Washington en het de belastingadvocaat knap lastig te maken.

Celeste richtte haar gedachten op haar klant en verlegde het vijf centimeter dikke dossier iets. Toen tikte ze met een roze, gemanicuurde nagel op de intercom.

'Sheri, ik zit klaar voor meneer Beckwith.'

'We komen eraan, Celeste.'

Ze ging op haar stoel zitten, trok de bovenste la open en wierp een vlugge blik in een handspiegel. Toen er op de deur geklopt werd, duwde ze de la weer dicht.

‘Meneer Beckwith, goedemorgen. Ik ben Celeste Malloy. Wilt u koffie? Sheri, wil je…’

‘Natuurlijk. Melk of suiker, meneer Beckwith?’

‘Allebei, graag.’

De vrouw liep zwijgend weg en sloot de deur achter zich.

‘Neemt u alstublieft plaats.’ Celeste maakte het zich gemakkelijk in haar stoel en keek hem strak aan.

Haar cliënt liet zich ongemakkelijk zakken op het puntje van de stoel die Celeste had aangewezen en stamelde: ‘Mevrouw Malloy, ik wilde me, eh, ik moet me verontschuldigen voor wat er in de lift gebeurd is; ik had er geen idee van... Hoe dan ook, het spijt me.’

Celeste antwoordde met haar vriendelijkste glimlach: ‘Dat geeft niet, meneer Beckwith. Ik ben er zeker van dat veel vrouwen gevleid zouden zijn zo’n onfatsoenlijk voorstel te krijgen om kwart over acht ’s morgens.’

‘Maar u bent niet een van die vrouwen.’

‘Ik zie dat we elkaar uitstekend begrijpen, meneer Beckwith. Laten we het vergeten, goed?’

‘Eh, ja, graag.’

Sheri klopte discreet aan, kwam zachtjes binnen, diende de koffie op en excuseerde zich.

‘Prima, meneer Beckwith, zullen we dan maar beginnen? Ik heb gelegenheid gehad om uw financiën te bekijken. Ik denk dat het eerste wat we moeten constateren is dat het inderdaad twee jaar geleden is dat u voor het laatst uw kwartaalbelasting hebt betaald?’

Toen Celeste bijna drie uur later de kantine binnenliep, haalde ze een bekertje koud water uit de machine. Ze dronk het in een teug leeg en sloot waarderend haar ogen; haar keel was droog en schor na een hele ochtend te hebben gepraat. Ze ging voor het raam staan en keek naar de lucht. Alleen maar dikke, grijze wolken en de voorspelling was dat er nog meer vanaf de Grote Oceaan zouden komen aandrijven, waardoor het de rest van de week zou blijven regenen.

Op dit soort dagen wilde ze zich oprollen in haar trainingsbroek, een deken over haar hoofd trekken en slapen. Ze woonde nu al zeventien jaar in Seattle en had de eerste achttien jaar van haar leven aan de 'droge' kant van de bergen gewoond. Als er iets aan Shuksan was dat haar aantrok, dan was het wel de herinnering aan warme zomerdagen en heldere sterrenhemels. Wanneer ze bij tijd en wijle terugdacht aan die tijd, waren de gebeurtenissen die haar het meest voor de geest stonden de zorgeloze zomerdagen, waarop ze vanaf Catfish Charlies rots in het helderblauwe water van Carrot Lake dook. Voor zover ze wist, had niemand er een idee van hoe het meer aan zijn naam was gekomen. Samen met Rachel had ze op die zomermiddagen bij het meer rondgehangen, op zoek naar wilde wortels waarvan ze wist dat die er groeiden. Afgezien van af en toe een bierblikje en verroeste vishaken reden ze meestal onverrichterzake op hun fietsen terug naar de stad, hun roze mandjes zonder schatten. Iedereen kende Catfish Charlie echter. Hij had in een hut gewoond, vlak bij een enorme klip die over de oostelijke oever van het meer heen hing. Hij was een kluizenaar geweest, afgezien van de keren dat hij in Shuksan opdook op zijn antieke motor met zijspan, een overblijfsel uit de tijd van de Tweede Wereldoorlog. Charlies verschijning in de stad, zwarte rookwolken spuwend uit de sputterende motor die iedereen binnen gehoorafstand doof maakte, betekende twee dingen: er waren verse forellen in het meer en de Oasis Tavern moest die avond na sluitingstijd worden schoongespoten. Charlie stond om veel dingen bekend; zijn persoonlijke hygiëne hoorde daar niet bij.

Charlie had nog een interessant vervoermiddel binnen handbereik: een excentrieke, oude boot die hij gemaakt had van de brandstoftanks van een oud eenmotorig vliegtuigje. Hij had de tanks in de lengte doormidden gezaagd en ze vervolgens aan elkaar vastgemaakt, drijvende voorwerpen aan de voor- en achterzijde bevestigd en een aantal ruwhouten planken als banken gemaakt. Een set van verschillende peddels maakte het watervoertuig af. Hoewel alles wees op het tegendeel, bleek het zeewaardig te zijn en niet eens alleen onder aanvoering van zijn bouwer. Celeste was de eerste geweest die na Charlie zijn vaartuig bemande en in de zomer van haar veertiende jaar was ze er apetrots op geweest dat ze de enige was die dapper genoeg was om Charlies excentrieke boot los te maken van de rots, erin te stappen en plaats te nemen op het ruwe bankje.

De uitdaging was geweest om naar het midden van het meer te roeien – waar Charlie zijn boot zeker op zou merken vanaf zijn schommelstoel op de gammele veranda – naar de andere oever te gaan, de boot achter te laten en met de rest van de groep te ontsnappen. Het was haar gelukt om weg te varen van de ligplaats en ze had, na een paar valse starts, doorgekregen hoe ze vooruit moest komen. Terwijl ze over haar schouder gluurde, was ze steeds verder het meer op gevaren. Een kreet van woede doorkliefde de rustige middag en Celeste had met bonkend hart toegekeken hoe Charlie zijn hut in rende en weer terugkwam met een geweer. Hij had al twee keer in de lucht geschoten voordat Celeste besloot uit de boot te springen. Ze kwam met een enorme plons in het water, terwijl de hagel om haar oren suisde. Het leek of ze kilometers gezwommen had, vastbesloten als ze was om de oever aan de overkant te bereiken en pas toen ze zich op de kant hees, besefte ze dat ze Rachels bedelarmband verloren had tijdens haar klungelige sprong overboord.

Celeste vroeg zich tot op de dag van vandaag af waarom ze er zo op gebrand geweest was die armband onder Rachels neus vandaan te stelen. Het was geen duur sieraad en het kon haar ook niets schelen dat de bedels niet van haarzelf waren, maar ze maakte zich grote zorgen over wat haar verlies van de armband voor haar zus en moeder zou betekenen.

Ze was die middag op haar fiets thuisgekomen, van top tot teen doorweekt en met een vuurrode blos op haar wangen. Haar moeder en zus staakten hun bezigheid, het inblikken van perziken, en waren naar buiten gekomen om als een stel broedse kippen over haar verschijning te kakelen. Door de netelige rit naar huis op haar paarse opoefiets, waren de splinters van Charlies ruwe scheepsbankje door Celestes afgeknipte spijkerbroek gedrongen en was de tere huid van haar billen pijnlijk opgezwollen. Toen ze uit eerste hand ontdekte dat het anatomisch onmogelijk is om splinters uit je eigen achterwerk te halen, had ze uiteindelijk aan Rachel gevraagd om een einde aan haar lijden te maken. Ze hadden een uur in de badkamer doorgebracht, waarbij Celeste zielig over de rand van de badkuip hing. Alle gedachten van waardigheid en zedigheid vervlogen als de geur van alcohol en staken haar trots zoals de alcohol in haar gehavende huid prikte. Gewapend met een naald en pincet had Rachel een splinterverwijderingsoperatie uitgevoerd, scheldend en net zo hard vissend naar informatie als dat ze viste naar splinters.

Nou, ze had het willen weten en Celeste had toegegeven, ook dat ze haar armband was verloren en dat die zich nu ergens op de rotsachtige bodem van Carrot Lake bevond. Hij lag er waarschijnlijk vandaag de dag nog steeds, ook al waren Charlie, de motor met zijspan en de boot er allang niet meer.

De hele gemeenschap was verbijsterd geweest toen bleek dat Charlie nogal een rijke ouwe knar was geweest. Een belangrijk uitziende figuur in een gehuurde Lincoln was kort na zijn dood in het stadje verschenen, tijdens Celestes studietijd. Charlie kwam uit Chicago, waar hij dertig jaar eerder vandaan gevlucht was, weg van een liefdevolle maar verbijsterde familie in een ommuurd landhuis aan de kust van Lake Michigan. Hij had gewoon het ene meer voor het andere verruild en het spreekwoord dat het hutje van de ene man het kasteel voor de andere was in de praktijk gebracht.

Je wist het nooit met mensen. Hoe langer Celeste accountantswerk deed, hoe meer ze na ging denken over de menselijke natuur; hoe iemand financiële zaken afhandelde rijmde gek genoeg vaak totaal niet met hoe die persoon voor de rest leek te zijn. Haar moeder, bijvoorbeeld, die op haar vierenzeventigste nog steeds werkte en van huis uit auto-, huis- en gewasverzekeringen verkocht. En nog steeds kon ze zelden een maaltijd eten zonder gebeld te worden door weer een opgefokte klant, die klaagde over de steeds duurder wordende premies of haar informeerde dat zijn kind *nog* een ongelukje had gehad.

Moeder dacht er niet aan om met pensioen te gaan, omdat ze daarmee zou toegeven dat ze niet langer nuttig was. En voor iemand die zijn leven lang toegewijd was aan een zorginstelling, was er geen erger lot denkbaar dan niet meer productief te zijn of niet meer *nodig* te zijn.

'Een kwartje voor je gedachten.' Celeste keerde zich van het raam af en glimlachte naar haar vriendin.

'Dat is waarschijnlijk nog te duur betaald. Hoe gaat het, Ana?'

Ana had een lichtgetinte huid en een kortgeknipt kapsel en was een prachtige vrouw om te zien. Ze was warm en oprecht, straalde vriendelijkheid en een goed gevoel voor humor uit en had een lage, melodieuze lach die over iemand heen kwam als een dikke, warme deken.

'Nou, het is maandag, hè. Klaar voor de lunch?'

'Het is nog geen twaalf uur, toch? Ik ben hier nog maar een paar minuten.'

Analiese schudde haar hoofd. 'Denk meer aan een half uur, liefje.'

Een half uur? 'Dat bestaat niet.'

'Pas maar op, juffrouw Malloy; straks gaan er nog geruchten dat je gewoon een sterveling bent zoals de rest van ons hier; of je bent verliefd.'

'Dat zou voor mij ook nieuw zijn.'

Ana grinnikte. 'En ik was er nog wel zeker van dat ik iemand hoorde zingen: "Op een dag komt mijn prins".'

'Of je begint je gehoor kwijt te raken of je kunt maar beter zelf naar hem uitkijken. Maar gaan we lunchen of blijf je me liever plagen?'

'Ik zat eigenlijk aan allebei te denken.'

Toen ze eenmaal aan een tafeltje in de lunchroom op de tweede verdieping zaten, legde Celeste haar menukaart op de rand van de tafel, spreidde haar servet uit op haar schoot en rommelde met haar glas. Ze haalde het papier van het rietje en veegde de condens van de tafel waar het glas neergezet was door de haastige serveerster.

Analiese observeerde de precieze routine en zei: 'Je gedraagt je als een oude dame; je hebt overal een vast plekje voor.'

'Wij oude vrijsters hebben ook onze routines. Dus laat mij m'n gang gaan en vertel me hoe het gaat met die geweldige jonge dochter van je?'

'Dat wil je niet weten, Celes; neem dat maar van me aan.'

'Ze houdt je flink bezig, hè?'

Analiese goot een zakje suiker leeg in haar thee en schudde meelijwekkend haar hoofd. 'Je hebt geen idee.'

Celeste liet zich tegen de kùssens zakken en beval: 'Vertel.'

'Nou, allereerst hebben we te maken gekregen met menstruatie en stemmingswisselingen. Wil je nog meer horen?'

'Elk detail.'

'Oké. Heb ik je al verteld dat Tori en haar vriendinnen van de jeugdclub vrijwilligerswerk gedaan hebben bij de tieneropvang in Pine?'

'Die opvang voor weggelopen kinderen en zwerfkinderen, toch?'

'Die, ja. Nou, de jeugdpastor had de kinderen gevraagd om elke week een paar uur in dat huis te gaan werken, om hun wereldbeeld te vergroten, snap je? Hun iets meer te laten zien van de wereld buiten hun eigen voordeur, ja?'

'Ja.'

'Nou, Tori ging er echt helemaal in op, weet je, raakte "geïnteresseerd" in die kinderen en kwam thuis met verhalen over hun levens, over hoeveel van hen al sinds hun elfde op straat leven, over hoe sommigen op hun dertiende al seropositief zijn. Het is genoeg om me aan het huilen te maken. Maar Tori kan hun wereld "zien", denk ik, omdat ze dezelfde leeftijd heeft en zich in hen kan verplaatsen, in elk geval tot op zekere hoogte. Ze is dus bevriend geraakt met een meisje, Dacia, dat veertien is en daar al twee jaar geregeld komt. Ze had geluk en was negatief getest tot twee weken geleden. Dat brak Tori's hart. Die avond kwam ze thuis, ze huilde alsof haar wereld verging. Ze vroeg me hoe het kon dat ze meer van streek was dat dit meisje positief getest was op HIV dan Dacia zelf. Ze moet zichzelf diezelfde vraag hebben gesteld, want ze beantwoordde hem zelf op dat moment; ze zei dat het meisje dat Dacia geweest was al dood was en dat er manieren waren om vanbinnen te sterven terwijl je lichaam nog levend was. Ik zeg je, Celeste, dat ik kippenvel kreeg toen ze dat zei. Ik maak me zorgen om haar. Ik bedoel, ik denk dat het goed is dat ze betrokken is bij zulk goed werk, maar ze gaat er zo in op. Het is zo wreed voor haar om dit allemaal mee te maken. Ik weet echt niet meer hoe ik nog met de situatie om moet gaan.'

'Ik neem aan dat je dit allemaal in gebed bij God gebracht hebt?'

Ana knikte. 'O, ja. Tori en ik hebben ook samen gebeden. Ik worstel echt met Gods wil hierin, Celeste. Ik weet dat ik een stap terug moet doen en Hem moet toestaan in haar leven te werken, maar het is moeilijk om te weten wanneer ik mijn eigen instinct moet volgen en wanneer ik God uit de weg moet gaan en Hem moet vertrouwen om haar te beschermen.'

'Ik denk dat dat dingen zijn waar elke ouder mee te maken krijgt, Ana. En ik denk echt dat sommige ouders te beschermend kunnen zijn tegenover hun kinderen, om heel goede redenen. We weten niet hoe God van plan is Tori in Zijn dienst te gebruiken, maar ik geloof dat Hij nu aan het werk is in haar leven en hoe moeilijk het ook is, we moeten erop vertrouwen dat Hij weet wat Hij doet.'

'Met andere woorden, afstand houden?'

'Niet zozeer afstand houden, maar haar in de handen van God leggen en erop vertrouwen dat Hij haar beschermt.'

Ana zuchtte. 'Het is zwaar, meid. Heel zwaar. Ik geef toe dat ik misschien geprobeerd heb haar meer te beschermen dan ik had moeten doen, maar het is een harde wereld en ik wil niet dat ze haar onschuld te snel kwijtraakt. En als ik onschuld zeg, heb ik het niet over maagdelijkheid. Ik weet waar ze op *dat* punt staat.'

'Ze heeft de belofte gedaan, hè?'

'Ja, de belofte van "ware liefde wacht". Ik ben echt trots op haar. Ze heeft een sterk geloof, Celeste. Soms vergeet ik dat ze nog maar veertien is.' Ana glimlachte als gebaar van dank naar de serveerster en verkruimelde toen een cracker in haar soep. 'Soms denk ik dat ik haar misschien weg moet halen uit de stad en een rustig plekje moet zoeken dat heilzamer is. Maar dan heb ik het probleem dat ik weer een baan moet vinden die genoeg betaalt om ons te onderhouden.'

Celeste wikkelde een stukje sla om haar vork en prikte er een crouton aan.

'Er zijn ook problemen in kleine stadjes, Ana, alleen op kleinere schaal.'

'Dat weet ik. Vergeet niet, ik kom zelf uit een klein stadje.'

Analiese was uit Mississippi Delta weggegaan naar de Stanford Business School, waar ze een volledige academische beurs had ontvangen. Toen was ze teruggegaan naar de universiteit om een graad in de rechten te behalen, nadat ze haar accountantsdiploma op zak had. Ze was tien jaar geleden bij Biddle, Barton, Sutton & Swales gekomen, als alleenstaande moeder van een schattige driejarige. Ze was kort getrouwd geweest tijdens haar rechtenstudie en voedde haar dochter alleen op. Zoals ze tegen Celeste had gezegd, zag haar man 'er goed uit op papier, zogezegd. Helaas was hij niet degene die ik dacht dat hij was, maar anders zou ik Tori niet gehad hebben en van haar zal ik nooit spijt hebben.'

De twee vrouwen waren al snel vriendinnen geworden, hoewel ze, aan de oppervlakte, weinig met elkaar gemeen leken te hebben. Ze ontdekten dat ze dezelfde normen en waarden hanteerden, evenals een groot geloof in God en hadden elkaar al snel in vertrouwen genomen. Celeste had Tori zien opgroeien van een schattige peuter tot een lieftallige jongedame en was al jaren Ana's vertrouweling en gebedspartner.

Ana merkte op: 'Op dit soort momenten zou ik bijna willen dat ik iemand had die me met beide benen op de grond hield, weet je, om de opvoeding in balans te brengen.'

'Als je mijn mening wilt, Ana, doe je het geweldig en ik denk niet dat je de zware beslissingen anders genomen zou hebben als er een vaderfiguur bij betrokken was geweest. Als God zo'n plan voor je heeft, en voor Tori, dan zal het gebeuren als de tijd rijp is.'

‘Ik weet het niet, Celeste. Het zou op dit punt in onze levens wel een heel bijzonder iemand moeten zijn.’

Toen Celeste zich die avond klaarmaakte om naar bed te gaan, herinnerde ze zich de opmerking van haar vriendin. *Een heel bijzonder iemand.* Misschien had God wel iemand voor Ana op het oog. Als dat zo was, dan twijfelde ze er niet aan dat hij op het juiste moment ten tonele zou komen. Wat haarzelf betrof, begon ze eraan te twijfelen of een huwelijk en een gezin wel deel uitmaakten van Gods plan voor haar leven, hoezeer ze ook naar die dingen uitzag. Ze verlangde echt naar een huwelijk en een gezin, zozeer dat het wachten soms tranen in haar ogen veroorzaakte tijdens haar nachtelijke gebeden.

Maar net zoals Ana waren haar eisen ook hoog. Ze had het uitgaan met mannen bijna volledig opgegeven; de ene na de andere rampzalige afspraak had ervoor gezorgd dat ze niet meer warmliep bij het vooruitzicht. Ze was er niet in geïnteresseerd iemand tijdens een drankje te ontmoeten en was moe van schijnbaar onschuldige uitnodigingen voor etentjes van goedbedoelende vrienden, waarbij ze opgescheept zat met een vrijgezelle man die ze ergens hadden opgedoken. Ze had de gok gewaagd op een internetsite waarop christelijke vrijgezellen aan elkaar gekoppeld werden, maar had ontdekt dat de meeste mannen op die site minstens vijf jaar jonger dan zij waren, zo niet vijftien tot twintig jaar ouder. De paar mannen die de Bijbelstudies op donderdagavond bezochten waar zij en Ana ook heengingen, waren al getrouwd.

De Ware vinden was in de afgelopen jaren niet iets geweest waar ze zich volledig op had gericht. Ze had hard gewerkt om haar carrière op poten te krijgen en had besloten dat als God het de juiste tijd vond, Hij een man in haar leven zou brengen. Ze was nu vijfendertig en wachtte nog steeds, maar begon zich te verzoenen met de mogelijkheid dat het gewoon niet meer ging gebeuren.

Het was niet dat ze geen leuke mannen ontmoet had in de loop der jaren. Af en toe had ze zelfs wat herhaaldelijke afspraakjes gehad, maar tot haar verbazing en teleurstelling was ze erachter gekomen dat zelfs mannen die beweerden Gods weg te volgen bepaalde verwachtingen hadden waar ze niet aan wilde voldoen. Hoewel ze voor het grootste deel respect geuit hadden voor haar toewijding aan reinheid, hadden ze haar ook niet meer gebeld om nog eens af te spreken. De druppel die de emmer deed overlopen was de laatste man die ze ontmoet had na eerst een aantal weken gemaild en gebeld te hebben. Ze waren een aantal weken lang met elkaar uitgegaan en ze was gaan denken dat dit misschien, heel misschien, wel De Ware was. Ze belandde weer met beide benen op de grond toen hij, nadat ze hem bij haar thuis had uitgenodigd en voor hem gekookt had, oprecht geloofde dat hij recht had op een meer intieme afsluiting van de avond dan zij hem bereid was te geven. Toen overreding niet gewerkt had, had hij tegen haar gezegd dat hij van haar hield, in de volledige verwachting hiermee haar weerstand af te brokkelen. Hoewel een deel van haar ernaar verlangde die woorden te horen, had ze geweten dat deze man haar nooit echt zou respecteren en nooit echt van haar zou houden. De woorden die hij haar voor de voeten had gegooid toen ze hem de deur wees, hadden gevoeld als kleine steentjes die haar hart raakten en ze vroeg zich af hoe ze hem ooit zo verkeerd had kunnen inschatten.

'Je verwacht toch niet echt iemand te vinden die ermee instemt geen seks te hebben voor het huwelijk, hè? Van welke planeet kom jij eigenlijk?'

De volgende dag had ze haar lidmaatschap van de datingsite opgezegd.

Na die ervaring was ze gestopt actief naar De Ware te zoeken. Ze was verdergegaan met haar leven en had erop vertrouwd dat ze God op Zijn tijd zou horen zeggen: 'Dit is degene die Ik speciaal voor jou bestemd heb, Celeste.'

Nu was ze op een punt in haar leven beland waarop ze ging nadenken over wat ze wilde met haar leven, zowel in haar carrière als privé. Ze was goed bezig op haar werk, nu de promotie naar een partnerschap er binnen een jaar in leek te zitten. Ze had lang en hard gewerkt om dit niveau te bereiken en had veel weekenden thuis verder gewerkt na een werkweek van vijftig of zestig uur op kantoor. Haar baan had zo veel van haar tijd geëist dat ze zelfs al heel lang niet meer in haar geboorteplaats was geweest en ze verlangde ernaar om een weekendje weg te gaan, het werk achter zich te laten en tijd door te brengen met haar moeder, nicht en neef in Shuksan.

Rachels dochter, Tawnya, had ongeveer dezelfde leeftijd als Tori, als ze het zich goed herinnerde. Ze liep naar de ladekast en pakte de ingelijste foto van zichzelf met Rachels gezin, een aantal jaren terug genomen. Met een kritische blik bekeek ze haar zus en zichzelf, zittend naast elkaar op de bank. Men zou nooit vermoeden dat ze zussen waren, wat ze in biologisch opzicht ook niet waren. Rachel was een tere brunette met donkere ogen en een bos krullend, donker haar. Celeste zelf was een kop groter dan haar zus en een bos dik, blond haar hing tot halverwege haar rug.

Terwijl ze de foto bleef vasthouden, ging ze op het bed liggen. Ze staarde naar de gezichten van haar zus en haar gezin terwijl de gedachten door haar hoofd spookten. Het was extreem pijnlijk om tegenwoordig nog aan Rachel te denken en meestal was het gemakkelijker om haar situatie gewoon uit haar hoofd te zetten. Ze dacht terug aan haar gesprek met Analiese en vroeg zich plotseling af hoe het met Tawnya ging na zo veel maanden zonder de aanwezigheid van haar moeder. Hoe zou zij zelf met een dergelijke situatie zijn omgegaan toen ze nog maar twaalf of dertien was?

De laatste keer dat Celeste haar zus gezien had, was ze nog steeds thuis geweest en lag ze op een ziekenhuisbed dat in de logeerkamer op de begane grond was gezet. Op de een of andere manier had Celeste de ernst van Rachels toestand niet ingezien, had ze niet beseft hoe de ziekte haar toch al broze lichaam verwoest had tot niets meer dan een klein bultje onder de dekens. Ze had geprobeerd haar schok te verbergen en had met Rachel geprobeerd te praten. Uit de blik in de ogen van haar zus maakte ze op dat ze haar herkende, een tijdje in elk geval. Niet veel later was Rachel haar bewustzijn echter verloren en had ze zich teruggetrokken in een plekje diep van binnen waar niemand haar kon volgen. Boven op het verdriet van het moeten aanzien van Rachels dramatische aftakeling kwam nog het schuldgevoel; ze had toegestaan dat haar baan haar op afstand hield tot het te laat was om de verloren jaren nog in te halen.

Dat zou ze de rest van haar leven met zich meedragen.

Ze kon niets meer doen voor Rachel, maar misschien kon ze nog wel iets voor Rachels kinderen doen. Het was waar dat ze in de afgelopen jaren niet zo betrokken geweest was bij de kinderen als ze gewild had, maar misschien was het nog niet te laat.

Ze zou dit weekend gaan, vrijdagavond meteen na haar werk vertrekken en een paar dagen op de boerderij blijven. Ze zou de koelkast schoonmaken, de was doen, misschien de vloeren dweilen, wat er maar gedaan moest worden. Dit betekende natuurlijk wel dat ze Scott op een bepaald moment tegen zou komen, maar daar was niets aan te doen. Rachel en Scott hadden al verkering gehad op de middelbare school, waren kort na Rachels diploma-uitreiking getrouwd en Celeste kende hem al jaren. Het was een aardige vent, een geweldige man en vader en hij had zielsveel van Rachel gehouden. In de jaren nadat de diagnose van Rachel was gesteld, was de man die ze al sinds haar jeugd kende langzaam een vreemdeling geworden. Hij was altijd een stille, introverte man geweest maar in de afgelopen jaren had de stress van Rachels ziekte hem nog meer in zichzelf doen keren. Hij was vriendelijk genoeg, maar het was alsof deze pijn hem veranderd had in een gekwetste, lege man die leefde in een toestand van verbittering en veroordeling.

Ze had geen idee meer hoe ze hem nog kon helpen of steunen; hij had volkomen duidelijk gemaakt dat alles prima met hem ging, alles was goed met de kinderen en ze hoefde zich geen zorgen te maken over hen.

Alleen ging niet alles prima en daar lag het probleem. In welke mate was het mogelijk om bij hun levens betrokken te zijn terwijl ze op ruime afstand gehouden werd? Op welke manieren kon ze Ty en Tawnya helpen zonder Scott voor het hoofd te stoten? Ze had maandenlang voor de situatie gebeden, maar afgezien van de groeiende zekerheid dat *dit* het moment was om in actie te komen, had ze verder niets kunnen bedenken.

Ze knielde naast haar bed neer en sprak tegen haar hemelse Vader. Ze dankte Hem voor Zijn genade en legde haar zorgen bij Hem neer. 'Laat me zien wat U wilt dat ik doe, Heer. Ik wil zo graag helpen.' Uiteindelijk vond ze vrede. Ze stond op en maakte zich klaar om naar bed te gaan. Hoewel haar bed afgezien van haarzelf leeg was, stapte ze er nooit eenzaam in.

Gezegend zij Uw naam, Heer, mijn Trooster en Verdediger. Gezegend zij Uw heerlijke naam…

Met een hart vol lofprijzing viel ze in slaap.

5

De keuken was eindelijk schoon. Catherine vouwde de theedoek netjes op en keek de kamer rond om te controleren of ze niets over het hoofd had gezien. Het witte aanrecht glom, alles stond op zijn plaats. Tevreden keek ze op haar horloge; nog net genoeg tijd om een andere blouse aan te trekken en naar de kerk te rijden. Op dinsdagochtend gonsde het in de kelder van de kerk van de behulpzame dames en ze had al vijftien jaar geen enkele keer gemist. Zelfs niet in de week waarin Ed overleed. Sommige vrouwen hadden niet begrepen hoe ze een dag na de begrafenis van haar man met haar naaidoos kon verschijnen, maar Catherine wist dat werk het beste geneesmiddel was voor elke kwaal of verdriet. Er ging zelfs nauwelijks een dag voorbij waarop ze niks gepland had, of het nu een verzekeringsgesprek was of haren wassen en kammen in Fircrest op maandagmiddagen. Op woensdagavond had ze Bijbelstudie, elke dinsdagochtend de naaigroep, koorrepetitie op donderdagavond en elke zondagochtend ging ze naar de kerk. Op zondagmiddag ging ze naar Fircrest om Rachel op te zoeken nadat ze een stuk vlees in de oven gelegd had om te grillen. Scott en de kinderen kwamen altijd eten op zondagavond nadat ze Rachel bezocht hadden. Op dinsdagmiddag kwam Tawnya meestal langs na schooltijd en dan nam Catherine haar mee naar Harvest Foods om boodschappen te doen. Dat meisje was goed in winkelen. Ze maakte altijd eerst een lijstje en knipte overal kortingsbonnen uit. Catherine had haar de afgelopen twee jaar geholpen en nu kon ze, als een moeder in de dop, al met een huishoudboekje omgaan en maaltijden plannen voor de rest van de week.

Ze was trots op Tawnya; ze was snel volwassen geworden door de situatie met haar moeder, maar Catherine vond niet dat Tawnya te veel verantwoordelijkheid droeg voor haar leeftijd. Toen de dames van de kerk geprobeerd hadden het onderwerp bij Catherine ter sprake te brengen, had ze hun er direct aan herinnerd dat meisjes in de tijd toen hun oma's jong waren al trouwden op hun veertiende en soms al veel eerder verantwoordelijk waren voor huishoudelijke karweitjes.

'Maar de tijden zijn nu veranderd, Catherine. En Tawnya is zo stil, ze lijkt altijd zo verdrietig. Ze lijkt niet veel contact met de andere meisjes te hebben. Ze heeft de kans nodig om nog iets langer kind te zijn.'

Nou, Catherine kon niets doen aan de groei die Tawnya doormaakte, maar ze kon wel helpen om de tijd van haar kleindochter zo productief mogelijk te maken, haar huishoudelijke taken leren en haar tijd voor de televisie beperken. Alle dames waren het ermee eens dat het zo jammer was van die arme Rachel; dat een jonge vrouw en moeder zo'n afschuwelijke ziekte kreeg, waardoor haar gezin er maar het beste van moest zien te maken. Maar, zo vonden ze, het was een zegen dat Rachel geen getuige was van het gat dat haar afwezigheid geslagen had in de levens van haar man en kinderen. Daar zou ze nog erger onder geleden hebben.

Niemand kon ooit weten wat een enorme klap het voor Catherine geweest was om haar bijzondere dochter te verliezen, haar geschenk van God toen ze geloofd had dat ze voorgoed kinderloos zou blijven. Toen zij en Ed trouwden, wilden ze allebei een groot gezin, ten minste vier kinderen, en in de eerste maanden van hun huwelijk hadden ze het goede nieuws van een zwangerschap afgewacht. Maar de maanden waren een jaar geworden, toen twee, vijf en uiteindelijk tien. In die tijd bestond er nog niet zoiets als een vruchtbaarheidsbehandeling. Wanneer deze dingen vroeger besproken werden, was het in de context van wiens 'schuld' het was dat ze geen kinderen kregen.

Zij en Ed hadden elke avond gebeden dat God hen zou zegenen met een baby. Catherine herinnerde zich nog steeds de hoop die ze elke maand gekoesterd had, dat ze deze keer misschien echt zwanger was, en dan wederom de verwoestende teleurstelling, maand na maand, jaar na jaar.

Uiteindelijk, in de zomer waarin Catherine drieëndertig was en Ed veertig, nadat ze zich al hadden neergelegd bij het feit dat ze kinderloos zouden blijven, vond er een wonder plaats. Dominee Clark had op een avond na het eten aangeklopt en had nieuws gebracht dat hun levens veranderde. Een vriend van hem die dominee was in Spokane had een jonge vrouw in zijn gemeente die ongehuwd zwanger was. Ze was in het geheim naar de dominee toe gegaan en had geregeld om weg te gaan totdat de baby geboren was om haar familie niet in verlegenheid te brengen. Er werd gezegd dat het een goede jonge vrouw was die gewoon in een ongelukkige situatie verzeild was geraakt; waren Ed en Catherine geïnteresseerd in adoptie?

Ze hadden er tot diep in de nacht en de rest van de week over gepraat. Ed aarzelde, was blijven zeggen dat hij zijn *eigen* kind wilde. Maar Catherine had wel beter geweten. Ze had van het begin af aan geweten dat God het nieuws over deze jonge vrouw bij hen gebracht had en het mogelijk maakte dat ze na zo veel jaar toch nog ouders konden worden. Uiteindelijk had Ed ingestemd en zodra hij dat kostbare kleine meisje zag, verdwenen al zijn bedenkingen als sneeuw voor de zon. Ze hadden hun kleine dochter opgevoed en van elk moment genoten. Ze was het mooiste meisje in Shuksan, met krullend bruin haar dat haar moeder versierde met linten en strikken, en ze had expressieve donkere ogen. Ze was een voortdurende bron van vreugde geweest en bleek zeer muzikaal te zijn toen ze al op de kleuterschool met pianolessen begon. Tegen de tijd dat ze op de middelbare school zat, begeleidde ze het kerkkoor en ook het kinderkoor, wat ze bleef doen tot ze er te ziek voor was.

Ja, dacht Catherine opnieuw, *Rachel is vanaf het begin een bron van vreugde geweest.* Ze was in feite haar beste vriendin geweest. Ze kon zich geen tijd herinneren waarin ze niet samen in de tuin of in de keuken hadden gewerkt. In de zomer blikten ze groenten en fruit in en op gure wintermiddagen werkten ze samen aan hun naaiprojecten. Ze had zelfs nooit nagedacht over een toekomst zonder haar Rachel, maar God had andere plannen.

Ze had pijn in het diepst van haar ziel, omdat ze wist dat ze gestraft werd. Ze had de meest duistere uren van haar leven doorgebracht toen ze God smeekte dat Hij haar haar zonden zou tonen, zodat Rachel weer zou kunnen genezen. *Neem mij, God,* had ze gesmeekt, *niet mijn Rachel,* hoewel ze heel goed wist dat ze niet mocht onderhandelen met God of aan Zijn wil mocht twijfelen.

Rachel lag in de donkere stilte, terwijl ze in leven gehouden werd door machines die haar lichaamsfuncties van haar overnamen, maar Catherine had het niet opgegeven en zou het ook nooit opgeven. Er was niets wat God niet kon doen, geen wonder onmogelijk onder Zijn hand. Ze bad tegenwoordig steeds vuriger, omdat ze aanvoelde dat de tijd begon te dringen, dat Rachels zwakke grip op het leven steeds verder verzwakte. Ze klampte zich stevig vast aan haar geloof in Gods almacht en had er bij Scott op aangedrongen alles in het werk te stellen om Rachels leven te rekken.

Terwijl ze bij het aanrecht stond, bracht Catherine haar gedachten weer terug naar het heden en zag plotseling dat het al tien voor tien was; ze zou te laat komen voor het naaien! Met haar naaidoos in haar hand pakte Catherine haar handtas en sleutels. Als ze geen vertraging opliep bij de spoorwegovergang zou ze net op tijd in de kerk zijn. Ze hoopte dat er iemand aan gedacht had om deze week iets lekkers mee te nemen; ze was gek op donuts met chocoladeglazuur. O, en die geweldige worteltaartpunten met kaasglazuur.

De dames zouden samen bidden voor Rachel, dat de hand der genezing op haar gelegd zou worden. God zou hun geloof zeker binnenkort belonen en Rachel weer helemaal gezond maken.

Ze voelde haar goede humeur weer terugkomen. Ze sloot de deur achter zich en haastte zich toen over de stoep.

6

De week was voorbijgevlogen in een reeks ontmoetingen met cliënten, lange perioden van onderzoek naar belastingwetten en de voorbereidingen voor de hoorzitting van Spencer Beckwith. Als zijn accountant werkte Celeste nauw samen met zijn advocaat, met wie ze de details zou presenteren van het voorstel van haar cliënt om de belastingdienst terug te betalen. Hij had zijn huis te koop gezet en zou, met een beetje geluk, in staat zijn de schuld af te lossen. Natuurlijk zou hij vermogensbelasting moeten betalen over de verkoop van zijn huis, een wrange, maar onontkoombare bijkomstigheid.

Gisteravond had ze nog een was gedraaid, haar koffer ingepakt voor het weekend en om vijf uur vertrok ze van kantoor. Tijdens het spitsuur haastte ze zich door het centrum van Seattle. Uiteindelijk sloeg ze af naar Interstate 90 richting het oosten, reed via de brug over Mercer Island, langs Issaquah, en ten slotte langs de afgelegen huizen en bedrijven de bossen in.

Ze liet de bewoonde wereld achter zich en begon aan de gestage klim die haar over Snoqualmie Pass zou leiden en uiteindelijk naar de afslag die haar oog in oog zou doen staan met haar geboorteplaats. Shuksan. Een rustig stadje met een inwoneraantal van ongeveer tweeduizend, inclusief de mensen die in de afgelegen boerderijen wonen. Hier had je een goede kans inwoners te zien met cowboylaarzen aan en Montana Silversmith riemen, gewonnen in rodeo's waarin kalveren werden gevangen of stieren werden bereden. Het Junior Rodeo Program liep goed en niet alleen jongens deden eraan mee. Ook meisjes deden mee aan tonnenraces, paalbuigen en sommigen deden zelfs mee met het vangen van kalveren.

De zomeravond lonkte; Celeste drukte een knop in en deed het zonnedak open. Met haar ene hand aan het stuur reikte ze naar achteren en haalde de speldjes uit haar keurig opgestoken haar. Daarna schudde ze met haar hoofd en de lange, blonde lokken zwaaiden in de bries. Haar haar losmaken was een loslating van de spanning; niets luidde het einde van een werkdag meer in dan dit kleine gebaar. Nu leunde ze met haar hoofd en schouders weer tegen de leren stoel, zette de gebeurtenissen van de afgelopen week uit haar hoofd en ademde de frisse berglucht diep in; pijnbomen, gras, zelfs de muffe geur van schors en rottende bladeren uit de bossen rook geweldig.

Er was niets zo heerlijk als zomer in de bergen. De rit op zich was spectaculair vanavond; de ondergaande zon die de bergweiden langs de snelweg in een gouden gloed hulde. Overal groen; het diepe groen van het gras op de velden, donkerder groen van de bomen, en een groen dat zo donker was dat het bijna zwart leek wanneer ze naar de hellingen verder van de weg keek. Zonlicht glinsterde op het water van de Snoqualmie River en Lake Kachess. Een licht briesje streek over het lange gras en liet het een sierlijke dans opvoeren. Tot haar plezier merkte Celeste dat er boven haar hoofd stukken blauwe lucht te zien waren; ze leek de donkere regenwolken achter zich te hebben gelaten. Ze was blij met wat zonlicht.

In gedachten verzonken schopte ze haar blauwe pumps uit, zette haar voet in panty op het gaspedaal en zuchtte van opluchting toen ze met haar tenen wiebelde in de frisse lucht. Celeste reed omlaag over de helling die naar de stadsgrens van Shuksan leidde en keek op haar horloge. Op een bepaald moment was de zon achter de bergtoppen achter haar gezakt en de naderende nacht was in de lucht te voelen. Ze vertraagde tot vijftig kilometer per uur en reed over Main Street, die helemaal leeg was, afgezien van een groep jongeren die bij de ingang van de supermarkt rondhing en van de zoals gewoonlijk volle parkeerplaats van Alpine Burger. De andere bedrijven waren in duister gehuld, nadat ze dichtgegaan waren voor de nacht, of het weekend, afhankelijk van het soort bedrijf.

Niets leek ooit te veranderen in Shuksan.

Enkele straten verder parkeerde ze langs de stoep van het huis waarin ze opgegroeid was. In het moment voor ze haar moeder onder ogen kwam, sprak ze een snel gebed uit waarin ze vroeg om geduld en het vermogen om van haar moeder te houden op de manier die ze wilde, de manier waarop ze zou *moeten.* Ze zocht naar de blijdschap die ze zou willen ervaren bij haar terugkeer naar huis, maar voelde alleen maar een steen in haar maag en een emotionele kwetsbaarheid die nooit minder leek te worden, hoeveel ouder ze intussen ook was geworden.

'Mam waar is de kristallen vaas, de zilveren kandelaar, het kanten tafellaken dat ik je gegeven heb?'

'O, die heb ik voor de rommelmarkt van de kerk gegeven; hij heeft flink wat opgeleverd. Celeste, kijk me niet zo aan; ik ben niet iemand die om uiterlijk geeft. Wat zou ik met zoiets duurs moeten?'

'Maar ik heb hem speciaal voor jou uitgezocht, mam. Ik wilde dat je iets moois zou hebben.'

'Het is alleen maar peperduur. Je pronkt ook altijd met je geld, hè, Celeste? Nou, als je geld wilt uitgeven, kun je wel iets aan de kerk geven. We zamelen geld in om het dak, het meubilair, de keuken te repareren en zij hebben het harder nodig dan ik.'

Celeste duwde de pijnlijke herinneringen weg, liet haar voeten weer in de pumps glijden, haalde de sleutels uit het slot en pakte haar tas. Terwijl ze naar de geopende kofferbak liep, ging de voordeur open, waardoor een lichtbundel in de voortuin viel.

'Je bent er.'

Celeste dwong zichzelf vriendelijk te glimlachen, liep naar haar moeder toe en omhelsde de oudere vrouw.

'Fijn om je te zien, mam.'

'Nou, neem je koffer mee zodat we de deur dicht kunnen doen. Het zit vol muggen vanavond.'

Celeste liep terug naar de auto, deed de kofferbak dicht en zette het alarmsysteem aan. Ze tilde haar tassen op en volgde Catherine het huis in.

'Je hoeft je auto hier niet op slot te doen, Celeste. Ik weet zeker dat niemand eraan zal komen.'

'Dat weet ik, moeder. Ik deed het uit gewoonte.'

'Ik snap niet hoe je in die stad kunt leven; weet je hoe hoog het aantal auto-inbraken en zelfs autodiefstallen in Seattle is? Afschuwelijk! De verzekeringsmaatschappij heeft geen andere keuze dan de premies omhoog te gooien. Maar goed, je bent vast niet helemaal deze kant op gekomen om mij over statistieken te horen praten. Wil je iets eten?'

'Iets lichts, mam, als je iets hebt.'

'Licht, bedoel je daar dat vegetarische spul mee?' Catherine deed het keukenlicht aan en hetzelfde oude aanrecht werd zichtbaar, dezelfde kastjes en hetzelfde linoleum dat al in het huis was gelegd toen het in de jaren veertig was gebouwd.

'Nee, mam, echt, gewoon wat fruit als je dat hebt en misschien wat thee of iets fris. Doe alsjeblieft geen moeite.'

'O, het is geen moeite, laat me gewoon even kijken. Ik heb nog een lekker stuk vlees over, wat dacht je van een broodje? Of ik kan een blik ham opentrekken.'

Bah. 'Nee, echt, mam, zo veel honger heb ik niet. Gewoon een appel is prima.' Vlees. Ham, vast zwemmend in de mayonaise. Dan kon je net zo goed een lepel vet op je bord gooien.

'Mam, ik breng even mijn tassen naar boven. Ik ben zo terug.' Bij de kans om even te ontsnappen slaakte ze een diepe zucht.

Ze beklom de trap, kwam op de overloop en zette haar tassen in de gang voor haar oude kamer neer. Hetzelfde tweepersoonsbed stond op dezelfde plek voor het raam. De muren hadden nog steeds een lichtgroene kleur en het plafond liep schuin af onder het dak. Haar kamer, haar toevluchtsoord waar ze zich had teruggetrokken om op te gaan in boeken en muziek. Ze keek de bekende kamer rond en voelde het eindelijk; het zweempje nostalgie. Ze liep naar de kast, deed de deur open en keek naar de bodem; ja, de dozen stonden er nog. Ze sprak met zichzelf af dat ze er later in zou kijken, nadat ze wat tijd met haar moeder had doorgebracht en een appel had gegeten, een bevredigende maaltijd na een lunch van een broodje kip en een mueslireep die ze negen uur geleden aan haar bureau had gegeten. Nou, de tijd dat ze biefstuk at of iets wat mayonaise bevatte om het eetbaar te maken was voorbij.

Ze trok haar mantelpak uit en verruilde dat voor haar lievelingstrainingsbroek en slobberig T-shirt en kamde toen haar verwaaide haar. Ten slotte, na alle standaard vertragingstactieken te hebben uitgevoerd, beval ze zichzelf naar beneden te gaan om met haar moeder te praten.

God, help me geduldig te zijn. Help me vriendelijk te zijn, hoe gefrustreerd ik me ook voel.

Ze deed het licht uit toen ze de kamer uit liep, bleef boven aan de trap staan, haalde diep adem en ging de trap af.

Catherine was net klaar met eten op tafel zetten toen Celeste in de deuropening verscheen. 'Mam, echt, je hoeft al die moeite niet te doen.'

'Het is geen moeite, gewoon een paar dingen die ik nog in de koelkast had liggen.'

Celeste ging aan tafel zitten en bekeek de uitgestalde levensmiddelen voor zich. Een klein bakje macaroni met kaas, een kom gesneden komkommer in azijn en suiker en er lag een half broodje vlees op haar bord. Er stond een kan ijsthee midden op tafel en naast haar glas lag een glimmende appel.

'Bedankt, mam.' Hoe moest ze dat broodje weg krijgen terwijl haar moeder vlak naast haar zat en elke hap die ze nam gadesloeg? Gelaten spreidde Celeste het servet uit op haar schoot, legde macaroni en komkommer op haar bord, sloot even haar ogen, pakte toen het broodje op en nam een klein hapje. Was er iets viezer dan koud vlees met een vetlaag in de kleur van opgedroogde lijm? In de hoop zowel zichzelf als haar moeder af te leiden, vroeg ze: 'Hoe is het met Rachel, mam?'

'O, steeds slechter, Celeste, en ik vind het heel erg om dat te moeten toegeven.'

Ze richtte haar gedachten weer op het heden en dwong zichzelf aandacht te hebben voor de woorden van haar moeder. 'Wonderen gebeuren, Celeste. Ik bid elke dag om een wonder voor Rachel.'

'Dat weet ik, mam, maar soms moeten we accepteren dat hoe hard we ook bidden... het spijt me. Het is gewoon duidelijk dat Rachel niet meer beter wordt, mam.'

'Dus nu doe je net of je Gods plan voor je zus kent?'

'Nee, natuurlijk niet, mam, maar ik denk dat we realistisch moeten zijn en accepteren dat Zijn wil groter is dan onze verlangens.'

Met droge ogen en een enorm verdriet op haar gezicht stond Catherine op van tafel. 'Als je klaar bent, ruim ik af.' Met een felle beweging greep ze de schaal komkommer, maar haar dochter legde haar hand op die van haar.

'Mam.'

Catherine weigerde haar dochters blik te beantwoorden en wendde zich af. Ze omzeilde de pijnlijke zaak van Rachels toestand en vroeg: 'Wat wil je morgen gaan doen?'

'Ik wilde 's morgens naar de boerderij gaan, wat in huis helpen, misschien de was doen en de badkamers schoonmaken, iets waar ze wel wat hulp bij kunnen gebruiken. Dan wil ik 's middags naar Fircrest gaan om Rach te bezoeken. Ik weet dat ze niet kan praten, maar ik wil haar evengoed zien. Daarna wil ik een stukje gaan rijden met Tawnya, een ijsje voor haar kopen en wat tijd met haar doorbrengen. Ik weet dat ik niet erg betrokken geweest ben bij de kinderen, maar daar wil ik graag verandering in brengen.'

'Alsjeblieft, koop geen ijs voor haar! Dat meisje is zo erg aangekomen, ik snap niet dat ze dat zelf niet ziet! En Tyler, nou, die is helemaal losgeslagen en Scott is er blind voor.'

'Het zal niet makkelijk voor hen zijn, mam.'

'Nee, natuurlijk is het niet makkelijk, maar iemand kan het niet zomaar *opgeven*, na al die tijd!'

Celeste zuchtte en veranderde van tactiek. 'Laten we afspreken om er 's morgens heen te gaan en Tawnya voor de lunch mee naar de stad te nemen. Nog suggesties?'

Fronsend dacht Catherine na. 'Nou, ik denk dat we naar Clifford's kunnen gaan, maar ik heb gehoord dat het eten daar niet meer zo geweldig is.'

'En hoe zit het met de Hay Wagon? Die is er toch ook nog?'

'Ja, maar die is duur!'

'Dat geeft niet, mam. Laat mij gewoon de lunch betalen. Die kans krijg ik nooit. Oké? Alsjeblieft? Dan ga ik nu maar eens naar bed. Slaap lekker en tot morgen.' Ze boog zich naar voren om haar moeder te omhelzen en ze voelde de ruggengraat van de andere vrouw, stijf als een plank. Ze hield haar met haar armen net genoeg op afstand om aan te geven: ik voel me niet op mijn gemak bij je. Zuchtend mompelde ze: 'Welterusten, mam.'

'Welterusten, schat.'

Celeste liep vermoeid de smalle trap op en had maar een doel; het oude springverenbed dat luid kraakte bij de geringste beweging. Ze sloot de deur achter zich, liep naar het bed en ging vermoeid zitten, met hangende schouders. De lange dag en de stress die met haar thuiskomst gepaard ging had het laatste beetje van haar energie gevergd, zowel lichamelijk als emotioneel. Plotseling voelde ze zich benauwd en had ze wat frisse lucht nodig. Celeste wrikte het raam open en haalde diep adem. Ze dankte voor haar veilige aankomst en bad voor haar moeder, dat haar bitterheid mocht afnemen en dat Gods troost haar geest zou omhullen.

Ze stapte in bed, deed het nachtlampje uit en begroef zichzelf onder de dekens. Morgen zou beter worden, want dan zou ze iets nuttigs kunnen doen voor haar nicht en neef, zelfs voor Scott, hoewel hij niet haar belangrijkste motivatie was.

Beneden, in de slaapkamer die ze meer dan twintig jaar met haar man had gedeeld, maakte Catherine zich klaar voor de nacht. Na te hebben gebeden, stond ze op en ging dankbaar in bed liggen. Hoe moe ze ook was, ze kon niet slapen. Ze was niet in staat een gemakkelijke houding te vinden en lag maar te woelen, luisterend naar het onbekende geluid van het gepiep in de kamer boven zich. Het was meer dan een jaar geleden dat haar dochter voor het laatst thuis was geweest. Waarom was ze nu gekomen, een dochter die, door woorden en daden, op zo veel manieren duidelijk gemaakt had dat ze zich schaamde voor haar nederige komaf en grote moeite had gedaan om op te klimmen tot een ontwikkelde en rijke vrouw? Catherine lag onder de dikke laag dekens en dacht terug aan de laatste keer dat ze haar in Seattle had opgezocht en in het prachtige appartement van haar dochter was blijven slapen. Het was vorig jaar zomer geweest, toen ze een verzekeringsbijeenkomst had in een van de hotels in de buurt en Celeste haar had gevraagd om bij haar te komen logeren. Ze had het nieuwe huis van haar dochter nog niet eerder gezien, dat ze had gekocht nadat ze haar appartement met flinke winst had verkocht, waardoor ze een grote aanbetaling op dit huis kon doen. Celeste had haar zelfs verteld dat ze het nieuwe appartement helemaal had kunnen afbetalen van de opbrengst van haar oude huis en de verzilvering van enkele van haar investeringen. Maar ze had een hypotheek genomen voor het belastingvoordeel.

Catherine had niet geweten wat ze moest verwachten toen ze in het huis van haar dochter aankwam, maar wat ze onder ogen kreeg was geweldig. Het appartement bevond zich vlak bij de noordelijke punt van Lake Washington, niet ver vanwaar de zeilboten aanlegden in North End Marina. Het bood uitzicht op het oosten, met het meer en aan de overkant de villa's die aan de Kenmore Hills stonden. Hierachter had je een spectaculair uitzicht op de Cascades, met besneeuwde toppen, zelfs in juni. Het appartement was 160 vierkante meter groot en had twee slaapkamers, een ruime keuken en een grote, statige eetkamer. In het midden van de huiskamer was een witte, marmeren open-haard en achter glazen deuren lag een groot terras met jacuzzi. Celeste had die avond het eten opgediend op de ronde, glazen tafel op het terras. Ze hadden toegekeken hoe het licht aan de hemel vervaagde en het meer zo donker werd als saffier, terwijl de lichtjes vanaf de Kenmore Hills begonnen te schijnen.

In haar eenpersoonsbed ervoer Catherine een golf van jaloezie die zo intens was dat het tranen in haar ogen veroorzaakte. Celeste zou nooit weten hoe het was om vijfenzeventig te zijn en nog steeds geldzorgen te hebben; haar dochter zou deze problemen nooit kennen. Zelfs als ze nooit zou trouwen, en het begon erop te lijken, dan zou ze nog steeds financieel onafhankelijk zijn.

In haar hart erkende Catherine dat het verkeerd was om zoveel negatieve gevoelens te koesteren tegenover haar dochter, maar het was gewoon zo oneerlijk! Hoe kon God toestaan dat het ene kind zo gezegend werd terwijl het andere kind zo moest lijden? Hoe kon Hij Rachels kinderen en Rachels man met deze ellende opzadelen terwijl Celeste vrolijk door leefde, zonder zich ook maar ergens zorgen over te hoeven maken?

De Schrift beloofde dat wat ze in tranen zou zaaien, ze in vreugde zou oogsten. Er was niet veel vreugde meer geweest in haar leven sinds Rachel de diagnose van de ziekte van Huntington gekregen had; maar op de dag dat Rachel weer kerngezond voor hen zou staan, zou er onnoemelijk veel vreugde zijn.

Getroost door Zijn belofte sliep ze in.

7

'Tante Celeste!' Tawnya rende iets over half tien op een zonnige zaterdagochtend de voordeur uit en stond te trappelen tot haar tante uit haar auto kwam.

Nadat ze haar nichtje omhelsd had, hield Celeste haar op een armlengte afstand en keek haar onderzoekend aan. 'O, het is zo fijn om je weer te zien, Tawnya. En kijk eens! Je bent een kop groter geworden sinds ik je de laatste keer zag.'

'Hoi, lieverd.'

Het meisje liep naar haar grootmoeder, omhelsde haar even en begroette de oudere vrouw. 'Hoi, oma. Nou, kom binnen.'

Terwijl ze de oude boerderij binnengingen, zag Celeste dat haar moeder de waarheid verteld had; het was er brandschoon en er kwam een dennengeur uit de richting van de keuken en de badkamer. 'Tawnya, kan ik iets doen om je te helpen? De oven of de koelkast schoonmaken, wat dan ook?'

'Nee, bedankt, tante Celeste. Ik doe het huishoudelijke werk op zaterdagochtend vroeg, zodat ik de rest van de dag tijd heb om andere dingen te doen.'

Ze klonk zelfs net als haar moeder en grootmoeder, dacht Celeste verbijsterd. Zijzelf was meer een sporadische huishoudster en er konden weken verstrijken voordat ze er ook maar aan dacht om te stofzuigen of de koelkast schoon te maken, totdat ze het ineens op haar heupen kreeg en het grootste deel van de dag in een schoonmaakwoede doorbracht. Het was niet de manier waarop ze opgevoed was.

'In dat geval, kom hier en ga zitten. Vertel me hoe het met je gaat. Je gaat komend schooljaar toch naar groep acht?'

'Ja.'

'Geeft mevrouw Abbott nog steeds les aan groep acht?'

'Ja.'

'Echt? Ze was al rond de honderd jaar toen *ik* in groep acht zat! En vertel me eens wat voor hobby's je hebt.'

Tawnya aarzelde even en richtte haar blik op haar oma. 'Nou, ik rijd op Shadow en ik houd van lezen. Ik zou heel graag pianoles nemen, maar misschien is dit niet het beste moment. En ik heb mijn konijnen; ik ga dit jaar weer met ze meedoen aan de tentoonstelling. Vorig jaar heb ik een blauw lint gewonnen met mijn zomernest.'

'En hoe zit het met vriendinnen, feestjes, dat soort dingen?'

Tawnya keek naar de grond en zei bijna verlegen: 'Geen,' terwijl ze haar hoofd ontkennend schudde.

'Alsjeblieft, Celeste, ze is nog maar twaalf. Ze is nog niet oud genoeg om te denken aan dansen en die onzin.'

'O, oma, er zijn een heleboel feestjes op mijn school, ik ga er alleen nooit heen.'

'Dat is prima, meisje. Oma is trots op je.'

Er viel een stilte en Celeste proefde de spanning in de kamer; er was een soort machtsstrijd gaande tussen de oudere vrouw en het jonge meisje. Iets wat herkenbaar genoeg was om Celestes nekharen overeind te doen staan.

Celeste zette de onplezierige herinneringen van zich af en zocht wanhopig naar een ander onderwerp. 'Wat dacht je ervan om in de stad te gaan lunchen voordat we bij je moeder op bezoek gaan? We gaan naar de Hay Wagon, ik trakteer. Wat vind jij ervan, mam?'

'Nou, ik... ik denk dat dat wel goed is.'

'Geweldig. Maar, Tawnya, weet je zeker dat er niets is wat ik kan doen om je te helpen? Een was draaien, wat dan ook?'

'Nee, maar evengoed bedankt, tante Celeste. Ik ben heel vroeg opgestaan zodat ik klaar zou zijn tegen de tijd dat jullie kwamen.'

'Wat ben je toch een fantastisch kind.' Celeste glimlachte innemend naar haar nichtje. 'Nou, wat dacht je ervan als we de stad in gaan, even wat gaan winkelen en wat geld opmaken voor de lunch?'

'Ik moet me eerst verkleden, oké? Ik ben zo klaar.'

'Neem de tijd, Tawnya.'

Terwijl haar nichtje de trap op rende, wendde Celeste zich tot haar moeder. 'Bedankt, mam.'

'Waarvoor?'

'Dat je mee gaat lunchen en winkelen. Ik denk dat Tawnya echt wat aandacht nodig heeft.'

Catherine schudde haar hoofd en antwoordde: 'Ik snap nog steeds niet waarom we ergens moeten gaan eten terwijl ik voldoende eten in huis heb. Het lijkt net of ik haar leer om geld en eten te verspillen. Nu ga ik even de achtertuin in om de rozen te controleren op bladluizen terwijl ze zich omkleedt.'

Celeste schudde haar hoofd. Moeder leefde in een totaal andere wereld en ze begon te geloven dat ze nooit in staat zou zijn de brug naar die wereld over te steken. Wie had kunnen denken dat een lunch van twintig dollar zo'n onrust zou veroorzaken bij haar moeder?

Ze zat alleen in de kamer, verveelde zich en zag de piano in de hoek staan. Uiteindelijk liep ze naar het bankje toe, ging zitten en tilde langzaam de deksel van de toetsen op. Ze stak aarzelend een hand uit en liet de noten in de zomerochtend zweven. Ze had op Tawnya's leeftijd niets liever gewild dan piano leren spelen en dankzij mevrouw Bateham had ze de beginselen geleerd. Mevrouw Bateham was muziekleraress geweest en gaf privélessen. Ze had op een dag na schooltijd in het muzieklokaal gezien hoe Celeste verlangend de toetsen aanraakte. 'Wil je graag piano leren spelen?' had ze gevraagd, een vriendelijke blik in haar ogen. 'Wat dacht je van deze afspraak. Als jij elke week mijn gras maait, geef ik je daarna les. Op donderdagmiddag, bij mij thuis, om half vier.'

En zo was het begonnen en doorgegaan totdat Celeste een tweedejaarsstudent was, andere interesses kreeg en die periode van haar leven geëindigd was. Ze was mevrouw Bateham heel dankbaar, dat was ze zich de laatste jaren pas gaan realiseren. De vrouw die haar inkomen had aangevuld door privélessen te geven had genoeg inzicht gehad om intuïtief te begrijpen dat er slechts plaats was voor één ster in het gezin Malloy en was aardig genoeg geweest om er toch bij betrokken te raken.

Celeste pakte een stapel bladmuziek van onder de deksel in de pianokruk, bladerde erdoorheen en stopte uiteindelijk bij de titelsong van *You light up my life*. Grijnzend legde ze de andere aan de kant en zette de muziek neer. Ze strekte haar vingers, deed een paar toonladders, ineenkrimpend bij de valse noten en begon toen aan het voorspel.

In haar kamer doorzocht Tawnya wild haar ladekast toen de eerste noten naar boven zweefden. Kon tante Celeste pianospelen? Dat had ze nooit geweten, maar er was veel dat ze niet wist over tante Celeste. Ze was echt aardig en zo mooi. Ze had zulk prachtig blond haar en haar nagels waren geweldig. Ze droeg ook altijd de gaafste kleren. Vandaag droeg ze een blauw met gele rok van een kreukstof die tot halverwege haar kuiten kwam met een geel T-shirt en een paar sandalen die haar gelakte teennagels lieten zien. Ze had lange, blauwe oorbellen in, dezelfde kleur als haar ogen en een blauwe topaassteen met diamanten eromheen aan een ketting om haar nek. Toen ze uit haar kleine, rode auto stapte en haar zonnebril aan de voorkant van haar shirt hing, zag ze eruit als een filmster.

Ze hoopte dat een paar meiden van school hen vandaag in de stad zouden zien; niemand had een tante die zo mooi was als tante Celeste. Ze kon een jutezak dragen en er nog steeds uitzien als een model.

En dat bracht haar weer bij het probleem waar ze voor stond; wat moest ze aantrekken? Het was te warm voor een spijkerbroek en oma hield er om de een of andere reden niet van als ze een korte broek aantrok naar de stad. Als ze op zaterdag in de stad verscheen in een van haar zondagse jurken, dan zag ze er helemaal stom uit. Er kwam een golf zelfmedelijden over haar heen en er welden hete tranen op in haar ogen.

Ze liet zich op haar bed vallen en liet de tranen komen, prikkend in haar ogen en neus. Toen er aangeklopt werd, veegde ze snel de tranen van haar wangen. 'Wie is daar?'

'Ik ben het maar. Ik dacht dat ik de piano maar even met rust moest laten en jou even lastig moest komen vallen. Goed?'

'Een momentje, tante Celeste.'

Terwijl ze wachtte, hoorde Celeste het onmiskenbare geluid van haar nichtje die haar neus snoot en toen voetstappen voordat de deur openging. Toen Celeste de rode ogen en het gezwollen gezicht zag, aarzelde ze even. Hoe ging je om met tranen bij een meisje van deze leeftijd – gaf ze er de voorkeur aan als ze net deed of ze het niet doorhad? Ze besloot haar instinct te volgen, hief haar hand en veegde een traan van Tawnya's wang.

'Ik weet dat ik al een tijdje niet meer gespeeld heb, maar vertel me alsjeblieft niet dat mijn uitvoering van *You light up my life* je tot tranen toe ontroerd heeft.'

Er klonk een snotterig gegrinnik. 'Nee.'

'Goed dan, dan vraag ik je op de man af: wat is er aan de hand, Tawn? Kan ik je helpen?'

Tawnya schudde haar hoofd, veegde de tranen weg die uit haar ogen bleven stromen en antwoordde: 'Ik heb niets om aan te trekken. Al mijn kleren zien eruit alsof oma of een negentigjarige ze zou moeten dragen. Ik vind de spijkerbroek die je me voor mijn verjaardag gestuurd hebt prachtig, maar het is te warm buiten. Oma krijgt een hartaanval als ik naar beneden kom in een korte broek terwijl we de stad ingaan en ik wil niet een van mijn zondagse jurken aantrekken. Ik blijf nog liever thuis!'

Wat was er in hemelsnaam mis met Scott? Medelijden en frustratie worstelden zich naar de voorgrond en Celeste sprak expres op luchtige toon. 'Dit is absoluut een probleem, lieverd, maar eentje dat gemakkelijk opgelost kan worden. Weet je wat, we gaan bij Rumleys langs voor de lunch. Hebben ze nog steeds zulke leuke kleren? Nou, we vinden wel iets leuks voor je. Ik betaal. En ik zal het er met oma over hebben dat je een korte broek aan moet kunnen trekken naar de stad. Wat dacht je daarvan?'

Tawnya kreeg opnieuw tranen in haar ogen en knikte. Celeste sloeg een arm om de schouder van het meisje en trok haar naar zich toe. 'Het geeft niet, schat. Ga je gezicht maar even wassen. Ik ga naar beneden om oma in te lichten. Oké?' Tawnya knikte. 'Goed. Ik zie je over een paar minuten.'

Celeste liep de gang op, sloot de deur achter zich en bleef even staan. Het hielp niet als ze moeder liet zien dat ze van streek was, er was tact voor nodig om dit voor elkaar te krijgen. Ze haalde diep adem, liep de trap af en kondigde aan: 'Ze komt er zo aan. We hebben het plan een beetje aangepast, moeder. We gaan voor de lunch even langs Rumleys zodat Tawnya een spijkerbroek en een paar shirts uit kan zoeken. Ik heb tegen haar gezegd dat je dat vast niet erg zou vinden.'

De oudere vrouw keek haar verbaasd aan. 'Maar ze heeft een kast vol kleren, Celeste. Waarom heeft ze iets nieuws nodig?'

'Ze groeit blijkbaar uit haar kleren en aangezien ik hier nu toch ben, doen we gewoon net alsof we alvast winkelen voor het nieuwe schooljaar. Ik wil dit graag voor haar doen, mam. Daarnaast moet ze een korte broek aan naar de stad omdat ze geen lange broek heeft die past, maar daarna trekt ze haar nieuwe kleren meteen aan, goed?'

'Tja, dat moet dan maar. Maar ik weet niet wat je voor haar denkt te vinden in Rumleys, daar lijken ze te denken dat alle meisjes maatje zesendertig hebben. Ik kan daar al een paar jaar niets meer vinden.'

'We zien wel wat ze daar hebben. Misschien hebben we geluk en is de nieuwe collectie net binnen.'

De rit naar de stad verliep rustig en al snel stonden ze voor de rekken met shirts. Een groot deel van de muren bevatte planken met daarop allerlei spijkerbroeken van bekende merken. Celeste bleef op afstand, neusde tussen de kleren en keek hoe haar nichtje de koopwaar bekeek. Zelfs vanaf haar positie was duidelijk dat Tawnya toe was aan een bh. Ze aarzelde even of ze zich moest bemoeien met iets persoonlijks als de eerste bh van een meisje. Maar ze kwam al snel tot de conclusie dat als zij het niet deed, niemand het zou doen. Moeder had blijkbaar geen ogen in haar hoofd en hield koppig vast aan het idee dat Tawnya nog steeds een klein kind was. Toen ze zich haar eigen ervaringen op die leeftijd herinnerde, was het besluit snel genomen. Het zou zeker minder vernederend voor Tawnya zijn als Celeste het deed dan wanneer het aan moeder werd overgelaten. Met dit in gedachten bestudeerde ze haar nichtje en liep toen naar de lingerieafdeling. Ze keek naar sportbh's en ontdekte dat dit nog niet zo gemakkelijk was als het leek. Na een verkoopster met haar dilemma te hebben aangesproken, wachtte ze terwijl de vrouw het meisje bestudeerde, toen beslist knikte en drie bh's uit het rek pakte.

'Dit zijn de populairste modellen voor jonge meisjes, met verstelbare bandjes en voldoende ruimte om te groeien.'

Na haar te hebben bedankt nam Celeste de bh's mee en liep naar Tawnya in de paskamer toe.

'Tante Celeste, ik heb twee spijkerbroeken gevonden die passen. En hier zijn ook twee shirts. Wilt u ze zien?'

'Natuurlijk, maar kan ik eerst even binnen met je praten?'

'Natuurlijk.'

Celeste sloot de deur achter hen en haalde de bh's tevoorschijn. 'Wat dacht je ervan om deze te proberen?' Toen ze een rode blos op Tawnya's wangen zag verschijnen, ging ze verder: 'Ik wil je niet beledigen, schat, maar het is tijd om er eentje te gaan dragen.'

Giechelend bekeek Tawnya ze. 'Deze zijn niet zo sexy als die bh's van Victoria's Secret die ik op tv gezien heb.'

'Ik denk niet dat ze sportbh's van Victoria's Secret hebben, meisje. Sorry.'

Korte tijd later liepen de vrouwen de winkel uit met beide spijkerbroeken, drie shirts en twee bh's, plus een aantal paar sokken voor Tawnya en, op haar verlegen verzoek, ook een aantal paar voor haar vader en broer.

'Ik zal u terugbetalen, tante Celeste, voor alles.'

Celeste trok speels aan een lok haar tussen Tawnya's schouderbladen en antwoordde: 'Nee, dat ga je helemaal niet doen en daarmee uit. Zie dit maar als de eerste ronde winkelen voor het nieuwe schooljaar. Wat dacht je van een lunch nu?'

Ze genoten van een heerlijke lunch in de Hay Wagon. Tawnya en Catherine namen een uitsmijter. Celeste nam een maaltijdsalade en een groot glas ijswater met een schijfje citroen. Toen ze om zich heen keek, zag ze een bekend gezicht uit de keuken komen.

'Mam, is dat Connie Ripley, die daar achterin tafels schoonmaakt?'

Catherine draaide zich om om te kunnen kijken en antwoordde: 'Ja, ik geloof het wel. Ik wist niet dat ze hier werkte. Ik weet dat ze bij het tankstation heeft gewerkt. Daar is nu een kleine supermarkt, zoals je misschien wel weet.'

'Ik kom zo terug. Ik wil even gedag zeggen.'

Terwijl ze door het restaurant liep, kwamen de herinneringen terug aan de felle roodharige met de aanstekelijke lach die in een opgeknapte lijkwagen had gereden en samen met Celeste naar de zondagsschool en de jeugdgroep ging. Ze had verkering gehad met Darrell Ripley sinds groep zeven, was na haar eindexamen met hem getrouwd en had vier (of waren het er vijf?) kinderen met hem gekregen in de loop der jaren.

Celeste naderde haar zachtjes. 'Hallo...!'

Connie draaide zich om, zette grote ogen op en gooide de vieze vaatdoek met een lach op de tafel. Toen omhelsde ze Celeste. 'Celeste, lieve help, wat leuk om jou weer eens te zien! Hoe lang ben je in de stad?'

'Alleen maar dit weekend.'

'Het spijt me zo van Rachel, ik denk veel aan je maar ben niet erg goed in het onderhouden van contact. Je weet hoe het gaat.'

'Ja, dat snap ik, Connie. Ik wil je niet van je werk afhouden, dus ik ga er snel weer vandoor, maar het lijkt me leuk om je weer eens te spreken. Kan ik je vanavond bellen? Ik wil je iets voorleggen.'

'Ja, ik ben thuis. Hier.' Ze krabbelde een nummer op een servet en stak Celeste die toe. 'Ik moet gaan, maar bel me, oké?'

'Reken daar maar op.'

Terwijl ze haar vriendin zag verdwijnen door een deur die waarschijnlijk naar de keuken leidde, haalde Celeste diep adem en liep toen terug naar het tafeltje waaraan haar moeder en nichtje zaten te wachten. Alleen het zien van Connie bracht al een heleboel herinneringen naar boven. De avond na hun laatste dag in groep acht had ze bij Connie geslapen, een van de meisjes die haar moeder goedkeurde. Ze waren om tien uur 's avonds gaan zwemmen in de grote ronde paardendrinkbak die haar vader als zwembad in de achtertuin had neergezet en

Celeste had genoten van de vrijheid van het spetteren onder de nachtelijke sterrenhemel, op haar rug liggen en de sterren tellen. Ze waren samen naar het kerkkamp gegaan, hadden samen catechisatie gevolgd en waren samen met hun vriendjes naar het eindejaarsfeest gegaan. Waarom had ze geen contact meer met haar oude vriendin? Haar verwaarloosde vriendschap met Connie was alweer een offer van haar carrièregerichte leven en ze beloofde zichzelf van nu af aan beterschap.

Na de lunch reden ze naar Fircrest en Celeste kwam er vandaan met een pijn in haar hart waarvan ze wist dat ze die de rest van haar leven met zich mee zou dragen. Catherine en Tawnya waren onbezorgd door de deuren gelopen en accepteerden de aanblik die voor hen na zoveel bezoekjes gewoon geworden was. Het eerste wat Celestes geest registreerde was het geluid van de beademingsmachine, een sissend, pompend apparaat dat de stille kamer domineerde. Terwijl ze toekeek hoe Tawnya haar moeder begroette en haar op haar voorhoofd kuste, brandden de tranen in Celestes ogen. De kleine, gekrompen persoon die onbeweeglijk in het steriele bed lag, was niet de zus met wie ze een complexe relatie had gehad tot het te laat was om die nog te veranderen en over de grenzen heen te stappen waar ze allebei achter gebleven waren.

'Kom binnen, tante Celeste. Mam, tante Celeste is er. Oma is er ook.'

De afstand tussen de deur en het bed was de moeilijkste die Celeste in haar leven ooit overbrugd had. Het was Rachel, maar ook weer niet. Het dikke, krullende haar was kortgeknipt en de wenkbrauwen die ze zo zorgvuldig had bijgehouden waren vol en borstelig. Haar ledematen waren verwrongen en haar lichaam had de foetushouding aangenomen; de instinctieve terugkeer van het lichaam naar de houding waarin het veilig in de baarmoeder had gelegen.

Met een stem die ze nauwelijks herkende als de hare, zei ze zachtjes met een pijnlijke brok in haar keel: 'Hoi, Rach.' Ze liep weg van het bed, wendde haar ogen af en vocht tegen de tranen die ondanks haar beste bedoelingen kwamen opwellen.

'Het geeft niet, tante Celeste. Ze heeft nergens pijn, hè, oma? En ze kan ons horen praten, toch?'

'Dat weet ik niet, schat, maar we praten evengoed tegen haar. Hallo, lieverd. Hoe is het vandaag met mijn meisje?'

Celeste doorstond de rest van het bezoek in een verdovende golf van pijn en schuld, met daarbovenop medelijden met de jonge vrouw en moeder die buiten het bereik was van degenen die het meest van haar hielden. *Waarom ik niet,* vroeg ze God in stilte, *zonder kinderen of man om achter te laten, in plaats van de lieve vrouw die haar leven gewijd had aan de dienst aan U en haar gezin?*

De stemming was bedrukt toen de vrouwen een uur later terugliepen naar de auto. Celeste pakte haar zonnebril van de achteruitkijkspiegel en zette hem op. Ze was blij haar gezwollen ogen te kunnen afschermen van de felle zon. Ze haalde diep adem, zette de auto in zijn versnelling en probeerde opgewekt te klinken.

'Heeft iemand er bezwaar tegen als we even stoppen bij de drogist voordat we de stad uitgaan?'

Eenmaal in het oude gebouw dat nauwelijks veranderd was in de afgelopen veertig jaar gingen de vrouwen elk een kant op. Catherine maakte een praatje met de verkoopster en Celeste deed haar aankopen.

Tawnya stond voor het schap met chocoladerepen en telde in gedachten het geld dat ze nog in haar portemonnee had. Vijf dollar. Genoeg voor drie repen en dan hield ze nog voldoende over. Ze nam haar keuze mee naar de toonbank en zocht in haar tas naar het geld. Ondertussen hield ze oma in de gaten, die een hartaanval zou krijgen als ze zag hoe ze haar geld verkwanselde aan snoep. Tot haar grote schrik kwam haar oma net op haar af en mevrouw Sterling was zo traag als een slak achter de kassa. Oma's stem was luid genoeg om door de hele zaak te weerklinken en Tawnya voelde zich rood worden, terwijl de tranen in haar ogen sprongen.

'Tawnya Rose Parnell, leg dat snoepgoed onmiddellijk terug. Nee, Evelyn, niet afrekenen. Lieve help, jongedame, je tante heeft net nieuwe kleren voor je moeten kopen omdat je te dik bent geworden voor je oude en nu koop je nog meer snoep! Wat denk je wel niet?'

Met een vuurrood hoofd en een stem die trilde van schaamte en tranen, riep Tawnya: 'Het is mijn zakgeld, oma! Ik mag kopen wat ik zelf wil!'

Catherine stak haar hand uit. 'Geef het onmiddellijk aan mij.'

Tawnya was sprakeloos, terwijl de tranen over haar wangen stroomden. Toen gooide ze de smoezelige biljetten op de toonbank en rende naar de deur. Toen ze de winkel uit was, vluchtte ze naar de hoek van het bakstenen gebouw, ging met haar rug tegen het raam staan en liet haar tranen de vrije loop. Wat maakte het nou uit of ze wat snoep kocht van haar zakgeld? Hoe kon oma haar zo voor schut zetten, in het openbaar? En dan ook nog eisen dat ze haar zakgeld gaf! Ze keek de straat in, zichzelf ervan verzekerend dat ze alleen was en dat niemand getuige was geweest van haar afgang.

Het gerinkel van de winkelbel verbrak de stilte. Oma en tante Celeste. Geweldig! Ze vertrouwde zichzelf nu niet in oma's buurt, maar er was geen andere manier om thuis te komen.

Celeste had het drama vol verbazing aangezien en was razend over de tactiek van haar moeder. Ze had snel haar artikelen afgerekend en Catherine mee de winkel uit genomen. 'Mam, ga alvast in de auto zitten. Ik breng je naar huis. Tawnya, lieverd, blijf even tien minuten wachten, ik ben zo terug. Ik breng oma snel thuis en dan kom ik jou ophalen om je naar huis te brengen, oké?'

'Ja, hoor.'

Celeste zweeg even en keek haar nichtje recht aan. 'Je laat me niet zitten, hè?'

'Nee.'

'Goed, ik ben zo terug.'

De spanning in de auto onderweg terug naar Catherines huis was te snijden. Catherine kon de stilte niet langer verdragen en riep uit: 'Ik snap echt niet waarom je dat meisje zo verwent! We zouden haar direct naar huis moeten brengen in plaats van dat je mij loost zodat je aan haar grillen toe kunt geven.'

Celeste pakte het stuur steviger vast en bad om verdraagzaamheid. 'Ik wil hier geen ruzie over maken, moeder. Maar je had haar niet zo moeten vernederen in die winkel. En dan ook nog eisen dat ze haar zakgeld gaf! Mam, dat is gewoon verkeerd.'

Druipend van het sarcasme beet Catherine terug: 'Ja, ik vergat dat jij de expert in het opvoeden bent, met je mooie appartement en goede baan en geen ring aan je vinger!'

Celeste knipperde hete tranen weg bij haar moeders bijtende toon en scherpe woorden. 'Ik hoef geen moeder te zijn om te zien hoeveel pijn dat meisje heeft, moeder. Als je zo doorgaat, raak je haar kwijt!'

'Ja, dan gaat ze misschien ook naar de grote stad en vergeet haar hele familie, net zoals iemand anders die ik zou kunnen noemen.'

Het was zinloos. Celeste schudde haar hoofd en hield haar mond. Ze zette de auto stil voor haar moeders huis en wachtte tot Catherine uitgestapt was. Toen zei ze: 'Tot vanavond, mam.' De passagiersdeur werd met een klap dichtgeslagen en haar moeder liep met kaarsrechte rug naar haar voordeur. Celeste keerde en reed terug naar de drogisterij. Daar aangekomen boog ze zich opzij en deed de deur open voor haar nichtje. 'Stap in.'

Tawnya ging zitten, een stuurse blik op haar gezicht. Drie straten verder vroeg ze op strijdlustige toon: 'Ga jij nu ook zitten zeuren?'

Celeste hield haar aandacht bij de weg en schudde haar hoofd. 'Nee.'

'Waarom niet?'

'Omdat ik denk dat het geen zin heeft en je je er alleen maar nog rotter door voelt dan nu.'

Tawnya mompelde: 'Ik haat haar.'

'Nee, dat is niet waar. Je bent gekwetst en vernederd en daar heb je alle recht toe.'

Tawnya keek haar tante even verbaasd aan. 'Je gaat me niet vertellen dat ik respect moet tonen en dat ik werkelijk dik en lelijk ben?'

'Nee, omdat je niet dik en lelijk bent. En wat dat gebrek aan respect betreft, het is gemakkelijk om ons soms aan onze woede over te geven. In het ideale geval bied je je verontschuldigingen aan oma aan als je haar weer ziet en zou zij hetzelfde doen, maar daar zou ik niet op rekenen. Je kunt een ander niet dwingen tot bepaalde daden, alleen jezelf. Toch? Ik denk dat je op dit moment alleen maar hulp aan God kunt vragen om zover te komen dat je oma kunt vergeven en oma dan om vergeving vragen. Het is allemaal deel van dezelfde cirkel en het begint bij God, Tawn. Hij vergaf ons eerst en wil dat wij hetzelfde doen voor degenen die ons kwetsen, zelfs als we daar Zijn hulp bij nodig hebben. In feite *wil* Hij dat we om die hulp vragen.'

Tawnya schudde haar hoofd. 'Het zal niets uitmaken. Ik word gewoon opnieuw boos als ze de volgende keer weer zoiets doet en dan ben ik weer op hetzelfde punt beland en moet ik haar om vergeving vragen.'

'En dat weet Hij. Zo zitten we in elkaar, schat, wij allemaal.

Omdat we geen perfecte mensen zijn. Als er iets gebeurt, wanneer iemand iets zegt of doet wat ons kwetst, is dat onze eerste reactie. Maar we moeten onthouden dat we God ook kwetsen met onze woorden en daden. Als we bij Hem komen en Hem om vergeving vragen, geeft Hij die vergeving en wil Hij dat we hetzelfde doen voor de mensen die ons kwetsen. Hij is ons perfecte voorbeeld van genade en medeleven. Niet dat dat gemakkelijk is, dat is het maar zelden. Maar ik weet zelf dat ik me beter voel, op de een of andere manier gereinigd, als ik die boosheid loslaat.'

Ze reden enige tijd zwijgend verder en toen nam Celeste opnieuw het woord. 'Tawn, ik maak me *echt* zorgen om je en niet omdat ik denk dat je dik bent. Het baart me zorgen dat je zo'n negatief zelfbeeld hebt. Dat zit me dwars.'

'Het gaat prima met me. Maak je geen zorgen.'

'Maar dat doe ik wel. Ik maak me zorgen omdat ik een jonge vrouw zie die een heleboel pijn heeft en omdat ik van haar houd en wil dat ze gelukkig is.'

'Ik zou gelukkig genoeg zijn als iedereen me gewoon met rust zou laten!'

O God, geef me alstublieft de juiste woorden… dit kost me echt moeite! Help me om dit meisje duidelijk te maken hoeveel U van haar houdt en hoeveel ik van haar houd.

Celeste sloeg van de hoofdweg af, zette de motor uit en keek haar nichtje aan. 'Tawnya, wil je met me bidden? Alsjeblieft?'

Celeste stak uitnodigend haar hand uit. Na een korte aarzeling legde Tawnya haar hand in die van Celeste. Die boog haar hoofd en begon hardop te bidden.

'Hemelse Vader, we komen vanmiddag bij U om U te vragen of U Uw genezende en troostende hand op Tawnya wil leggen. Heer, we weten dat U diep in onze harten kunt kijken. U kent onze pijn en teleurstelling. We weten dat U van ons houdt en dat

U er bent en onze gebeden hoort. Vader, ik vraag of U heel dicht bij Tawnya wilt zijn en dat U haar in die veilige plaats houdt die U in Uw Schrift belooft, waar ze troost zal vinden in U. Heer, help haar in te zien dat er van haar gehouden wordt, volledig en onvoorwaardelijk. Dank U, Vader. In Jezus' naam. Amen.'

Met nog steeds gesloten ogen gaf Celeste een kneepje in Tawnya's hand. 'Er is niets wat we niet voor God kunnen brengen en aan Zijn voeten kunnen leggen, Tawn. Wat dan ook, hoe groot of klein ook. Onthoud dat, oké?'

Ze zwegen even en toen rekte Celeste zich uit. 'Nou, ik denk dat ik je maar naar huis moet brengen. Heb je al iets gepland voor het eten vanavond?'

'Nee. Ik moest eigenlijk even langs de winkel om iets te halen, maar...'

'Geen probleem, we rijden gewoon nog even de stad in. Wat dacht je ervan om de avond vrij te nemen en je tante Celeste een poging te laten wagen in de keuken? Waar heb je trek in... Kipfilet? Hamburgers? Jij mag het zeggen, meisje.'

'Het maakt mij niet uit. Maar ik kan wel helpen, als je wilt.'

'Natuurlijk, dat zou geweldig zijn. Hé, denk je dat je vader en broer zin hebben in tofuburgers?'

'Je maakt zeker een grapje! Hij zou ze aan de hond voeren en in plaats daarvan een kom cornflakes eten.'

Met een zucht antwoordde Celeste: 'Dat dacht ik al. Nou, we vinden vast wel *iets* om ze voor te schotelen.'

Spottend stelde Tawnya voor: 'Ik stem voor aubergine met Parmezaanse kaas uit de oven.'

'Een meisje naar mijn hart. Ik zal je de kneepjes van het uitkiezen van aubergines laten zien, dan kun je ze een keer verrassen als ik er niet ben.'

'O, ze zullen versteld staan.'

'Je bent een geweldig kind, weet je dat?'

'Je slijmt gewoon in de hoop dat ik tofu ga eten.'

'Dat heb je dus al door. Nou, ik denk dat ik het deze keer maar laat zitten. Dus, wat wordt het? Wat is je lievelingsgerecht?'

'Lasagne. Met heel veel kaas. En stokbrood. En toffeecake als toetje, met ijs.'

'Klinkt heerlijk, meid! Goed. Als we er een salade bij doen, heb je een prima maaltijd.'

'Oké.'

'Veel fruit en groente, meisje. Om je vol te proppen zonder al te veel calorieën binnen te krijgen.'

Na een bezoekje aan de supermarkt, maakten ze samen het avondeten klaar en genoten van hun tijd samen. Toen zei Celeste dat ze uitgeput was en verdween, voordat haar zwager thuiskwam van het veld. Ze zou hem morgen wel spreken, nadat ze de kans had gehad om haar gedachten op een rijtje te zetten en een strategie te bedenken.

Moeder wachtte thuis, waarschijnlijk met snerende opmerkingen in de aanslag.

Geen wonder dat ze niet eerder naar huis was gegaan. Ze was helemaal kapot, lichamelijk en emotioneel. Maar ze had een beter gevoel over haar nichtje en dat was toch iets. En wanneer de rest van haar zorgen opgelost waren, zou ze zich nog beter voelen.

Dit moest zijn wat Ana ervoer in haar rol als moeder. De zorgen verdwenen nooit. Ana's filosofie was 'een dag tegelijk en veel bidden'.

Celestes laatste gedachte voordat ze insliep was dat de apostel Paulus het voornamelijk tegen moeders moest hebben gehad toen hij gelovigen opriep om 'voortdurend te bidden'. Na slechts een dag tolde ze al van vermoeidheid en twijfelde ze aan zichzelf; de woorden die ze gesproken had, de houding die ze had laten zien en het geloof waarvan ze getuigd had. Misschien wist God dat het moederschap te veel voor haar was en was dat de reden dat ze nog steeds alleen en kinderloos was.

Misschien was het de bedoeling dat ze een actievere rol ging spelen in de levens van de kinderen van haar zus. Dit was iets wat ze doen kon. Misschien zou ze zich na een goede nachtrust niet meer als een dweil voelen en meer als een voorbeeld.

Help me, God, om de dingen te doen die U van me vraagt, in de levens van Tawnya en Tyler. En in dat van Scott, als dat Uw wil is. Dank U, Heer. Amen.

8

Als iemand Scott verteld had dat hij een uur lang zou luisteren naar de voorstellen van zijn schoonzus over de zorg voor en opvoeding van zijn gezin, zou hij aangenomen hebben dat er nog ergens een Malloy-zus verstopt zat, een familiegeheim dat nu pas onthuld was. Hij was nog steeds verbluft dat de hoogopgeleide Celeste, de altijd afwezige tante, zichzelf had bewapend met de bittere, harde waarheid en vrijwillig het hol van de leeuw had betreden. Het deed zeer als hij eraan terugdacht. De punten die ze onder de aandacht bracht waren terecht, hoewel dat het niet per se makkelijker maakte om ze te erkennen. Ze had hem niet rechtstreeks gezegd dat hij een slechte vader was, maar ze had zijn tekortkomingen geschetst op een nonchalante manier die weinig ruimte overliet voor discussie, maar net genoeg ruimte om je ongemakkelijk onder te voelen. Er waren drie belangrijke punten, als hij het gesprek goed begrepen had.

In de eerste en belangrijkste plaats was het Celestes mening dat hij onrealistische verwachtingen had van zijn dochter; op twaalfjarige leeftijd mocht er niet van haar verwacht worden en mocht niet worden toegestaan dat ze de rol van haar moeder op zich nam wat betreft de zorg voor het huishouden en zelfs voor de tuin. Zonder haar stem te verheffen of rechtstreeks iets beschuldigends te zeggen, had ze een verontrustend beeld geschetst van een meisje dat sociaal geïsoleerd was, een heel laag zelfbeeld had en persoonlijke en emotionele behoeften had waaraan niet werd voldaan.

Overgewicht? Tawnya? Natuurlijk, ze was een beetje mollig,

maar daar zou ze wel overheen groeien in de komende jaren, als ze meer om haar uiterlijk ging geven. Laat haar in de tussentijd eten wat ze wil.

Dat waren twee van Celestes beschuldigingen. Als hij aan het gesprek terugdacht, kreeg Scott een blos van schaamte op zijn wangen. Nee, hij was al een paar jaar niet meer met de kinderen naar de tandarts geweest. Nee, daar was geen bijzondere reden voor, het was gewoon zo gelopen doordat Rachel voortdurend zorg nodig had en ze er nooit geld voor hadden. 'Oké, ik ben te makkelijk geweest,' had hij met een brok van schaamte in zijn keel toegegeven, hetgeen omgeslagen was in woede, die hij op haar gericht had. Ze had hem zwijgend aangekeken toen hij de situatie met verstikte stem uitlegde. Er was slechts geld voor de zorg voor zijn vrouw en het eten van de kinderen; sommige dingen moesten even op een laag pitje worden gezet, maar hij deed zijn uiterste best.

Maar ze had gelijk, hij was zijn kinderen de basisbehoeften verschuldigd, zoals bezoekjes aan de tandarts, opticiën en zelfs de dermatoloog. Hij schaamde zich een beetje als hij aan die laatste dacht. Hij had de pukkeltjes van Tawnya gezien en aangenomen dat ze er wel overheen zou groeien, zoals met Ty gebeurd was, zoals met hemzelf gebeurd was. Het was anders voor meisjes, had Celeste tegen hem gezegd, omdat hun hele hormonale huishouding anders was en bovendien was het voor meisjes van deze leeftijd een veel gevoeliger onderwerp dan voor jongens. Hij had daarna eens goed naar zijn dochter gekeken en haar eindelijk echt gezien. Het waren niet alleen pukkeltjes op haar huid, maar diepe, lelijke puisten, vergezeld door enkele mee-eters en zelfs al wat littekens van de acne.

Celeste had gelijk. Waar had hij zich het afgelopen jaar verstopt?

En haar tanden, wanneer was er een tweede rij tanden in het

tandvlees boven haar volwassen gebit gegroeid? Arme meid, zelfs *die* waren niet om over naar huis te schrijven. Hij had geweten dat Rachel een beugel had gehad, hij had de schoolfoto's uit haar jeugd gezien en zich verbaasd over het verschil in haar glimlach voor en na, maar hij had nooit gedacht aan de mogelijkheid dat Tawnya wellicht dat slechte gebit van haar moeder zou kunnen hebben geërfd.

Hij had vervolgens Ty's gebit zorgvuldig bekeken. Gelukkig zag dat er prima uit, hoewel het ook hem geen kwaad zou doen om eens bij de tandarts langs te gaan. Ze waren echter niet verzekerd voor tandheelkunde en hoewel zijn bankrekening wel een paar bezoekjes voor controle en reiniging kon hebben, wist hij zeker dat orthodontie ver buiten zijn bereik lag.

Dat is de reden dat ontkenning beter is dan de harde realiteit van het leven, peinsde hij. Wanneer iemand de realiteit ergens van geaccepteerd had, maakte dat het veel moeilijker om weer terug te kruipen in dat donkere gat van ontkenning. De enige manier waarop de situatie van zijn dochter zijn gedachten niet langer zou domineren nu het er tegen wil en dank bij hem ingestampt was, was als iemand met een hamer en een beitel naar hem toekwam en het er handmatig uit verwijderde.

Maar Celeste had hem niet op de hoogte gebracht van de onaanvaardbaarheid van de situatie om zich vervolgens weer terug te trekken en het hem zelf op te laten knappen. Ze was met eenvoudige, goed uitgedachte voorstellen gekomen en de lekkende reddingsboot van zijn zwaar drukkend vaderschap was effectief aan wal geraakt. Een huishoudster, ene Connie Ripley, zou twee keer per week komen om het huis te poetsen, de was te doen en om maaltijden te bereiden die ingevroren konden worden.

Pianolessen voor zijn dochter; hij had niet eens geweten dat ze graag wilde leren spelen. Celeste had zijn protesten dat hij zich deze kleine luxes niet kon permitteren van tafel geveegd door hem te vertellen dat dit haar manier was om iets voor haar zus en diens kinderen te doen. Ze was er al te lang niet bij betrokken geweest en wist geen andere manier om hulp te bieden dan enkele organisatorische details en de financiering daarvan.

En dan de absolute knaller. 'Ik zou graag je toestemming hebben om allebei de kinderen mee te nemen naar de tandarts hier, en na de nodige vullingen of wat er verder gedaan moet worden, wil ik een afspraak voor Tawnya maken bij een orthodontist in Seattle. En ook met een dermatoloog. Ja, ik weet dat je geen tandartsdekking hebt, Scott. Het geeft niet, dit is iets wat ik wil doen. Ik zou hetzelfde doen voor mijn eigen kind, laat me dit alsjeblieft doen voor dat van Rachel. Omdat het maar zo weinig kost in verhouding tot het verschil dat het zal maken voor haar zelfbeeld. Heb ik dus je toestemming om dit te regelen zodat ze een beugel heeft voordat de school weer begint?'

Wat kon hij zeggen? Nadat de feiten voor hem opgesomd waren, stemde hij geëmotioneerd en struikelend over zijn woorden met dankbaarheid en nederigheid in. Als er nog een restje schaamte overbleef dat hij het als vader zo had laten afweten dat Celeste het niet alleen merkte maar hem er zelfs mee confronteerde, dan moest hij dat maar gewoon slikken. En hij *was* dankbaar dat er zulke schijnbaar eenvoudige oplossingen voor de problemen bij hem neergelegd werden, ook al was hij eerder blind voor die problemen geweest.

Nu zat hij op de schommelbank op de veranda, keek naar de schitterende sterren aan de hemel en 'sprak' met zijn vrouw, iets wat hij vaak deed. Het troostte hem op een bepaalde manier om een band met Rachel te onderhouden, hoe eenzijdig die ook was.

'Rach, ik ben zo blij dat je niet kunt zien wat er met ons gezin, met onze kinderen, gebeurd is. Je zou het niet geloven van

Celeste, ze is echt bijgedraaid. Ik ben haar dankbaar, Rach, maar ik mag haar nog steeds niet echt, begrijp je dat? Ze heeft alles zo *onder controle*. Ze ziet een probleem, komt met een oplossing op de proppen en komt direct in actie. Ze heeft een heel ander leven dan wij. Ze is gewoon zo *anders* dan jij, Rach. Ik mis je zo.'

Afgeleid door het smekende janken en het warme gewicht van de kop van de hond op zijn knieën, krabde Scott Skip achter zijn donzige oren. Zijn gedachten dwaalden opnieuw af en weer zag hij zijn schoonzus zoals ze eerder die dag voor hem had gestaan. Nadat ze gegeten hadden bij Catherine, een zondagse traditie waarvan hij wilde dat hij wist hoe hij en de kinderen er op vriendelijke wijze onderuit konden komen, in elk geval een paar keer per maand, had Celeste hem gevraagd of ze hem even onder vier ogen kon spreken. De kinderen waren naar buiten gegaan en Catherine was bezig geweest met het schoonmaken van de keuken. Ze waren door de keukendeur naar de achtertuin gelopen en aan de picknicktafel gaan zitten, in de schaduw van de grote sycomoor.

Hij was vergeten hoe lang ze was, ze keek hem recht aan zonder zelfs maar hakken te dragen. Rachel was klein, ze had tot aan zijn schouder gereikt en hij was eraan gewend meestal omlaag te kijken wanneer hij met vrouwen sprak, dus het was nogal verontrustend om die felblauwe ogen op die hoogte te zien. Alles was anders, de kamer voelde anders, zelfs de lucht was om de een of andere reden anders als Celeste in de buurt was. Wat het ook was, ze straalde een kalm zelfvertrouwen uit, sprak op rustige toon en had een houding die zei: 'Ik weet precies wie ik ben en ik ben tevreden met die persoon.'

Nou, waarom zou ze dat ook niet zijn? Ze was vandaag nog net zo mooi als op de dag waarop hij met haar zus getrouwd was, hoewel ze het toppunt van haar schoonheid nog niet bereikt had. Maar ze was nu zeker in volle bloei. Ze had een chique linnen jasje gedragen met bijpassende broek en eronder een blouse in lichte kaki kleur, met kanten accenten op de kraag en blouse. De mouwen waren opgerold en haar slanke onderarmen waren zichtbaar, met aan de linker een smalle, diamanten armband. Haar haar was ingevlochten, wat haar hoge jukbeenderen accentueerde en haar diepblauwe ogen onder haar mooi gevormde wenkbrauwen duidelijker liet zien. Ze was lang en slank en bewoog zich met een sierlijkheid die hem deed denken aan een prachtige Palomino-merrie die hij vele jaren geleden in een optocht had gezien.

Hij had zich tot zijn verbijstering gerealiseerd dat hij haar aantrekkelijk vond, zelfs in vergelijking met Rachel, wat hem wakker schudde als een emmer water in zijn gezicht.

Doe even normaal! Ze is je schoonzus! En waarom vergelijk je haar eigenlijk met Rachel? Natuurlijk is ze mooi, dat is niets nieuws.

Toch had hij er moeite mee zijn gedachten af te wenden van de vrouw die hij al sinds haar kindertijd kende en die hij had zien opgroeien van een wildebras tot de stijlvolle, mooie dame die ze was geworden.

Hij had haar leuker gevonden voordat onafhankelijkheid en beschaafdheid haar gevormd hadden tot iemand die hij niet meer kende, met een leven dat hij niet kon begrijpen. Maar het leed geen twijfel dat haar hart op de juiste plaats zat, hoe vervelend hij het ook vond om toe te geven. En, hoezeer zijn trots er ook onder leed, hij wist dat hij de hulp die ze aanbood zou accepteren, omwille van de kinderen. Soms moest je je trots even aan de kant schuiven om te doen wat gedaan moest worden in het belang van iemand anders.

Soms was het mogelijk om te veel van iemand te houden om nog te zien wat in het belang van diegene was. Je deed het natuurlijk om degenen die aan je zorg toevertrouwd zijn te willen beschermen, hen af te zonderen van de pijnlijke realiteit van het leven en van alles wat verdriet zou kunnen veroorzaken. Noem het ergens blind voor zijn, noem het ontkenning, plak er het etiketje op dat je zelf wilt, het eindresultaat was hetzelfde: je beste bedoelingen zijn vaak meer in je eigen belang dan in dat van de ander. Lag het niet in de menselijke aard om aan te nemen dat we weten wat het beste is voor degenen die we liefhebben?

Was Rachel hier niet het perfecte voorbeeld van? Was het feit dat ze nog steeds leefde, ondanks haar wens, het gevolg van zijn overtuiging dat hij wist wat het beste was voor Rach, voor hemzelf en voor de kinderen?

Nou, hij deed zijn uiterste best, of het nu voor Rach was of voor de kinderen; meer kon hij niet doen. Wie ging deze zware beslissingen anders nemen? God? Als het Zijn wil was dat Rach stierf, waarom was dat dan niet gebeurd tijdens een van die infecties die ze zo vaak had gehad, of het nu urinweginfecties van de katheter, bronchitis en longontsteking of infecties van doorligwonden waren? Nee, God had blijkbaar nog een plan met Rach, anders zou ze er al niet meer zijn geweest. Of Hij wilde Scott gewoon kwellen met zijn onmacht om met de situatie om te gaan.

Uiteindelijk kwam het allemaal op zijn schouders neer. En dat was prima, zo had hij het ook het liefst. Weten dat je er alleen voor stond was op de een of andere manier bevrijdend; je wist waar je stond en hoefde je tijd niet te verspillen met de gedachte dat Iemand Anders de leiding had. En als de beschikbare opties hem niet aanstonden, nou, dat was gewoon het leven. Niemand had tenslotte ooit beloofd dat het gemakkelijk zou zijn.

Stijfjes stond hij op van de schommel en liep over de veranda het huis binnen. Zijn moeders antieke staande klok sloeg negen keer. Celeste zou waarschijnlijk binnenkort naar huis gaan, terug naar haar eigen leven, verder weg van Shuksan dan alleen in kilometers. Hij begreep nog steeds niet goed waarom ze al die dingen voor Tawnya wilde doen. Het was niet omdat zijn dochter iets had gedaan om de vrijgevigheid van haar tante te verdienen. Het was zijn ervaring dat wanneer er iets goeds op zijn pad kwam, er meestal wel een addertje onder het gras zat.

Maar ditmaal niet. Als hij een addertje tegen zou komen, wist hij hoe hij die de kop moest omdraaien. Op een dag zou zelfs de band tussen zijn hart en dat van Rachel verbroken worden. Niets bleef onbeschadigd, zelfs niet de dingen die hem het dierbaarst waren. Juist de meest dierbare dingen. Misschien was de truc om te leren gevoelsmatig afstand te bewaren van iedereen, zelfs van de kinderen. Misschien was dat de beste bescherming die hij hun allemaal kon bieden.

Als hij zichzelf niet toestond echt van de kinderen te houden, dan zou God hen misschien met rust laten. Misschien zou Hij tevreden zijn met alleen het wegnemen van hun moeder en zou Hij zich niet meer met zijn familie bemoeien als Hij zag dat Scott immuun was voor verder verdriet. Daar school voor hem echter de moeilijkheid in, want Scott hield wel van zijn kinderen en kon zich niet voorstellen dat hij dat deel van zichzelf zou kunnen afsluiten, zelfs als zijn kwetsbaarheid hen allemaal blootstelde aan verdere bemoeienis van God.

Blijf bij ons uit de buurt, God. Hoort U me? U hebt hier al genoeg gedaan. Laat ons gewoon met rust.

Maar terwijl de woorden uit zijn hart kwamen, herinnerde hij zich dat hij niet meer bad. Het was gewoon een tijdelijke terugval, een soort schietgebed dat iemand ontsnapte die hoopte nog net het groene licht te kunnen halen voordat het weer rood werd, of dat er een cheque met de post zou komen als het geld bijna op was. Een reflex eigenlijk, waarbij niet werd verwacht dat iemand het ook echt zou horen of er iets mee zou doen.

Als U luistert, God, dan weet U dat ik het meen. We hebben niet meer van Uw liefde en zorg nodig. We hebben genoeg gehad voor de rest van ons leven.

Terwijl hij in bed stapte, erkende hij dat hij God niet volledig kon hebben opgegeven als hij nog steeds tegen Hem praatte. Oké, prima, dan gaf hij wel toe dat Hij er was. Het probleem was natuurlijk dat, hoe wanhopig en diepgaand zijn gebeden ook geweest waren, er alleen stilte aan de andere kant was geweest. Een goede vader sloot zijn kinderen niet buiten en negeerde hun behoeften, hun smeekbeden om hulp nooit. Een goede vader was er voor zijn kinderen en voedde ze op met wijsheid en liefde.

Wat zegt dat dus over het feit dat jij de kinderen al een paar jaar buitensluit en net doet of alles koek en ei is? Ben jij niet schuldig aan hetzelfde wat je God verwijt?

Hij lag daar in het donker, niet op zijn gemak bij de vergelijking die hij gemaakt had, maar wilde er ook niet langer bij stilstaan. Hij deed het nachtlampje aan, doorzocht de stapel tijdschriften op het nachtkastje en haalde er het nieuwe exemplaar van *Boerderij* tussenuit. Hij hoopte dat hij erbij in slaap zou vallen.

Met een beetje mazzel zou hij wakker worden en waren de laatste zeven jaar een boze droom geweest, zou de zon op Rachels haar schijnen, uitgespreid op het kussen, en zou de wereld weer een mooie plek zijn.

Toen hij uiteindelijk in slaap viel, waren zijn dromen gevuld met beelden van Rachel en haar jongere zus die zo'n groot deel uitgemaakt had van haar vroegere leven, maar die steeds verder van haar af was komen te staan naarmate de jaren verstreken. In zijn dromen waren de meisjes zeventien en tien en was het leven weer veelbelovend.

Zelfs in zijn diepste slaap wist hij dat de ochtend de realiteit weer met zich mee zou brengen. Daarom klampte hij zich stevig vast aan zijn dromen en het leven dat hij was kwijtgeraakt.

9

Terwijl ze de gloed van de ondergaande zon in reed, legde Celeste de kilometers af die haar weer naar haar eigen leven leidden; de bruisende stad en de rust van haar kantoor. Ze was uitgeput. Het leek of het afhandelen van de problemen van kinderen, zelfs van een veilige afstand, vermoeiender was dan ze beseft had. Ze had nu meer begrip voor de opmerkingen van de moeders bij haar op kantoor, zelfs opmerkingen over dat ze blij waren dat ze op maandagochtend weer aan het werk konden gaan, al was het alleen maar om weer wat rust te hebben.

Ze dacht dat ze na dit weekend misschien enig benul had van waar ze het over hadden. Niet dat het nu echt zo'n opgave was geweest, gewoon zwaar in emotioneel opzicht. En ze had ontdekt dat dat vermoeiender kon zijn dan zware lichamelijke arbeid. Haar taken voor deze week lagen vast; tandartsafspraken maken voor Tawnya en Tyler in hun eigen stad, dan het regelen van een afspraak met een orthodontist hier in Seattle en ten slotte het maken van een afspraak met een dermatoloog. Verder moest ze nog iets bedenken voor Tawnya's verblijf. Ze moest haar natuurlijk ophalen en weer terugbrengen. Nou, ze kon een week blijven en dan konden ze wat leuke dingen gaan doen, echt even winkelen voor school en misschien kon ze nog wel met haar naar de kapper gaan om iets aan dat haar te doen. Ze kreeg ineens inspiratie en bedacht dat Tori ongeveer dezelfde leeftijd als Tawnya had. Wellicht konden ze samen afspreken om te zien of ze met elkaar konden opschieten, misschien samen ergens een pizza gaan eten en gaan rolschaatsen. Deden kinderen van hun leeftijd dat nog? Zo niet, dan konden ze misschien naar de bioscoop gaan.

Enthousiast over haar plannen concentreerde ze zich op haar neef. Wat een knappe jongen, gespierd als hij was, met zijn donkere ogen en, zo had ze gezien, een gezonde dosis kapsones. Hij had misschien maar tien woorden tegen haar gezegd, afgezien van die over haar auto. Nou, welke zeventienjarige jongen kon een krachtige motor onder een kersenrode laklaag nou niet waarderen? Het was duidelijk dat hij er dolgraag in had willen rijden, maar hij had het niet gevraagd. En dat was waarschijnlijk maar goed ook, want niemand behalve Celeste zelf reed in de Beamer. Er was iets met die Tyler, maar ze kon er de vinger niet precies op leggen. Het was een onbestemd gevoel en misschien had het wel te maken met de manier waarop ze hem naar haar had voelen kijken wanneer hij dacht dat zij het niet doorhad.

Tja, wat had ze dan verwacht? Tyler kende haar in feite niet. Het was alleen maar logisch dat hij op afstand bleef totdat hij haar beter had leren kennen.

En dan was Scott er nog. Hij was een stuk ouder geworden in het laatste jaar en zijn haar bevatte veel meer grijs. Maar het was het soort zilverachtige grijs dat gedistingeerd stond bij mannen, vooral bij zijn jeugdige gezicht. Hij had echt een leuke lach; hij was een van die mensen die er heel gewoon uitzag totdat hij glimlachte en dan begon zijn hele gezicht te stralen. Ze hoopte dat hij uiteindelijk zelf ook naar de tandarts zou gaan; het zou zonde zijn om die lach te verwaarlozen. Niet dat zijn gebit nou zo opvallend was geweest in de tijd die ze samen doorgebracht hadden, maar hij had dan ook al lange tijd niet veel meer waar hij om kon lachen.

Terwijl de avondlucht afkoelde, draaide ze haar hoofd naar het zonnedak en probeerde het laatste vleugje berglucht op te snuiven voordat ze de stad weer binnenreed. De schemering gaf de westelijke horizon een diepe rozepaarse kleur. Dat was een nadeel van haar appartement; ze had uitzicht op het oosten en kon geen zonsondergangen zien, maar er waren wel prachtige ochtenden op het meer. In zomerweekenden lag het meer vol met boten; zeilboten met kleurrijke zeilen, vissersboten, skiboten en natuurlijk de onvermijdelijke jetski's. Ze hield ervan om op haar balkon te zitten, met een koel drankje in haar hand, en te kijken naar de levendigheid op het water en de koele bries op haar gezicht te voelen. Soms was het alleen jammer dat de ongerepte schoonheid van het meer bezoedeld werd door het schijnbaar eindeloze waterverkeer en de zeevliegtuigen die vlak bij haar appartement landden en taxieden naar de aanlegplaats aan de noordelijke kant van het meer.

Stel je eens voor hoe het zou zijn om bij Carrot Lake te wonen, omgeven door de rust en de geluiden van de natuur. In een blokhut aan de rand van het bos aan de oostelijke oever, waar je kon zien hoe de zonsondergangen explodeerden in kleur en het oppervlak van het meer in een natuurlijke spiegel veranderden. Natuurlijk had ze er geen idee meer van wie dat land bezat, maar dat kon gemakkelijk worden opgezocht in het kadaster. Het land kon niet zo duur zijn, toch? Ze kon altijd even rondbellen.

En wat dan? Wat voor reden kon ze hebben om dat land te kopen terwijl haar leven hier was? En vergeet niet dat haar moeder nog geen vijf kilometer verderop woonde. Toen ze ontsnapte om te gaan studeren had ze zich stellig voorgenomen nooit meer binnen honderdvijftig kilometer van haar moeder te gaan wonen!

Ze reed haar parkeerplaats aan de achterkant van het gebouw op, sleepte vermoeid haar tas naar de lift en duwde op de knop. Ze stak de sleutel in het slot, ging haar huis binnen, zette het alarm uit en liet de tas naast de deur vallen. Het rook bedompt nadat drie dagen alles dicht was geweest en ze deed de schuifpui naar haar balkon open, evenals het kleine keukenraam. De andere ramen hadden veiligheidssloten waardoor ze maar op een kiertje opengezet konden worden. Haar slaapkamer voelde als een tombe, benauwd en warm. Ze pakte haar tas uit en dacht aan haar oude kamer in het huis van haar moeder, hoe de koele nachtlucht haar huid had gestreeld en de gordijnen opbolden in de wind. Ze herinnerde zichzelf eraan dat niemand daar de moeite zou nemen om in te breken via een raam op de tweede verdieping; in de stad had ze de luxe niet om haar veiligheid als vanzelfsprekend te beschouwen.

Nadat ze een joggingbroek met een T-shirt had aangetrokken, pakte ze een glas water in de keuken en nam dat toen mee door de schuifpui naar buiten. Ze zette het glas in gedachten op tafel, liep naar de reling en leunde er met haar ellebogen op. Er dreven een paar lichtjes rustig op het water; meerdere mensen sliepen in de kajuit van hun vaartuig. De nacht was rustig, stadsrustig; op het moment geen sirenes, alleen maar geluiden van het verkeer verderop en van stereo's en televisies uit aangrenzende appartementen. Maar er zongen geen krekels of kikkers. Hoe had ze de kikkers kunnen vergeten?

Ze dronk haar glas leeg, zette het in de gootsteen, controleerde de sloten en legde ten slotte de dekens weer op haar bed. Haar overpeinzingen waren nog niet voorbij en ze vroeg zich af hoe Scott omging met de eenzaamheid en het verlies van intimiteit in zijn leven na jaren een gelukkig huwelijk te hebben gehad. Terwijl ze in het donker lag, dacht ze terug aan familiebezoekjes in de tijd dat Rachel nog gezond was. Scott was nooit een heel extroverte man geweest, maar Celeste had er niet aan getwijfeld dat hij Rachel volledig trouw was en dat zijn huwelijksgeloften hem heilig waren.

Moe, maar niet in staat zich te ontspannen, schudde ze geïrriteerd haar kussen op. Wat was er vanavond met haar aan de hand? Ze had maandenlang niet aan die man gedacht en nu kon ze hem niet uit haar hoofd krijgen. Toen ze Scott bewust van zich af zette, gingen haar gedachten uit naar haar werk en ze merkte dat ze ertegen opzag om de volgende ochtend naar kantoor te gaan om een nieuwe werkweek te beginnen. De sluimerende ontevredenheid die de afgelopen maanden aanwezig was geweest, kwam steeds meer naar boven. De dagelijkse strijd in het bedrijf tussen professionalisme en slagvaardigheid samen met de drukte van het stadsleven werd een steeds grotere frustratie. Misschien waren het de lange dagen, misschien het feit dat ze niet meer zo gedreven was om de carrièreladder te beklimmen die ze de laatste dertien jaar bestegen had. Het leek op de een of andere manier allemaal onbelangrijk. Waar het in feite op neerkwam, was dat haar rol bij SBBB bestond uit niets meer dan het in staat stellen van onverantwoordelijke mensen om nog onverantwoordelijker te worden.

Ze was er niet zeker van waar ze precies naar op zoek was met betrekking tot haar carrière, maar ze raakte er steeds meer van overtuigd dat het niet deze baan was, zelfs als dat betekende dat ze de mogelijkheid tot een partnerschap in de firma moest laten schieten. Na een aantal dagen thuis te hebben doorgebracht met Scott en de kinderen was ze er opnieuw aan herinnerd hoe vergankelijk het leven kon zijn en welke dingen echt belangrijk waren. En dat was geen jaarsalaris van zes cijfers of het rijden in een sportauto, niet het eindeloze streven om haar investeringsportefeuille te vergroten of haar aardse rijkdom op te bouwen en niet zichzelf zo uitputten dat ze lichamelijk te moe was om nog iets om haar familie te geven. Wat belangrijk was, *was* die familie en haar bereidheid om verschil te maken in hun levens. Wanneer Celeste dacht aan haar nichtje en de problemen waar die dagelijks mee te kampen had, leek haar eigen leven rustig, zelfs oppervlakkig in vergelijking daarmee.

Wat vooral belangrijk was, was alles aan God overgeven; haar ambivalentie over haar werk en haar zorgen over Tawnya en Ty, zelfs haar verlangen naar een eigen huwelijk en kinderen. Het was niet gemakkelijk. Ze was iemand die graag zelf de touwtjes in handen had en die op haar best was in een uitdaging, altijd op zoek naar een richting en oplossing voor problemen die zich voordeden. *Maar dat is precies het probleem wanneer we opgeroepen worden om in geloof een stap opzij te doen,* peinsde ze, *vooral mensen zoals ik, die graag zelf de regie voeren. Soms moet God me even wakker schudden, me eraan herinneren dat ik op Hem moet vertrouwen en niet op mijzelf.*

Vader, help me. Ik raak me er steeds meer van bewust dat dit leven me niet langer vervulling schenkt. Bent U in me aan het werk, daagt U me uit om het leven anders te zien, om meer op U te vertrouwen? Help me U echt te horen, Heer. Begeleid me, leid me op mijn weg. Dank U, Heer. Amen.

Morgen was het maandag en zou ze het druk hebben met het regelen van Ty en Tawnya's tandartsafspraken en het maken van een afspraak met Connie om licht huishoudelijk werk te doen en maaltijden te bereiden. Dit kon ze in ieder geval doen, ook al had ze nog niet echt het gevoel dat het genoeg was. Maar het was een begin en ze voelde zich beter nu ze een concreet plan had om mee verder te gaan.

Wat haar werk betrof zou er genoeg te doen zijn. Ze zou haar beste beentje voor zetten en om leiding blijven bidden, en dan haar uiterste best doen om te doen wat voor haar een van de moeilijkste uitdagingen was; wachten op God, op Zijn wil, op Zijn tijdstip.

Woensdag had ze al anderhalf uur aan de telefoon gezeten. Ze had tandartsafspraken gemaakt, een afspraak met de orthodontist en de dermatoloog, en ze had met Analiese afgesproken om Tori een paar middagen en avonden te 'lenen' als Tawnya op bezoek was. Alles wat haar nu nog te doen stond, was het telefoontje plegen naar haar zwager om hem op de hoogte te stellen. Hoewel ze er de vinger niet op kon leggen waarom, voelde ze zich onverklaarbaar verlegen en onbehaaglijk over zelfs maar het minste contact met Scott en had ze het telefoontje uitgesteld totdat ze wist dat ze er niet langer mee kon wachten. Ze had Tawnya gesproken en wist dat zij en Ty naar de tandarts waren geweest, dat hun gebitten gereinigd waren en dat haar nicht een afspraak voor vullingen had die plaats zou vinden nadat de orthodontist besloten had welke rij tanden getrokken zou worden ter voorbereiding op de beugel.

Nu, op een hete, klamme woensdagavond die de voorbode van een onweersbui met zich meebracht, nam ze haar draadloze telefoon mee naar het balkon, ging daar zitten en toetste het nummer in.

Een jonge stem klonk. 'Hallo?'

'Hoi, lieverd, met Celeste.'

'Hoi, tante Celeste. Ik kan niet wachten tot ik mag komen logeren! Denk je dat we naar het aquarium kunnen gaan als ik er ben? Daar wilde ik altijd al naartoe.'

'Natuurlijk, dat kunnen we doen, Tawn. Ik ben vrijdag rond acht uur bij oma en dan zie ik je zaterdagochtend. Wat zeg je ervan?'

'Geweldig. Wil je mijn vader spreken?'

'Ja, dat moet ik maar doen. Ik zie je zaterdag, meisje. Ik heb er zin in.'

'Ik ook. Oké, hier is papa. Doei.'

Er klonken gedempte stemmen, gefluisterde instructies en toen: 'Hallo, Celeste.'

Haar keel was plotseling droog en ze slikte snel. 'Hoi, Scott. Nou, we zijn er hier helemaal klaar voor en ik kom haar dit weekend halen.'

'Ik geloof dat ze al ingepakt heeft. Ik heb haar al lang niet meer zo enthousiast gezien.'

'Ik kijk er ook naar uit. We zullen een leuke tijd samen hebben.'

Er viel een stilte en beiden voelden zich nogal ongemakkelijk. Alsof ze erop geoefend hadden, spraken ze tegelijk en wierpen toen beiden tegen: 'Nee, echt, ga jij maar eerst...' 'Nee, na jou.'

'Connie is al geweest. Ze heeft Tawnya laten paardrijden en wilde haar niet in de buurt van de keuken of het washok hebben toen ze eenmaal wist waar alles stond.'

'Goed van haar.'

'Ja. En die vrouw maakt gehaktballen om een moord voor te doen. Die hebben we vanavond met aardappels en sperziebonen gegeten. Ze heeft ook nog meer gemaakt. Ik moet je echt bedanken, Celeste, het was goed van je om dit te bedenken. Ik waardeer het heel erg.'

'Ik ben ontzettend blij dat het goed gaat. Connie is blij met het extra geld en ik wilde echt de druk op Tawnya wat verlichten.'

'Een moment, oké?' Opnieuw gedempte stemmen en toen het geluid van een dichtgaande deur. 'Daar ben ik weer. Ik moest even naar buiten lopen. Hier is het rustiger.'

'Waar ben je?'

'Op de schommelbank op de veranda. En jij?'

Ze zag hem voor zich op de schommel en antwoordde: 'Ik zit op het balkon en kijk naar het meer en de lichtjes aan de andere kant.'

'Ik heb jouw huis nog nooit gezien. Het klinkt mooi.'

'Dat is het ook, maar soms zou ik weleens willen dat het iets rustiger was. Ik zou weleens over het strand willen lopen zonder al die zonaanbidders en die verkeersherrie.'

'Ik denk dat je dan het verkeerde meer hebt uitgekozen.'

'Dat begin ik ook te vermoeden.'

Er viel een korte stilte en toen klonk zijn stem weer. 'Denk je erover om het te verkopen? Waar ga je dan heen? Er is natuurlijk Lake Sammamish nog, maar volgens mij gaat het daarmee dezelfde kant op als Lake Washington.'

'O, absoluut. Ik weet het niet, Scott. Ik zit gewoon, nou ja, het klinkt misschien gek, maar ik denk dat ik zit te wachten op instructies voor wat er hierna komt in mijn leven.'

'Instructies? Van wie?'

Ze antwoordde eenvoudigweg: 'Van God.'

'Van God? Verwacht je dat je wordt opgedragen al je wereldse bezittingen te verkopen en als zendeling naar Afrika te gaan of zoiets?'

'Nee, niet zoiets extreems. Ik heb alleen het gevoel dat ik iets misloop, snap je? Dat alles waarvan ik dacht dat het belangrijk was misschien helemaal niet is wat ik met mijn leven zou moeten doen. Het probleem is alleen dat ik niet weet wat ik in plaats daarvan doen moet.'

Er hing even een stilte tussen hen en toen antwoordde hij: 'Het is gek, hè? Je hebt een goede baan, genoeg geld, je komt niets te kort en je zit erover te denken dat allemaal op te geven. Ik wilde altijd alleen maar boer zijn, ik gaf niet veel om het geld als ik Rachel en de kinderen maar kon onderhouden. En nu is er niets meer over van de boerderij en kan ik mijn rekeningen niet eens op tijd betalen. Ik probeer je geen schuldgevoel aan te praten of je het gevoel te geven dat ik zwelg in zelfmedelijden of zo. Ik zou alleen willen dat ik jouw problemen een tijdje had.'

'Ik kan me niet eens voorstellen dat ik jouw problemen zou hebben. Geld is een ding, maar al het andere wat je voor je kiezen hebt gekregen... Ik wou dat ik meer kon doen om je te helpen.'

Hij lachte, een verbitterde lach die geen blijdschap bevatte. 'Wat dacht je van een wonder? Afgezien daarvan, kan ik niet bedenken hoe iemand op dit punt nog kan helpen.'

Celeste keek op naar de sterren die begonnen te schijnen aan de avondhemel. Daarboven lag Gods domein, aan Wie ze haar toekomst had toevertrouwd, haar leven en, bovenal, haar ziel. Had Scott geen wanhopige behoefte aan hoop en de belofte van Zijn liefde en vrede? Had hij niet ook eens in Gods goedheid en liefde geloofd? Ondanks zijn pijn en woede herkende Celeste zijn behoefte om aan die goedheid en liefde herinnerd te worden.

'Ik geloof in wonderen en ik geloof dat het goed is om God erom te vragen. Maar ik geloof ook dat het niet Zijn wil is dat onze gebeden verhoord worden op de manier die we willen. Maar, Scott, ongeacht Rachels situatie, vergeet niet dat Hij van je houdt en je pijn ziet.'

'Als Hij zo veel van me houdt, zou Hij haar uit dat bed doen opstaan en haar beter maken. Als Hij echt van ons hield, dan zou Hij dit de kinderen niet aandoen en hun niet laten toekijken hoe hun moeder langzaam sterft. Toch moet ik geloven dat Hij van ons houdt? Waarom zou ik?'

Ze bad om de juiste woorden en antwoordde voorzichtig. 'Wat is er met je geloof gebeurd, Scott? Want ik weet dat je wel geloofde. Wanneer is dat uit je hart verdwenen?'

Hij snoof. 'Nou, ik denk dat dat rond de tijd was dat Rachel ziek werd, Celeste. En *ik* heb Hem niet zozeer verlaten maar *Hij* mij. En de kinderen. En vooral Rachel.'

'Geloofde Rachel dat Hij haar verlaten had?'

'Nee, maar het is al een tijdje geleden dat ze me kon vertellen wat ze dacht, hè? Misschien heeft ze de hoop op Hem wel opgegeven. Dat zou ik haar niet kwalijk nemen.'

'Heb je Hem verteld hoe je je voelt?'

'Wat, tegen God zeggen dat ik boos op Hem ben, dat ik denk dat Hij gemeen en harteloos is? Dan word ik waarschijnlijk geraakt door de bliksem of zo. Als het Hem natuurlijk iets uitmaakt, wat ik betwijfel.'

'Maar dat is wel zo, Scott. Hij verlaat ons nooit. Hij wil dat we met Hem praten, zelfs wanneer we pijn hebben, *vooral* wanneer we pijn hebben! Zie het zo. Stel je voor dat een van de kinderen bij je zou komen met iets waardoor hij of zij van streek is en dat je beschuldigd wordt van iets wat je al dan niet gedaan hebt. Zou je liever willen dat hij of zij het voor zich houdt waardoor het op andere manieren naar buiten komt? Zou je boos zijn omdat hij of zij de moed heeft om er eerlijk voor uit te komen of zou je hem of haar aanhoren en dan proberen samen een oplossing te vinden?'

'Nou, natuurlijk hoop ik dat ze met alles bij me zullen komen, maar ik geloof dat ik op dit moment geen vader van het jaar ben.'

'Zoiets als een perfecte vader bestaat niet, Scott, behalve onze hemelse Vader. Hij heeft het nooit te druk om onze gebeden te horen, zelfs de gebeden die moeilijk voor ons zijn om te bidden en waarvan je misschien denkt dat ze niet gemakkelijk voor Hem zijn om te horen. Maar Hij heeft beloofd dat Hij ze *zal* horen, Scott, en beloofd dat we bij Hem kunnen komen met al onze pijn, zelfs met ons verdriet. Hij wil dat we ons tot Hem wenden. Daar komt het op neer.'

'En wat dan? Dan is alles weer goed? Hij zet de klok terug tot de tijd dat Rachel nog gezond was? Zoals ik al zei, het is te laat. Het heeft geen zin.'

Zo veel pijn. Zo veel hopeloosheid en zo veel angst.

Het was moeilijk om met Scott te praten als hij zo geëmotioneerd was en ze voelde de tranen in haar ogen prikken. Hoe deelden pastoraal werkers, of zelfs medegelovigen, de liefde van Christus met iemand die zo in de put zat? Waar waren de woorden die de pijn konden verzachten en troost konden bieden?

BID MET HEM. DEEL ZIJN PIJN. DOE WAT JE KUNT EN DOE DAN EEN STAP OPZIJ EN STA MIJ TOE OM HET MIJNE TE DOEN.

Vrede stroomde door haar heen en nieuwe tranen prikten in haar ogen. *Dank U, Heer.* Ze haalde diep adem. 'Scott? Mag ik met je bidden?'

'Wat jij wilt. Maar ik bid niet.'

'Dat geeft niet. Hij kent je hart toch wel.'

Ze zweeg even en begon toen. 'God, ik kom vanavond bij U met een vriend in nood. Ik weet dat U elke traan ziet die we laten en dat U al onze gedachten kent. U kent onze pijn, Heer. Ik weet dat U heel veel van Scott houdt, net zoals U van Rachel en de kinderen houdt. U kent hun worstelingen en hebt hen nooit verlaten. Ik weet dat het soms moeilijk voor ons is om U echt te zien, vooral wanneer we pijn hebben. Heer, Scott heeft pijn en heeft Uw troost en medeleven hard nodig. Ik bid dat U werkelijkheid voor hem zult zijn, Heer, en hem toestaat Uw genade en vrede te ervaren. Wees alstublieft heel dicht bij hem, Heer, en troost hem. Dit vraag ik U in Jezus' naam. Dank U, Vader. Amen.'

Er klonk een stilte aan de andere kant. 'Is dat het?'

'Ja.'

'Ik moet ervandoor. Tot zaterdag.' Met een klik was hij weg.

Ze zuchtte, drukte haar telefoon uit en legde die op de tafel naast zich. Ze verschoof in haar stoel, stond toen op en liep naar de rand van het balkon, waar ze de lichtjes over het water zag flikkeren.

Zijn pijn was tastbaar en ze voelde die tot in het diepst van haar hart. Als ze zichzelf in Scotts positie zou plaatsen, hoe zou zij dan omgaan met het verlies van een levenspartner, degene met wie ze altijd dacht samen oud te worden? Hoe zou ze in haar eentje de kinderen die ze samen hadden opvoeden, te midden van haar eigen pijn? Ze schudde haar hoofd, niet in staat zich de emotionele verwoesting voor te stellen die in haar zou woeden. Het was al moeilijk genoeg om het verlies van haar zus te accepteren; het verlies van Scott en de kinderen was een nog veel groter verdriet dan het hare, misschien zelfs nog wel groter dan dat van Catherine.

De Schrift roept gelovigen op elkaars lasten te dragen, sprak Celeste zichzelf toe. *Nooit een gemakkelijke taak, en vooral moeilijk wanneer we niet in staat zijn de volledige omvang van die lasten in te zien. Misschien is de reden hiervoor tweeledig; door elkaars pijn te delen en diegene in gebed op te dragen, geven we God niet alleen de gelegenheid om Zijn genade te tonen, maar het dient er ook voor om ons te herinneren aan de zegeningen in ons eigen leven en geeft ons een klein duwtje om Hem te lofprijzen en te danken voor die zegeningen.*

Was het op de een of andere manier moeilijker om iemand in gebed te gedenken wanneer diegene zich ertegen verzette, verbitterd en boos was op het leven in het algemeen en op God in het bijzonder? Het was op de een of andere manier gemakkelijker om de lasten te dragen van iemand die zich vasthield aan Gods belofte en geloofde dat in Hem alles mogelijk was. Aan wie zou God eerder Zijn genade en liefde tonen, aan degene die in alles op Hem vertrouwde of aan degene die nergens meer in geloofde? Beiden hadden bijzondere behoeften, vooral omdat ze zich in verschillende fases van hun geloofsleven bevonden. Hadden de behoeften van de een prioriteit boven die van de ander?

Ze geloofde dat God geen onderscheid maakte in het verhoren van gebeden; dat uit wiens hart het gebed ook kwam, Hij luisterde en dat hart door en door kende. Scotts hart was gebroken en genas niet goed. Soms heelden botten die gebroken waren op een manier die niet geschikt was om het nodige gewicht te dragen. Dat maakte het noodzakelijk de schade eens goed te bekijken en aanpassingen aan het bot te maken, zodat het zijn doel kon dienen op een sterkere, gezondere manier.

Was dat niet precies wat God deed met harten wanneer iemand met pijn smeekte om de aanraking van Zijn genezende hand? Kwam Hij dan niet, en legde Hij Zijn hand op de breuk en maakte het weer heel?

Heer, leg Uw hand vannacht op Scotts hart. Wees heel dicht bij hem en help hem Uw aanwezigheid in zijn leven te voelen. Help hem Uw genade en liefde te ervaren.

Ze bad voor Tawnya, voor Ty, voor haar moeder en voor Rachel. Ze bracht hen bij God en bedankte Hem toen voor het werk dat Hij zou doen in hun levens en in het hare.

Morgen was het donderdag en vrijdag ging ze terug naar Shuksan. Daar was haar familie en ze wilde hen graag weer zien.

Ze wilde Scott graag weer zien. Haar angst was verdwenen en in plaats daarvan was een nieuwe genegenheid gekomen.

Help me om Uw handen en voeten te zijn, Heer. Help me een levende getuige te zijn van Uw liefde en genade. Amen.

10

De volgende twee dagen verstreken snel. Zaterdag zat Scott thuis te wachten op Celestes komst. Hij had 's morgens een paar uur gewerkt en was toen rond de middag thuisgekomen om zijn dochter uit te kunnen zwaaien en zijn schoonzus te zien. Natuurlijk was dat niet de belangrijkste reden, ondanks dat er in de afgelopen dagen sinds ze voor hem gebeden had nauwelijks een uur was verstreken waarin ze niet in zijn gedachten was geweest. Ze was waarschijnlijk te veel in zijn gedachten. Hij dacht ook veel na over de woorden die ze gesproken had tegen hem over Gods liefde en trouw. Vrijdagavond had hij zelfs Rachels bijbel uit de la van haar nachtkastje gehaald. Hij had door het boek Filippenzen gebladerd en had de vermaning van Paulus gelezen om je tot God te wenden in gebed.

> *Wees over niets bezorgd, maar vraag God wat u nodig hebt en dank Hem in al uw gebeden. Dan zal de vrede van God, die alle verstand te boven gaat, uw hart en gedachten in Christus Jezus bewaren.*

Je geen zorgen maken was een zware opdracht. Kon God echt van iemand verwachten dat hij zich nergens zorgen over maakte in zijn leven? Een ander deel van de tekst zei alles bij God te brengen in gebed. *Alles.* Hij herinnerde zich wat Celeste gezegd had over gebed, over met God praten over zijn gevoelens en zijn opmerking over dat hij gestraft zou worden als hij Gods aandacht zou trekken met zijn boosheid en verbittering. Maar misschien had ze wel gelijk; allès was *alles* tenslotte, toch? Zelfs de donkerste en meest pijnlijke gedachten en twijfels. Als dit waar was en hij echt al deze dingen bij God kon brengen, dan was de rest van de belofte misschien ook wel waar, het deel over het ervaren van de vrede van God, zelfs wanneer het niet mogelijk leek. Als hij zulke vrede maar verdiende, wat gezien zijn afstand tot God in de afgelopen paar jaar niet waarschijnlijk leek.

Maar het had hem wel aan het denken gezet. Hij was er nog niet klaar voor om God rechtstreeks te benaderen. Nog niet. Je verscheen tenslotte niet onaangekondigd voor de deur van iemand met wie je geen goed contact had, zeker als er negatieve gevoelens bij betrokken waren. Er moest zorgvuldig gepland worden en het moment moest precies goed zijn, anders kon het zijn dat je de dingen alleen maar verergerde. De ander zou de deur voor je neus dicht kunnen smijten of dingen zeggen die je niet wilt horen. Noem het goedmaken, noem het verzoening, noem het zoals je wilt, maar er kwam meestal een zekere mate van berouw en verontschuldiging aan te pas. En als iemand niet echt spijt had van zijn rol in de breuk en het alleen maar vanwege het gebaar deed, wat was dan het nut? Tenzij de andere persoon je niet goed kende, zou hij dan niet in staat zijn het gebrek aan oprechtheid aan te voelen?

Als de andere betrokken partij God was, dan leed het geen twijfel dat Hij precies zou weten wat er omging in iemands hart, zijn mate van oprechtheid en eerlijkheid. Hier kon geen sprake zijn van halve maatregelen, halfslachtige verontschuldigingen of gewoon de juiste dingen zeggen om de lieve vrede te bewaren.

Hij was nog niet klaar voor die vorm van verzoening. God vertellen over zijn boosheid en pijn zou betekenen dat hij die dingen aan Zijn voeten moest leggen en Hem toe moest staan te handelen in zijn leven. Die dingen de rug toekeren zou betekenen dat hij bereid was ze achter zich te laten en dat was nu net het punt. De boosheid en woede hadden zijn leven zo lang gedomineerd dat hij niet goed wist hoe hij zonder die emoties zou functioneren.

In plaats van de bijbel terug in de la te leggen, liet hij hem boven op het nachtkastje liggen. Misschien zou hij morgen nog wel een stukje gaan lezen. Hij was er nog niet klaar voor om de volgende stap te nemen en daadwerkelijk te bidden, maar misschien binnenkort, zolang God niet te veel van hem verwachtte. Voor iemand die niets meer over had om te geven, leek zelfs het benaderen van God schijnheilig; het was niet echt handelen in goed geloof om om hulp te vragen wanneer je niet bereid was tot een wisselwerking als je daartoe opgeroepen werd, of het nu om God of een vriend ging.

Het was lang geleden dat hij voor het laatst iemand had gehad die hij als vriend beschouwde. Natuurlijk, hij had zijn maten van de middelbare school, maar naar die vriendschappen had hij eigenlijk met de pet gegooid. Rach was zijn beste vriendin geweest, vertrouweling, klankbord en adviseur. Ze was zijn fundament geweest en hun relatie was de enige constante factor in zijn leven geweest waar hij op kon vertrouwen. Toen ze zich had teruggetrokken in die duistere plaats in zichzelf was een groot deel van hem gevolgd, maar het was zijn eigen duisternis waarin hij bestond. Rachels donkere plaats bood alleen ruimte aan haarzelf.

Hoe kon hij aan God toegeven dat hij boos op zijn vrouw was omdat ze hem had verlaten? Dit tegenover God toegeven zou betekenen dat hij het daarbij ook echt tegenover zichzelf moest toegeven. En wie kon nu boos op zijn vrouw zijn omdat ze een terminale ziekte had gekregen? Dacht hij nou werkelijk dat ze een bewuste beslissing genomen had om deze weg te volgen? Natuurlijk niet, het was belachelijk en dat maakte zijn boosheid tegenover Rachel onredelijk en schetste daarbij een lelijk plaatje van zijn eigen karakter.

Misschien verdiende hij deze vervreemding van God. Een groot deel van de tijd mocht hij de persoon niet die hij geworden was en als hij deze gevoelens al over zichzelf had, was er een grote kans dat God er net zo over dacht.

Vergeving. Verzoening. Dat waren woorden die hij in verband bracht met het na lange tijd benaderen van een vervreemde vriend. Stel je voor dat hij bereid was om God te benaderen? Wat als Hij de deur wel voor zijn neus dichtsloeg? Wat als Hij zei: 'Sorry, maat, maar je bent te ver heen. Je staat er alleen voor.' Het was al moeilijk genoeg om je verontschuldigingen aan iemand aan te bieden, vooral als je wist dat je het verbruid had.

Als het erop aankwam, waarom zou het God eigenlijk iets uitmaken of Scott Parnell bij Hem kwam en probeerde met een schone lei verder te gaan? Er waren genoeg andere mensen die meer vergeving verdienden. Wat zou God vervolgens van hem vragen? Hoe kon hij ook maar bewijzen dat hij op dit moment een relatie met God waard was? Wat als hij fouten bleef maken? Zou God uiteindelijk de handdoek in de ring gooien en zeggen: 'Je hebt genoeg kansen gehad, Scott, en Ik heb het helemaal gehad met je!'

Wat als hij *nooit* echt goed genoeg zou zijn?

Door Zijn genade bent u nu immers gered, dankzij uw geloof. Maar dat dankt u niet aan uzelf; het is een geschenk van God en geen gevolg van uw daden, dus niemand kan zich erop laten voorstaan.

Onverwacht kwam dit vers in zijn gedachten, vanuit het diepst van zijn geheugen. Het sprak rechtstreeks tot zijn hart. Gered door genade, door geloof, niet door iets wat hij al dan niet gedaan heeft. DOOR GELOOF.

Bent U dat, Heer? Spreekt U tot me?

De vrede die zijn geest overspoelde ontroerde hem tot tranen toe en hij was zich bewust van een afnemende druk op zijn borst. Kon dit de vrede zijn die niet te verklaren was en waar hij eerder aan getwijfeld had? Het leek er zeker op; hij had dit gevoel al langer dan hij zich kon herinneren niet ervaren. Misschien moest hij nog maar een paar minuten uittrekken en nog wat meer lezen, voordat Celeste er was. Hij pakte de bijbel en sloeg hem willekeurig open. Hij viel open bij Jeremia en hij las de woorden alsof ze speciaal voor hem geschreven waren.

Mijn plan met jullie staat vast – spreekt de Heer. Ik heb jullie geluk voor ogen, niet jullie ongeluk: Ik zal je een hoopvolle toekomst geven. Jullie zullen Mij aanroepen en tot Mij bidden, en Ik zal naar jullie luisteren. Jullie zullen Mij zoeken en ook vinden, als jullie Mij tenminste met hart en ziel zoeken.

De belofte was dat wanneer hij God met zijn hele hart zocht, Hij er zou zijn en dat Zijn plan was om hoop voor de toekomst te geven. Van alle dingen die hij in de afgelopen jaren was kwijtgeraakt was het verlies van hoop misschien wel het meest verwoestend geweest.

Hij klemde de bijbel stevig in zijn hand en eiste de belofte op. Voor het eerst in jaren opende hij zijn hart in gebed terwijl de tranen zijn zicht vertroebelden.

God, ik geloof dat ik altijd geweten heb dat U er bent en dat U van me houdt. Ik denk dat ik zo lang zo boos op U was dat het makkelijker was om U gewoon te negeren. Dat spijt me, God. Ik heb een heleboel problemen, maar ik geloof dat U dat al weet. Dus ik begin hier in feite helemaal opnieuw; ik ben nogal in gebreke gebleven waar het op U aankomt, waar het op gebed aankomt en vooral waar het op vertrouwen op U aankomt. Dus help me hierbij, Heer, want ik nader het einde van alles, vooral van mijn hoop. Help me alstublieft. En vergeef me dat ik U verantwoordelijk achtte voor de ziekte van Rach, Heer. Help me die gevoelens los te laten. Dank U, God. Amen.

Hij stond op, legde de bijbel weer op het nachtkastje en veegde zijn ogen af aan zijn mouwen om de tranen te drogen die onverwacht gekomen waren, als een regenbui in de woestijn. Buiten was Skip gaan blaffen, zo hard alsof hij vals was. Tawnya's stem klonk van beneden. 'Pap, Celeste is er.'

'Ik kom eraan, schat.'

Hij legde zijn hand nog een laatste keer op de bijbel en fluisterde: 'Dank U.' Toen liep hij naar beneden om degene te begroeten die voor het eerst in jaren zijn hart had aangeraakt. Dankzij haar begon de ijskap om zijn hart te smelten. Hij hoopte dat hij in staat zou zijn een manier te vinden om haar te vertellen wat haar woorden over Gods liefde teweeggebracht hadden in zijn geest.

Ze stond bij de hordeur, stopte haar zonnebril in haar zak en keek naar hem op toen hij de trap af kwam.

'Hoi.'

Hij deed de deur open. 'Kom binnen. Heb je een goede reis gehad?'

'Prima. Wat een prachtige ochtend! Hoe gaat het met je?'

'Goed. Echt goed. Heb je haast?'

'Niet echt, hoezo?'

Hij glimlachte. 'Zin om even te gaan wandelen? Ik moet je iets vertellen.'

11

Tawnya's week in Seattle ging voorbij in een waas van 's avonds dvd's kijken uit de enorme collectie van haar tante, 's ochtends uitslapen en drukte in de middagen, met bezoekjes aan de orthodontist en de dermatoloog, dan uit eten gaan of teruggaan naar het appartement, waar Celeste lichte zomermaaltijden klaarmaakte die ze op het balkon opaten. Ze genoten ook van de jacuzzi en Tawnya schepte genoegen in wat ze beschouwde als een leventje vol luxe; het lichte, ruime appartement met uitzicht op het blauwe meer, met Seattle en alles wat dat te bieden had in feite aan haar voeten, zo voor het grijpen.

Nu, vrijdagmiddag, zou ze een meisje ontmoeten dat Tori heette, de dochter van een vriendin van tante Celeste. Met hooggespannen verwachtingen, maar tegelijk met een knagende angst in haar maag reed Tawnya naast haar tante door het stadsverkeer, op weg naar de boulevard van Seattle. Ze zouden Tori en haar moeder treffen voor het Aquarium en na de rondleiding zouden ze dineren bij Ivar's, het wereldberoemde visrestaurant op de pier waar je, volgens haar tante, zeker heen moest als je in Seattle was. Toen ze eenmaal een parkeerplaats hadden gevonden, staken ze de drukke straat over.

Tawnya's ogen werden groot toen ze probeerde alles onmiddellijk in zich op te nemen. Mensen vanuit de hele wereld vulden de stoepen en hun stemmen vermengden zich in een kakofonie van geluid. Ze zag zowel mannen als vrouwen met hoofddoeken, keek naar vrouwen in kleurrijke gewaden en vermeed rennende kinderen met druipende ijshoorntjes, veelkleurige waterijsjes of suikerspinnen in hun kleverige handjes.

Celestes stem onderbrak haar verwonderde gepeins. 'Daar zijn ze,' en ze wees naar een grote pilaar die uit het water stak en een kant van de pier ondersteunde. Een vrouw en een jong meisje zwaaiden terug en kwamen op hen af. Met kurkdroge mond en bonzend hart keek Tawnya toe hoe ze aan kwamen lopen. De moeder was een prachtige vrouw met vriendelijke, chocoladebruine ogen die verzachtten wanneer ze sprak. De dochter, Tori, was ongeveer net zo lang als zij, maar zag er ouder uit. Ze had een nog mooiere huid dan haar moeder en Tori had indringende groene ogen en krullend bruin haar met lichtere punten, vastgebonden met een felroze elastiekje.

Tawnya's hart sprong over van de zenuwen toen ze aan elkaar werden voorgesteld. Ze stond stilletjes toe te kijken hoe de andere drie vrouwen met elkaar spraken en voelde zich verlegen en niet op haar plaats. Alsof ze precies begreep hoe Tawnya zich voelde, sprak Tori haar aan. 'We hebben al kaartjes voor de rondleiding. Over twintig minuten begint de volgende. Heb je zin om even over de pier te lopen om naar de winkels te kijken?'

Verlegen knikte Tawnya, terwijl ze een blik op haar tante wierp.

'Prima, lieverd. Ga je gang. Er zijn allerlei leuke winkeltjes. Je kunt nu niet alles bekijken, maar ze zijn tot laat open en we kunnen na het eten verder kijken. Veel plezier.'

Terwijl de meisjes wegliepen, mompelde Celeste: 'Ze is zo zenuwachtig, Ana, dat voelde ik al in de auto. Ik hoop dat ze het met elkaar kunnen vinden.'

Analiese kende Tawnya's thuissituatie en had laatst van Celeste een korte samenvatting gekregen van Tawnya's sociale problemen. Ze knikte geruststellend. 'Het zal prima gaan, tantetje. Met Tori en de gezelligheid hier komt ze wel los. Als ze weet dat je je zorgen over haar maakt, wordt het alleen maar moeilijker voor haar om zich te ontspannen.'

Celeste gaf toe dat Ana gelijk had en keek even op haar horloge. 'Wil je hier in de rij blijven staan?'

'Dat is misschien wel verstandig. Vind je het erg om even te roddelen terwijl we wachten?'

'Helemaal niet. Wat heb je gehoord?'

'Het gerucht gaat dat Charlotte er de brui aan gaat geven. Ze gaat de leiding overnemen van haar eigen firma, die in Bellevue.'

Dat was nieuws. Charlotte was een van de partners en stond bekend om het aantrekken van nieuwe klanten. Ze kon netwerken als geen ander en had regelmatig diners met potentiële klanten, die ze meestal met succes weglokte van hun vorige firma's. Vervolgens leverde ze ze netjes, compleet met portfolio's, af aan de directie van Biddle, Barton, Sutton & Swales. Dat Charlotte haar eigen bedrijf zou oprichten, was iets wat ze niet had zien aankomen, maar Celeste wist dat ze er de komende paar weken veel over na zou denken.

De meisjes hadden het einde van de pier bereikt. Ze leunden over de reling en keken naar het olieachtige water onder hen. Een meeuw zweefde luid krijsend omlaag en zijn klapperende vleugels scheerden rakelings langs Tawnya's hoofd. Met een kreet sprong ze opzij en botste daarbij tegen Tori op.

Beschaamd verontschuldigde ze zich. 'Sorry.'

'Geeft niet. Stomme zeemeeuwen, altijd op zoek naar iemand die ze wil voeren. Dus je gaat naar groep acht, hè?'

'Ja, en jij?'

'Groep negen.'

'Is dat hier de middelbare school?'

'Nee, nog steeds de basisschool. En dat is prima. Ik bedoel, mijn school is niet zo ver van mijn huis. Maar volgend jaar moet ik de bus naar Garfield nemen, waar ik echt van baal. Tenzij we verhuizen, maar dat betwijfel ik tenzij mama een promotie krijgt en wat meer geld.'

'En hoe zit het met je vader?'

Tori schudde haar hoofd en haar krullen dansten in de wind. Ze antwoordde: 'Die heb ik niet. Ik bedoel, ergens wel, maar ik zie hem nooit. We zijn met z'n tweeën, altijd al zo geweest. O, het is al laat! We moeten terug, ze laten niemand meer binnen als de rondleiding al begonnen is. Kom mee, we komen hier vanavond nog wel terug.'

De meisjes baanden zich een weg door de menigte en kwamen nog net op tijd bij de ingang van het Aquarium aan. Een uur later, knipperend tegen de felheid van de zon, groeven drie paar handen in hun tassen naar zonnebrillen. Tawnya stond zwijgend toe te kijken; zij had niets om naar te grijpen. Celeste zag het en herinnerde zichzelf eraan er eentje mee te nemen als ze weer gingen winkelen.

'Wat is het plan, gaan we eten of wachten we nog even?'

Na kort overleg besloten ze dat ze, aangezien het nog maar vijf uur was, nog wel even konden wachten met het eten.

'We lopen erheen en reserveren voor half zeven. Wat dachten jullie daarvan? Dan zien we jullie daar wel.'

'Klinkt goed. Kom mee, Tawnya, laten we gaan rondkijken. Mama, mogen we naar de markt lopen?'

'Pike Place? O, ik weet het niet, Tori. Het wordt al laat.'

'Er zal niks gebeuren, mama. Er zijn daar een paar grote winkels. Alsjeblieft?'

'Goed dan, maar houd de tijd in de gaten.'

'Dat zullen we doen.'

'En wees voorzichtig, meiden,' voegde Celeste toe.

'Dat doen we, tante Celeste.'

Toen ze eindelijk konden ontsnappen, mopperde Tori: 'Je zou denken dat we een wandeltocht door Eritrea gingen maken of zo.'

Eritrea? Het moest een plaats zijn, maar Tawnya had er nog nooit van gehoord. Dat durfde ze echter niet te laten blijken, dus zei ze alleen maar: 'Waarom is het zo'n probleem om hierheen te gaan?'

'Dat is het niet, behalve als het laat wordt. Het is niet de markt zelf, alleen de buurt.'

Met een schok vroeg Tawnya: 'Is het gevaarlijk?'

'Niet gevaarlijker dan ergens anders, maar er zijn veel zwervers en straks, als het donker is, is het niet veilig meer.' Er hing een stilte tussen de twee meisjes toen ze de steile helling beklommen, met het bord van de grote Pike Place markt en een klok recht voor hen.

Tori pakte haar arm. 'Goed, we zijn er. Kom mee, daarboven is een winkel die de gaafste retrospullen heeft, echt uit de jaren zeventig; Elton John-zonnebrillen, blacklights en posters. Ze hebben het vetste paar ratelslanglaarzen dat je ooit hebt gezien en een hele plank vol lavalampen.'

Gezellig kletsend brachten de meisjes een heerlijk uur door, snuffelend tussen de restanten uit een ander tijdperk. Ze keken elkaar veelbetekenend aan terwijl ze allerlei kleding aan elkaar lieten zien en vervolgens hingen ze ze giechelend terug in de rekken.

Na wat nieuwe spulletjes gekocht te hebben, liepen ze over de steile straat terug naar de waterkant, hun schatten stevig in de hand geklemd en oplettend voor tasjesdieven. Ze kwamen om tien voor half zeven bij Ivar's aan en met onschuldige blikken op hun gezicht voegden ze zich bij de volwassenen.

Terwijl ze gelaten haar hoofd schudde, vroeg Analiese: 'Lieve help, kind, wat heb je allemaal gekocht?'

'Gewoon wat dingen, mam. Kijk eens naar deze riem.' Om Tori's heupen zaten verzilverde ringen, in elkaar gehaakt met twee grotere ringen aan weerskanten en samengebonden met een leren band.

'Aha. Ik zal op de uitkijk gaan staan voor de modepolitie, liefje, en als die opduiken, ga jij er snel vandoor. Goed?'

Zuchtend en met haar ogen rollend lichtte haar dochter haar in: 'O, mama, dit is retro! Je weet wel, vet gaaf.'

'Ze heeft gelijk, Ana.' Geamuseerd knikte Celeste. 'Je weet dat niemand ooit een haltertopje droeg in de jaren tachtig, omdat het een echte modeflater was? Nou, ze zijn terug. Een heleboel dingen uit die jaren komen weer in de mode.'

'Daar heb je gelijk in,' mijmerde Analiese. 'Mijn oudere zussen droegen alleen maar haltertopjes toen ik klein was, maar tegen de tijd dat ik oud genoeg was om ze te dragen waren ze al uit de mode. Dat was ik vergeten.'

'En wat een mooie tas, Tawnya. Heb je de winkel leeg gekocht? Leuke zonnebril, trouwens.'

Ze werden onderbroken door de gastvrouw die hen informeerde dat hun tafel gereed was en volgden haar naar de achterkant van het restaurant. Ze betraden het grote terras dat baadde in het laatste licht van de ondergaande zon. Nadat ze allemaal een aardbeienmilkshake besteld hadden, werd de aandacht weer op de inhoud van Tawnya's tas gevestigd. Ze toonde haar bezittingen vol trots en straalde toen de oudere vrouwen kreten slaakten bij het kralengordijn in de kleuren turkoois, mauve, roze, blauw, lavendel en groen.

'Ik vraag of papa mijn slaapkamerdeur eruit haalt en dan hang ik ze precies in de deuropening, net als een echte hippie.'

Celeste grijnsde, pakte een handvol kralen en liet ze als water door haar vingers glijden. 'Deze doen me altijd denken aan oosterse sterren. Weet je wel? Buikdanseressen en citermuziek bij het vuur. De pasja die in zijn kussens ligt en dienaressen die hem druiven voeren.'

'Wierook, navelpiercings en de *Dans van de zeven sluiers*,' voegde Analiese toe.

Celeste stopte de kralen terug in de plastic tas en grinnikte. 'Ik denk dat je deze in je kastdeur moet hangen in plaats van je echte deur; ze zijn geweldig om een sfeer te creëren, maar bieden niet veel privacy.'

Ze richtten hun aandacht op de menu's en bestelden elk een schelpdierschotel. Terwijl ze de schelpen kraakte en naar het geluid van de andere stemmen luisterde, liet Tawnya haar blik naar het westen glijden, over het blauwe water van Puget Sound naar de enorme Olympic Mountain. Plotseling stroomde er een heerlijk gevoel door haar heen; wat was het een geweldige dag geweest. Het vooruitzicht van een nieuwe vriendin, ondanks dat ze niet dichtbij genoeg woonde om elkaar vaak te zien, vulde haar met tevredenheid. Ze had helemaal niet zenuwachtig hoeven te zijn; Analiese en Tori hadden haar geaccepteerd zoals ze was, Celestes nichtje. Ze wisten niet wat een verschoppeling ze thuis was, maar hier, vandaag, vanavond, werd ze geaccepteerd.

Die dingen kunnen nou genezend werken, dacht Celeste terwijl ze naar haar nichtje keek en zelf zag met hoeveel gemak Tawnya deze nieuwe vrienden aanvaardde. De meisjes konden het prima met elkaar vinden en met een beetje geluk zouden ze iets opbouwen waarin ze van elkaar konden leren en konden groeien in hun wereldbeeld.

Na te hebben toegezegd de tassen van de meisjes bij zich te houden, lieten Celeste en Analiese hen na het diner opnieuw gaan. Ze hadden hen uitgebreid geïnstrueerd om op de pier te blijven, niet de straat over te steken en onder geen enkele voorwaarde met iemand te praten.

Toen de meisjes eindelijk weg konden, liepen ze een uur lang vrolijk langs de winkels aan de pier, waar exotisch geïmporteerde artikelen tot gepolijste walrusslagtanden en agaten verkocht werden. Na een enorm aardbeienijsje te hebben gekocht liepen ze terug naar het bankje aan het einde van pier 57 en gingen zitten, terwijl de eerste sterren aan de hemel begonnen te twinkelen. Er klonk een luide hoorn en Tawnya schrok ervan.

'De veerboot naar Bainbridge Island.' Tori grijnsde om de reactie van Tawnya.

'Ben je daar ooit op geweest?'

'Een paar keer. Als het zonnig is, kun je Mount Rainier en kilometers van de zee-engte zien. Het is erg mooi, maar we komen hier niet zo heel vaak. Mama heeft het ontzettend druk met haar werk en ik doe een paar middagen per week vrijwilligerswerk, dus er is niet veel tijd voor.'

'Wat voor vrijwilligerswerk doe je?'

'Met mijn vrienden uit de kerk help ik in een tieneropvangplaats; de vloeren vegen en dweilen, helpen in de keuken, beddengoed wassen, dat soort dingen. En we proberen ook met de kinderen te praten, een getuigenis te geven, ons geloof te delen. Ik vind het fijn, maar het is niet altijd gemakkelijk.'

Geïntrigeerd vroeg Tawnya: 'Hoe oud zijn de kinderen die daar zitten?'

'We hebben weleens kinderen van nog maar elf jaar gehad, tot en met zeventien of zo. Tegen de tijd dat ze achttien zijn zitten ze vaak in de gevangenis of zijn ze zo diep in hun gewoonten verstrikt geraakt dat je ze gewoon niet meer ziet.'

'Gewoonten?'

'Drugs, alcohol.'

'Zo jong al?'

Hoofdschuddend antwoordde Tori: 'Ik vergeet dat je een meisje van het platteland bent, zonder je te willen kleineren of zo. Maar je komt gewoon uit een andere wereld. Dit zijn voornamelijk weggelopen kinderen, Tawnya, die "wegwerpkinderen" worden genoemd. Vaak zijn hun ouders verslaafd, mishandelen ze hun kinderen of hebben ze hen op straat gezet, dus ze proberen wanhopig te overleven.'

Tawnya kon zichzelf niet alleen in de straten van Seattle voorstellen en vroeg: 'Hoe dan?'

'Prostitutie, drugsvervoer, tasjesdiefstal, bedrog. Voornamelijk prostitutie.'

Tawnya staarde zwijgend naar het donker wordende water en luisterde naar het geklots van de golven tegen de pilaren. Ze wist niets van de afschuwelijke subcultuur die zich onder de oppervlakte van deze stad bevond.

'Ik denk niet dat ik dat kan, daar werken bedoel ik. Het zou te moeilijk zijn.'

Tori keek peinzend naar het meisje naast haar. 'Er zijn daar een heleboel meisjes net zoals jij, Tawnya. Elke dag weer.'

Toen ze Tawnya's ongelovige blik zag, ging Tori verder: 'Kinderen raken een ouder kwijt en kunnen daar niet mee omgaan. Al snel zitten ze aan de lsd of roken ze hasj, en misschien nemen ze een drankje erbij om ze de dag door te helpen. Ze stoppen met school en lopen weg van huis. Als ze geluk hebben, eindigen ze uiteindelijk in het opvanghuis.'

'Ik denk dat mijn broer drinkt en ik weet bijna zeker dat hij ook hasj rookt. Soms maak ik me zorgen over hem, maar dan zegt hij gewoon dat ik moet opkrassen, dus ik laat hem meestal maar met rust. Naar welke kerk ga jij eigenlijk?'

'We gaan naar een onafhankelijk kerkgenootschap, een soort gemeenschapskerk. En jij? Ga jij?'

'We zijn luthers. Vroeger ging ik elke zondag, maar tegenwoordig niet meer, tenzij ik zaterdagavond bij mijn oma blijf slapen. Ik zou deze herfst met belijdeniscatechisatie moeten beginnen, maar ik weet het niet... Mijn vader, nou ja, voordat mijn moeder ziek werd, gingen we elke week, maar dat is al lang geleden. Ik denk dat mijn vader boos op God is, vanwege mam, snap je.'

Tori knikte. 'En jij? Ben *jij* ook boos op God?'

'Ik weet het niet. Ik denk het niet. Ik denk dat Hij gewoon wel iets beters te doen heeft dan zich druk maken om ons gezin. Ik probeer er niet te veel over na te denken, anders zou ik waarschijnlijk *wel* boos op Hem zijn. Mijn moeder heeft nooit iemand kwaad gedaan, dus waarom moet ze dit allemaal meemaken? Waarom moet onze familie dit doorstaan als Hij zo veel van ons houdt?'

'Die vraag hoor ik veel. Soms heb ik dat gevoel zelf ook, als er dingen niet goed gaan in mijn eigen leven. Maar ik weet dat Hij van me houdt en ik geloof dat alles volgens Gods plan gebeurt, zelfs de dingen die niet zo geweldig zijn. Ik denk dat we op die manier kunnen leren om Hem echt te vertrouwen met onze problemen. En dat is het hele punt, dat we ons op Hem richten en geloven dat Hij er is en van ons houdt. Ook moeten we leren om goede beslissingen te nemen zodat we niet zelf een heleboel problemen veroorzaken.'

Terwijl ze recht voor zich uit naar het wateroppervlak staarde, vroeg Tawnya: 'En hoe zit het met dingen waarmee je geprobeerd hebt te stoppen, maar dat niet kunt?'

'Je bedoelt winkeldiefstal of zoiets?'

'Ja, zoiets.'

'Natuurlijk, dat zijn de dingen waar we Gods hulp echt bij nodig hebben, dingen die we doen waarvan we weten dat ze niet goed zijn. Ik weet zelf dat ik het niet alleen kan. Ik ben gewoon niet sterk genoeg.'

'Wat doe je dan?'

'Ik vraag Hem om me te helpen, om me kracht te geven. Om ervoor te zorgen dat ik de juiste dingen wil doen.'

'Werkt dat?' Verbaasd keek Tawnya op.

Tori grinnikte. 'Nou, ik ben niet perfect, maar dat verwacht Hij ook niet van me. Ik doe niet altijd de juiste dingen, dat doet niemand van ons. Als ik er een zootje van maak, weet ik dat ik om vergeving mag vragen en of Hij me wil helpen het de volgende keer beter te doen.'

'Wat als je hetzelfde steeds maar opnieuw blijft doen, terwijl je weet dat het verkeerd is?'

'Nou, dan denk ik dat je jezelf moet afvragen of je er wel echt mee wilt stoppen, of je echt bereid bent om Hem in je leven te laten komen om je te helpen dingen te veranderen. Maar het punt is, zelfs als we zondigen, weet je wel, iets doen waarvan we weten dat het verkeerd is, belooft Hij ons te vergeven, hoe vaak we ook de mist in gaan, zolang we er maar echt spijt van hebben. Maar Hij wil ook dat we betere keuzes maken.' Ze keek op haar horloge en zei: 'O, help, het is al bijna half negen, tijd om terug te gaan naar mama en Celeste. Kom mee.'

De meisjes liepen zwijgend terug naar het plein, elk opgaand in haar eigen gedachten. Toen ze bij Celeste en Analiese waren aangekomen, namen ze afscheid. Tori schreef een telefoonnummer op een visitekaartje van haar moeder en gaf dat aan Tawnya. 'Laat me weten als je weer in de stad bent, Tawnya. Dan zetten we de boel op stelten. En je kunt me altijd bellen als je wilt praten.'

'Oké. Dank je wel.'

'Pas op jezelf, meid. Het was leuk je te ontmoeten.'

'Vond ik ook. Misschien kun je een keer met tante Celeste meekomen voor een weekend. Ik heb paarden en konijnen en we kunnen gaan zwemmen.'

'Ja, dat klinkt te gek.'

'Tot ziens dan maar.'

'Oké, tot ziens.'

Terwijl ze naast haar tante Celeste door Seattle reed, waar het zelfs om tien uur 's avonds een wirwar van felle lichten en drukte was, dacht Tawnya met plezier terug aan de gebeurtenissen van de avond en keek ze uit naar meer dagen zoals deze. Een nieuwe vriendin, die haar als een gelijke behandelde en niet alsof ze een mislukkeling was.

Volkomen tevreden legde ze haar hoofd tegen de leuning en genoot van de koele lucht die door het zonnedak naar binnen kwam. Ze sperde haar ogen wijd open en riep uit: 'Wat is dat daar, tante Celeste?' wijzend naar een groot gebouw met neonlichten. Op een poster stond de aankondiging: 'Zeven beeldschone meisjes en een lelijke.'

'Een stripclub, hoezo?'

'Ik vond een luciferdoosje met die naam erop in Tylers kamer toen ik een keer zijn wasgoed kwam halen. Denk je echt dat hij daarheen is gegaan?'

Met opgetrokken wenkbrauwen antwoordde Celeste: 'Als hij hier binnen is geweest, moet hij een valse identiteitskaart hebben, omdat je achttien moet zijn. Ik weet het niet. Alles is mogelijk, Tawn.'

Ze reden zwijgend verder totdat ze uit de binnenstad waren. Space Needle stak omhoog tegen de nachtelijke hemel voor hen. Tawnya nam het woord weer. 'Ik wou dat ik morgen niet naar huis hoefde. Ik bedoel, ik mis papa, maar ik heb het zo naar mijn zin gehad deze week.'

'Daar ben ik blij om, lieverd. Het duurt maar twee weken en dan kom je terug voor je beugel. Dan gaan we eens flink winkelen voor school, goed?'

'Goed.'

Ze reden nog enige tijd zwijgend door en toen begon Tawnya weer te praten, dankbaar voor de duisternis. 'Geloof jij in wonderen, tante Celeste?'

O, lieverd toch. Ze koos haar woorden zorgvuldig toen ze antwoordde: 'Je moet weten dat ik er alles voor over zou hebben om je moeder weer beter te maken, Tawnya. En elke dag worden er nieuwe behandelingen voor ziektes ontdekt. Ja, ik geloof absoluut in wonderen. Ik denk dat het goed is om voor een wonder te bidden, maar onthoud dat we Gods plan met ons niet altijd kunnen begrijpen.'

'Dat weet ik.' Terwijl Celeste de auto haar parkeerplaats op draaide, zei Tawnya zachtjes: 'Ik denk niet dat ze beter wordt, tante Celeste. Is het slecht van mij om zo te denken?'

Celeste haalde haar sleutels uit het slot, liet haar schouders tegen de stoel zakken en zuchtte. 'Nee, dat maakt je niet slecht, schat. Ik denk dat dat je een realist maakt. Zoals ik al zei, er is niets wat een van ons niet zou doen als we je moeder op de een of andere manier terug konden brengen naar hoe ze was, maar dat ligt niet in onze handen. Ik denk dat we voor haar moeten blijven bidden en de werkelijkheid moeten proberen te accepteren. Je moeder zou niet willen dat je blijft vastklampen aan iets wat niet gaat gebeuren. Ze zou willen dat je gewoon verder leeft en gelukkig wordt, Tawnya. Ze zou willen dat je weet dat je dat zonder schuldgevoel moet doen.'

Tawnya keek in Celestes medelevende ogen en knikte. 'Ik weet dat ik niets voor mama kan doen.' Tranen welden op in haar ogen. 'Soms zou ik willen dat God haar gewoon bij zich zou nemen zodat ze daar niet meer elke dag hoeft te liggen. Ze weet niet meer wie we zijn en ze kan niet eens meer zelf ademhalen! Waarom haalt Hij haar niet gewoon naar de hemel zodat ze niet meer hoeft te lijden?'

Met een diepe pijn in haar hart mompelde Celeste: 'Kom hier, liefje.' Ze omhelsde het meisje teder en zei: 'Het is goed, schat, huil maar.'

Haar nichtje had dit al lange tijd nodig gehad, realiseerde Celeste zich; ze snakte ernaar deze pijnlijke situatie een plek te geven, zodat ze kon beginnen aan het onvermijdelijke rouwproces om de moeder die ze als klein meisje verloren had en die nog steeds een belangrijk deel van haar leven uitmaakte.

'Maar ik ben er, schat. En ik zal er altijd zijn als je me nodig hebt.'

De tranen stopten eindelijk en Tawnya trok zich met een nat gezicht terug. Ze haalde een papieren zakdoekje uit de doos onder de stoel, snoot haar neus en veegde haar gezicht toen droog. Met afgewende blik zei ze: 'Het spijt me.'

'Tawnya.'

'Ja?'

'Verontschuldig je nooit voor oprechte emoties. Maar breng ze wel bij God en leg ze aan Zijn voeten. Beloofd?'

'Beloofd.'

Celeste stapte eindelijk haar auto uit en activeerde het alarmsysteem. 'Ben je moe?'

'Een beetje.'

Ze stak haar sleutel in het slot, deed de deur open en sloot hem toen achter hen. 'Nou, laten we naar bed gaan zodat we hier om negen uur weg kunnen gaan, oké?'

'Goed. Blijf jij bij oma logeren?'

'Nee, ik denk dat ik morgenavond gewoon naar huis ga. Ik moet nog wat werk doen, dus daar kan ik maar beter aan beginnen dan.'

'Oké. Kan ik even naar het toilet?'

'Natuurlijk. Neem alle tijd die je nodig hebt.'

Tawnya liep de badkamer in en sloot de deur achter zich. Het diner was al lang geleden, waarschijnlijk te lang, maar ze moest het proberen. Ze liet zich op haar knieën zakken en voerde het ritueel uit dat het braken opwekte, waardoor het voedsel dat ze gegeten had weer omhoog kwam en ze het kwijtraakte voordat het calorieën en ponden konden worden.

Milkshake en ijs. Krab en gesmolten boter, zuurdeegbrood. Als het vanavond bijzonder pijnlijk was, kon ze daar niemand anders dan zichzelf de schuld van geven; ze had geschranst en van elke hap genoten.

Gezien de tijdsduur die verstreken was, was het moeilijk en de tranen stroomden over haar gezicht toen ze het toilet doorspoelde en met haar rug tegen het bad aan ging zitten. Ze haatte dit; ze haatte het omkeren van haar maag en de smerige smaak in haar mond. Ze haatte de noodzaak van haar daden en ze haatte de manier waarop haar lichaam eruitzag. Maar als ze de nieuwe kleren wilde passen die Celeste deze week voor haar had gekocht, die waarvan ze tegen haar tante gezegd had dat ze pasten terwijl ze in werkelijkheid een paar maten te klein waren, moest ze dit ervoor over hebben.

Na een paar minuten stond ze vermoeid op, poetste haar tanden en waste haar gezicht. Ze deed het licht uit, riep welterusten tegen haar tante en liep de logeerkamer in. Ze lag in het donker en dacht terug aan het gesprek met haar nieuwe vriendin. Tori had gezegd dat God haar met haar probleem zou helpen als ze echt hulp wilde. Maar wat wist God over ruim vijfenzeventig kilo wegen in groep zeven? Hoe wist Hij hoe het voelde om een dik meisje met puistjes te zijn dat op haar school alleen dienst deed als slachtoffer voor andere kinderen om te plagen en treiteren?

Nee, God had al genoeg aan Zijn hoofd met mensen als mama, mensen die *goed* waren. Hij had Zijn handen vol aan populaire kinderen zoals Ariel, die elke zondag met haar familie naar de kerk ging en veel geld in de collectezak deed. Meisjes als zij telden niet, wat Tori ook zei. Tori was mooi en dun en haar moeder ook en ze geloofden allebei echt in Hem. God zou vast de voorkeur geven aan degenen van wie Hij wist dat ze al in Hem geloofden en waarom zou Hij eigenlijk iets om haar geven?

Haar maag trok zich samen en ze rolde op haar zij, haar handen op haar maag terwijl de tranen het kussen onder haar wang vochtig maakten. Dik zijn betekende eenzaamheid en de pijn die ze elke avond voelde was zo veel erger dan buikpijn, maar versterkte haar gebreken ook, haar onvermogen om haar vreetbuien en braakneigingen onder controle te houden, en haar angst dat ze nooit zo goed zou zijn als alle anderen.

De krampen zakten uiteindelijk en haar maag kalmeerde weer. Ze draaide haar kussen, legde haar hoofd op de droge kant en dwong zich te ontspannen. Morgen zou ze thuis zijn. Ze zou papa zien, en Ty, hoewel die nooit veel tegen haar zei als hij er was. Ze zou papa de deur van haar kast eruit laten halen en de hippiekralen laten ophangen en dan haar nieuwe kleren ophangen om ze te kunnen zien en zichzelf dunner in te beelden. Tegen de tijd dat de school weer begon, zou ze ze dragen, zelfs als ze zichzelf moest uithongeren.

Hoe moeilijk het ook zou zijn.

12

Toen de Beamer de oprit op kwam rijden, ging de hordeur open en liep Scott de veranda op.

'Papa!' Tawnya liet haar tassen op het grind vallen en rende naar haar vader toe terwijl hij de verandatrap af liep. 'Wat doe je hier?'

'Hé, lieverd.' Hij omhelsde haar stevig en keek Celeste over Tawnya's schouder aan. 'Ik ben klaar met het hooien van de tweede maaibeurt, dus ik heb een paar dagen vrij om alles klaar te krijgen voor de oogst. Ik heb de olie van de tractor vervangen en bedradingen in de maaidorser gecontroleerd, dat soort dingen.'

Hij liep naar de auto, terwijl hij zijn arm om zijn dochters schouders geslagen had en begroette de stille vrouw die bij het openstaande bestuurdersportier stond. 'Hoi, Celeste.'

'Papa, ik moet over twee weken terug voor mijn beugel. O, en ik heb een gaaf meisje ontmoet. Ze is de dochter van een vriendin van tante Celeste. Ze heet Tori en ze is dertien en heel aardig. Toch, tante Celeste?'

'Het is een schat van een meid.'

Scott pakte haar tassen van de grond en knikte in de richting van het huis. 'Kom even binnen, Celeste.'

'Maar een paar minuutjes. Ik ga vanmiddag terug en ik moet nog even langs m'n moeder.'

Verbaasd en meer dan een beetje teleurgesteld vroeg Scott: 'Ga je vandaag al terug? Ben je er niet voor Catherines zondagse diner?'

'Ze moet nog wat werk inhalen, papa, daarom gaat ze zo snel weer weg,' lichtte zijn dochter hem in.

'Nou, kom dan in elk geval binnen voor een kop thee.'

'Oké, eventjes dan, maar daarna moet ik echt weer weg.'

'Na jou.' Scott stak een arm uit en de tas slingerde vanwege zijn handgebaar.

Eenmaal binnen zag Celeste tot haar tevredenheid dat het geen bende was; of Connie had net nog schoongemaakt of Scott en Ty hadden de boel zelf netjes bijgehouden.

'Alsjeblieft.' Scott had een groot glas ijsthee in zijn hand. Het ijs kraakte in de koude vloeistof. Zijn stem onderbrak haar gemijmer en ze schrok op. Ze draaide zich om bij het geluid, maar dat bleek niet nodig te zijn; hij stond zo dichtbij dat ze zijn wimpers kon tellen.

'Bedankt.' Zich ervan bewust dat zijn ogen elke beweging van haar volgden, liep ze weg en zette het glas op de salontafel.

Tawnya had haar tassen naar boven gebracht en beneden hoorden ze haar voetstappen op haar slaapkamervloer. Daarna ging de stereo ineens luid aan. Alleen en niet op hun gemak zochten ze naar een gespreksonderwerp. Eindelijk kreeg Scott inspiratie en hij vroeg: 'Zin om naar het weiland te lopen? Ik moet het water verversen. Als je geen zin hebt, kun je gewoon hier blijven; ik dacht alleen dat je misschien je benen wel even wilde strekken voordat je aan de lange terugrit begint.'

'Dat klinkt prima.'

'Een momentje.' Hij liep naar de trap en verhief zijn stem om boven de stereo uit te komen. 'Celeste en ik gaan even wandelen en het water verversen. We zijn over een half uurtje of zo weer terug.'

'Goed.'

Hij hield de hordeur open en vroeg: 'Klaar?'

'Ga maar voor.'

Ze liepen bij het huis vandaan, hun ogen afschermend tegen de felle zon. Ze liepen in stilte, met hun schoenen stof omhoog schoppend op het pad en vermeden de sprinkhanen die zonder enige waarschuwing uit het gras langs het pad sprongen.

'Hoe ging het deze week?'

'Prima. Het was druk. Tawnya is maandag over twee weken helemaal klaar bij de orthodontist. Ze is naar de dermatoloog geweest en die heeft een antibacteriële zalf voorgeschreven die ze twee keer per dag op moet smeren. Ze zal het je vast wel laten zien. Daarnaast hebben we ons ontspannen en ik geloof dat ze er wel plezier in heeft gehad. Even een ander ritme, snap je?'

'Ja. Nogmaals bedankt, Celeste, voor alles wat je voor haar hebt gedaan.'

'Het was geen zware taak, geloof me. Ik heb ervan genoten.'

Even later merkte hij op: 'Het is hier wel warm. Hoe is het in Seattle?'

'Het is er prachtig; november tot maart lijkt het wachten op de rest van het jaar waard.'

Hij keek opzij naar haar. 'Hebben we het echt over het weer?'

Ze lachte en hij ving haar blik op en grijnsde. 'Oké, waar moeten we het dan over hebben?'

'Waar jij allemaal mee bezig bent, afgezien van het spelen van tantetje.'

'O, gewoon werk. Het wordt steeds moeilijker om daar elke dag naartoe te gaan en dezelfde dingen voor dezelfde klanten te doen. Zelfs de nieuwe klanten zijn eender, ze hebben alleen andere namen. Ik denk dat ik worstel met mijn *doel*, snap je? Ik heb ergens gelezen dat wanneer je het gevoel krijgt dat wat je doet je geen voldoening meer schenkt en je niet het gevoel hebt dat je iets bijdraagt, dat misschien betekent dat het tijd is om verder te gaan, dat God iets anders voor je in gedachten heeft. Ik denk dat ik op dat punt zit; ik heb het gevoel dat er iets moet veranderen, maar ik weet niet precies wat. En het is moeilijk, omdat ik altijd dacht dat ik wist wat mijn pad was en waar ik uiteindelijk terecht zou komen. Nu maak ik eigenlijk alleen maar mijn tijd vol totdat ik bedacht heb wat ik anders zou moeten doen. Maar... luister je nog? Sorry, ik ga soms zo in mezelf op dat ik het me niet realiseer wanneer ik te veel praat.'

Hij zuchtte en zijn blik ging naar het gebergte in het westen. Ze stopten voor de irrigatiepomp en bleven daar enige tijd zwijgend staan. Toen knielde hij neer en Celeste keek toe hoe hij de kraan dichtdraaide totdat de watersproeiers die het tweede gedeelte met bomen besproeiden hun druk verloren en ermee ophielden. Ze volgde hem naar de laatste pompkraan en stond tegenover de pomp terwijl hij de slang erop aansloot.

Scott kwam overeind, ademde hoorbaar uit en zei toen: 'Laten we even gaan zitten, Celeste.' Hij wachtte tot ze op de grond had plaatsgenomen en ging tegenover haar zitten.

'Ik wil met je praten. Ik heb hierover nog met niemand gesproken behalve met mijn advocaat en ik denk dat het tijd is om... jou erbij te betrekken. Het punt is dat ik mijn financiële bodem bereikt heb. Ik heb geen land meer om te verkopen en ik heb nauwelijks financiële speling meer. Ik moet een paar moeilijke beslissingen nemen en er is niet veel tijd meer om dat te doen.'

Hij was niet in staat om te blijven zitten, dus hij stond op en draaide zich om om naar de bergen te kijken. 'Dit is niet gemakkelijk voor me, Celeste. Ik heb zelfs zo lang geprobeerd om de situatie te negeren dat alleen het onder ogen zien ervan al zwaar voor me is. Ik heb hier met niemand over gesproken, behalve met Rach, en ik denk dat dat niet meer telt, hè? En daarom wordt het lastig. Weet je wat een wilsverklaring is?'

'Natuurlijk.' Ze knikte. 'Een schriftelijke verklaring waarin de patiënt aangeeft dat hij of zij geen reanimatie en geen kunstmatige manieren wenst om het leven te rekken.'

Hij voelde hoe het tot haar doordrong. Zelfs de stilte was gespannen.

'Hoelang, Scott?' vroeg ze. 'Hoelang geleden heeft ze dat getekend?'

Hij ging weer zitten en sprak zachtjes, alsof hij daarmee een zware last van zich afwierp. 'Vier jaar geleden. Ze wilde dat ik zou beloven om haar niet aan de beademing of een infuus te leggen. Ze heeft het formulier bij de dokter getekend en ik vertelde haar wat ze wilde horen. Toen heb ik het papier mee naar huis genomen, in mijn bureau gelegd en verder genegeerd. Ik dacht dat ik me er wel mee bezig zou houden als het moment aangebroken was; ik denk dat ik zo in de ontkenningsfase zat dat ik misschien dacht dat die tijd helemaal nooit zou komen. En toen dat wel gebeurde, kon ik haar wensen niet inwilligen. Ze had al een tijdje moeite met eten omdat ze steeds voedsel in haar longen kreeg en dan longontsteking kreeg, dus legden ze haar aan een infuus. Een paar weken later keek ik toe hoe ze geïntubeerd werd en aan de beademing werd gelegd. En ik was nog steeds niet sterk genoeg om te zeggen: "Nee, dit doen we niet."'

Hij stond alweer op, begon te ijsberen en ging verder: 'Ik denk hier al over na vanaf het moment dat ze aan de beademing ligt, dat ze erop vertrouwde dat ik haar wensen zou respecteren en dat ze niet zo wilde leven. Ik weet het, Celeste, en ik ga eraan onderdoor. Ik weet nog wat ze die avond nadat ze het formulier getekend had tegen me zei, en dat was eigenlijk: "Laat me gewoon gaan." Maar ik had zo'n schuldgevoel, weet je; hoe vertel ik de kinderen dat ik de apparaten uit laat zetten, dat ik het besluit heb genomen om haar te laten sterven? Om over Catherine nog maar niet te spreken.'

'Weten de kinderen van dat formulier?'

'Nee. Haar dokter weet het en hij is er al een aantal keren tegen me over begonnen. Dat begrijp ik, maar ik kan niet gewoon zeggen: "Oké, kinderen, mama zal overlijden omdat ik het niet kan betalen om haar nog langer in leven te houden." Maar ik kan niets meer uit mijn hoge hoed toveren. Ik heb dus met Peter Ralston gesproken. Herinner je je hem nog? Hij is nu advocaat, met een praktijk in Wenatchee. Hoe dan ook, hij stelde voor dat ik van Rach zou scheiden en de zorg voor haar door de staat over zou laten nemen. Maar daar heb ik ook echt moeite mee. Het klopt gewoon niet, snap je? Ik bedoel, een huwelijk is voor goede en slechte tijden, zowel financieel als qua gezondheid. Het voelt alsof ik een gemakkelijke uitweg zoek, als er al zoiets is.'

Hij draaide zich naar haar om en zocht op haar gezicht naar sporen van afkeuring of boosheid. Toen hij die niet zag, ging hij weer naast haar zitten. 'Praat met me, Celeste. Ik weet echt niet wat ik moet doen. Het lijkt of ik maar twee keuzes heb en ik voel voor beide niet veel.'

Celeste bleef enige tijd zwijgen. 'Ik kan je niet vertellen wat je moet doen, Scott, zelfs als ik arrogant genoeg was om te denken te weten wat het juiste was. Het moet jouw beslissing zijn, in de wetenschap wat Rachel gewild zou hebben. Aangezien ze dat formulier getekend heeft, wist ze blijkbaar zelf wat ze wilde, toch? Ik kan je geen raad geven. Heb je ervoor gebeden, God om leiding gevraagd?'

'Niet echt. Ik bedoel, ik ben net pas op het punt waarop ik weer in staat ben om sowieso naar Hem toe te gaan en ik geloof dat ik het verleerd heb om Hem echt iets toe te vertrouwen. En misschien is het een schuldgevoel omdat ik weet wat Rachel gewild zou hebben.'

Ze zuchtte. 'Ik denk dat ik alleen maar kan zeggen dat je het aan Hem moet overgeven, Scott, alles. Hoe moeilijk het ook is, je kunt God hierin vertrouwen. Je weet wat Rachel wilde. En je weet dat ze niet bang is voor de dood. Ze is al lange tijd bereid om naar huis te gaan.'

Hij knikte. 'Dat weet ik. En ze vertrouwde God volledig, met lichaam en ziel; ik ook trouwens. Toen begon alles wat ik belangrijk vond in mijn leven tussen mijn vingers door te glippen; Rachels gezondheid, de stukken land die ik heb moeten verkopen, zien wat voor effect alles op de kinderen had... Ik denk dat ik gewoon dacht dat Hij niet meer van me verdiende dan wat ik al had opgegeven. Het is nog steeds moeilijk om dat vertrouwen te hebben.'

'Het is moeilijk, omdat we, afgezien van het feit dat het gewoon de menselijke aard is, altijd schijnen te denken dat we sterk moeten zijn en alles zelf moeten kunnen afhandelen, vooral mannen. Maar ik heb ontdekt dat als ik alles dan toch eindelijk loslaat, ik me afvraag waarom ik dat niet al weken eerder gedaan heb. Scott, is het goed als ik voor je bid?'

'Ja. Ja, dat is goed.'

Celeste sloot haar ogen. 'Heer, ik weet dat U van ons houdt, dat U van Scott houdt, van de kinderen en van Rachel. Ik bid dat U bij Scott zult zijn nu hij deze beslissingen over Rachels leven moet nemen en dat U tot zijn hart zult spreken en hem vrede zult geven. Dank U, Heer. Amen.'

Ze deed haar ogen open, verbaasd over de tranen die tijdens haar gebed waren opgeweld. Toen ze tranen in de ogen van Scott zag, raakte dat haar diep in haar hart. Ze gaf zich over aan haar verdriet en liet ook haar eigen tranen de vrije loop. 'Ik denk dat ik me niet gerealiseerd heb hoezeer ik dit alles in mezelf opgekropt heb. Ik denk dat ik er misschien bang voor was hoeveel pijn het zou doen als ik het mezelf echt liet voelen, snap je?'

'Dat snap ik heel goed. Maar ik ken geen andere manier om het te voelen, Celeste. Ze was zo lang deel van mijn leven, het *grootste* deel van mijn leven. En nu moet ik accepteren dat ze echt niet meer terugkomt. Ik denk dat ik nog eerder zelf zou willen sterven dan die beslissingen te moeten nemen.'

'Dat weet ik, maar je staat er niet alleen voor. Je komt er wel uit, Scott. Laat God gewoon tot je hart spreken.'

'Ik zal het proberen.'

Ze stonden op en stonden oog in oog met elkaar terwijl de schaduwen langer werden. De eerlijkheid tussen hen, de eenvoud van hun stille smeekbede tot God had een barrière tussen hen weggehaald en ze waren zich bewust van een nieuwe band. Ze liepen zwijgend, want er waren geen woorden nodig.

'Celeste?'

'Hm?'

'Bedankt.'

'Je hoeft me niet te bedanken. Ik heb niet alle antwoorden, Scott; ik weet niet eens wat ik met mijn eigen leven aan moet.'

'Maar je gaf genoeg om me om naar me te luisteren.'

'Dat doe ik ook. Waarschijnlijk meer dan ik zou moeten en dat beangstigt me.'

Hij bleef staan en draaide zich naar haar toe. 'Ik dacht dat het misschien alleen aan mij lag. Ik heb geen idee wat ik eraan moet doen, Celeste, of waar het heen zal gaan. Ik heb er geen recht op om om jou te geven en dat beangstigt mij ook.'

'Dus wat gaan we doen?'

Hij schudde zijn hoofd. 'Ik weet het niet. Dit gaat mijn verstand nu te boven en ik kan op dit moment niet ver vooruit kijken. Maar je bent hier, in mijn hart en in mijn gedachten.'

Ze gaf hem een kneepje in zijn hand en voelde de beantwoordende druk in de hare. Ze liepen zwijgend de tuin in en bleven naast haar auto staan.

'Ik kan maar beter gaan. Wil je Tawnya gedag van me zeggen?'

Hij knikte. 'Bel je me straks als je thuis bent?'

Terwijl ze achter het stuur plaatsnam, knikte ze. 'Dat zou ik niet moeten doen, maar ik zal het toch doen.'

'Ik zal je missen.'

Zijn woorden hingen zwaar in de lucht tot haar eigen bekentenis uit de auto kwam. 'Ik zal jou ook missen.'

'Rijd voorzichtig. En bel me als je thuis bent.'

'Als het niet te laat is.'

Hij schudde zijn hoofd. 'Hoe laat het ook is. Alsjeblieft?'

Ze knikte, startte de motor en zei: 'Dag.'

'Dag.'

Hij keek haar na totdat hij de achterlichten niet meer kon zien en zuchtte toen. Zijn kleine meisje wachtte binnen en hij had haar gemist. Hij wilde over elk moment dat ze met haar tante had doorgebracht horen, elke nieuwe ervaring die ze gedeeld hadden. Misschien zou hij binnenkort zelf wel een keer een weekend in Seattle doorbrengen en zelf die ervaringen opdoen. Hij versnelde zijn pas, plotseling gretig om weer echt te gaan leven. Zijn kleine meisje was thuis.

13

Er was een week verstreken sinds Tawnya thuisgekomen was en over nog een week zou ze weer naar Seattle gaan om weer een week bij haar tante te blijven. Scott had Celeste voor het laatst gesproken toen ze was thuisgekomen na hun gezamenlijke gebed in het alfalfaveld, en nu was ze vaak in zijn gedachten. In de tussenliggende dagen zocht hij een aantal van Rachels oude cassettebandjes op van een aantal gospelartiesten, die hij afspeelde terwijl hij op de maaidorser door het veld reed. Hij voelde zich er dichter bij Rachel door, omdat hij wist dat ze naar diezelfde liedjes geluisterd had toen ze nog gezonder was, en hij vroeg zich af of ze er net zo diep door geraakt was als hij nu hij naar ze luisterde.

Er was een nieuw besef van Gods aanwezigheid in Scotts hart en hij leerde opnieuw de kracht van gebed, dat God altijd gemakkelijk bereikbaar was, niet alleen tijdens dat uur op zondagochtend op een bank in een kerk die hij altijd met gebed had geassocieerd. Alleen in het veld sprak hij regelmatig met God en bad hij om leiding voor de komende beslissingen over Rachel. Ook dankte hij de Schepper voor de wereld om hem heen en erkende hij de zegeningen in zijn leven. De bitterheid die hij de afgelopen jaren gevoeld had was langzaam aan het verdwijnen en in plaats ervan kwam een nieuw en welkom gevoel van openheid van zijn hart en vernieuwing van zijn denken.

Op een bloedhete dinsdagmiddag, terwijl hij met de maaidorser over Tuckers noordwestelijke deel van de wintertarwe reed, bedacht Scott dat in deze hitte alleen het woord 'wintertarwe' hem al deed verlangen naar kille ochtenden en de mist die over de bergen hing. Terwijl hij uitkeek naar de vrachtwagen die een nieuwe lading kwam halen voordat hij naar de graanlift zou gaan om gewogen en uitgeladen te worden, berekende Scott in zijn hoofd hun voortgang. In dit tempo, met hete, zonnige dagen en als er geen apparatuur stukging, zou nog een dag of vier voldoende zijn om het hier af te ronden.

Op deze middag, hoog in de gekoelde cabine van zijn maaidorser, pakte hij zijn waterfles van de grond, nam een grote slok, boerde luid, verontschuldigde zichzelf en grijnsde toen. Manieren waren iets grappigs; zijn moeder zou blij zijn als ze wist dat er toch iets was blijven hangen, zelfs iets banaals als je excuses maken voor boeren terwijl er niemand was die het kon horen. Zijn moeder was het perfecte voorbeeld geweest van een degelijke boerenvrouw en was bijna blind geweest voor de veranderingen in de mode van de afgelopen jaren. Natuurlijk was de boerderij een goede plaats geweest om iemand af te zonderen van de buitenwereld.

Zijn moeder was een vlijtige huisvrouw en goed tuinierster geweest. Ze had geleefd om de mannen in haar kleine koninkrijk te dienen en daarbij bijna net zo veel uren gemaakt als haar man. Ze was goed in alles wat ze deed en vanaf Scotts kindertijd was hun huis een rustig en vredig toevluchtsoord van de buitenwereld geweest. Het was misschien niet verbazend dat Scott vrouwelijkheid al vroeg associeerde met een vrouw die stevige maaltijden bereidde in haar knusse keuken, groente uit haar tuin inblikte en invroor en haar man begroette met een welkomstkus aan het einde van zijn werkdag. Iemand als zijn moeder.

Als jonge man was hij in veel opzichten naïef zijn eigen huwelijk ingestapt en hij en Rachel hadden ruziegemaakt totdat ze samen een ritme gevonden hadden waarbij ze zich beiden prettig voelden. En hij was gelukkig geweest, misschien wel gelukkiger dan hij verdiende te zijn. Rachel was ook gelukkig geweest, bedacht hij nu, want ze wilde alleen maar echtgenote en moeder zijn. Ze had geen andere dromen.

Als zijn vrouw geen Huntington gekregen had, dan zouden hun levens voortgekabbeld zijn in hetzelfde rustige patroon waarmee ze begonnen waren. Alleen het komen en gaan van de seizoenen veranderde iets aan hun dagelijkse routines.

Hij zag dat Ty was teruggekomen naar de parallelweg, klaar om nog een lading op te halen. Hij keek even hoe vol de verzamelbak was en berekende dat hij nog een keer op en neer zou kunnen gaan voordat hij de laadruimte van de maaidorser hoefde te legen. Hij pakte de walkietalkie die aan de achteruitkijkspiegel hing en droeg Ty op hem op de terugweg te ontmoeten. Toen verzonk hij weer in gedachten.

Als Rachel niet ziek was geworden, waren ze hun leven lang samengebleven. Dan hadden ze de banden die intimiteit en het ouderschap smeedden in een toegewijd huwelijk versterkt. Maar dit was niet Gods grote plan voor hun levens geweest. Wat *was* Zijn plan voor de rest van Scotts leven? Was het de bedoeling dat hij de rest van zijn leven alleen bleef, of had Gods iets anders voor hem in gedachten?

Hij had ook gebeden voor Gods wil hierin. Hij was verward en verbijsterd dat hij na zo veel jaar van volledige toewijding aan zijn vrouw meer gevoelens dan geoorloofd had gekregen voor zijn schoonzus. Was het gewoon toeval dat hij en Celeste zich tot elkaar aangetrokken voelden, of was het iets meer? En als het meer was dan gewoon toeval, waarom ervoeren ze deze gevoelens dan nu, voordat hij het wettelijke of morele recht hiertoe had?

Hij reed langzaam door het veld en keek hoe de maaidorser de gele tarwe verslond en alleen een ruwe, gemaaide laag stoppels achterliet. Hij zette het maaimechanisme uit, draaide de maaier om en ging naast de wachtende vrachtwagen staan.

Na zijn positie nog eens gecontroleerd te hebben, trok hij aan de hendel die het graan uit de verzamelbak door de pijp, de wachtende vrachtwagen in zou laten glijden. Na de lading te hebben gelost, deed hij de cabinedeur open en stapte de zinderende hitte in. Hij liep achter de maaidorser langs naar Tyler toe. Zijn zoon zag er al net zo verhit uit als hij zichzelf voelde, dacht Scott toen hij het met zweet doordrenkte shirt en petje zag.

'De wagen is bijna vol. Ik ga zo weg om te wegen.'

'Goed.' Hij wierp een blik op de velden en vroeg: 'Wat denk je, drie dagen nog?'

'Ik maak er vier van, maar ik hoop dat ik het mis heb.'

Er viel een stilte en toen zei Scott met een diepe zucht: 'Nou, dan kun je maar beter gaan. Eens kijken, het is half vier. We krijgen er vanavond geen lading meer in, dus je mag wel naar huis gaan als je gelost hebt.'

'Echt?'

'Ja, ga maar. Ik ben toch nog een paar uur aan het maaien. Ik zie je thuis wel.'

'Oké.'

Terwijl hij toekeek hoe de vrachtwagen de hoofdweg op draaide en het stof proefde dat zwaar in de zomermiddag hing, veegde Scott met zijn arm over zijn voorhoofd en bekeek het vocht op zijn mouw. Hij klom weer in de maaidorser, pakte achter de stoel de waterfles, draaide de dop eraf en nam een grote slok. Hij ademde diep uit, bleef even zitten en startte de motor toen weer. Hij reed terug naar de plaats waar hij korte tijd geleden gestopt was, liet de maaier zakken en begon weer rustig langs de tarwe te rijden.

Zijn gedachten dwaalden af en hij stelde zichzelf voor in Seattle, gebombardeerd door de geluiden van de stad, de uitlaatgassen opsnuivend, te midden van de oneindige golf mensen in de drukke straten. Celeste werkte in het centrum, in een gebouw met vijftig verdiepingen. Hij probeerde zich haar voor te stellen in haar werkomgeving. Hij zou zichzelf graag wijsmaken dat dat niet lukte, maar het kostte hem helemaal geen moeite. Hij zag haar maar al te duidelijk voor zich, gekleed in een mantelpakje, met haar zongebleekte haar netjes opgestoken. Hij probeerde zich haar werkdag voor te stellen; afspraken met klanten, urenlang onderzoek doen in de bibliotheek van de firma, regels en wetten bestuderen. Hij wist niets over de mensen met wie ze werkte, maar hij ging ervan uit dat ten minste een paar van hen mannen moesten zijn. En als het mannen waren, zouden ze iets bij haar proberen, dacht Scott grimmig, terwijl hij zijn kaken op elkaar klemde tot zijn tanden ervan knarsten. Hij kon er niets aan doen dat zijn verbeelding de volgende logische stap nam en kromp ineen bij het beeld dat hij voor ogen kreeg; elegant geklede mannen in de laatste mode, tot en met hun leren schoenen, waarschijnlijk zelfs met bijpassende sokken.

Hij had geen nette pakken, laat staan bijpassende sokken; hij had al mazzel als hij drie gelijke paren had!

Deze mannen roken waarschijnlijk alsof ze net onder de douche vandaan kwamen. De hele dag. Hij maakte zich geen illusies over zijn eigen luchtje; na een dag in het veld stonk hij als Bill Harlans geit en had net zo veel trek in het verbodene als de geit gehad had.

Je bent jaloers.

O, alsjeblieft. Ik ben gewoon…

Jaloers.

Het feit dat het nergens op sloeg dat hij jaloers was deed zijn humeur al helemaal geen goed.

Scott vertraagde om aan het oostelijke eind van het veld te draaien. Hij kneep zijn ogen halfdicht tegen de felle zon die langzaam onderging en nu boven de top van Karkeek Ridge hing. Hij was de pracht van het landschap op deze plaats die hij thuis noemde nooit zat. Hoe iemand de schoonheid van de bergen, de vrijheid van de open ruimte kon achterlaten voor de stad en alle drukte van die bewoners, was hem echt een raadsel. Hoe had Celeste die overstap kunnen maken? Maar niet iedereen hield van dit land zoals hij, bedacht Scott plotseling, terwijl hij een scherpe pijn voelde bij de gedachte aan de voorgoed verloren hectaren van het land van zijn familie.

Voor het eerst vroeg hij zich af of hij de juiste beslissing had genomen. Natuurlijk was dat een zuiver retorische vraag, want er viel niets meer aan te veranderen. Toen hij geconfronteerd werd met Rachels zorg en welzijn tegenover wat in feite niets meer dan modder en bomen was, had hij er niet aan getwijfeld wat juist was. Het leek de enig mogelijke beslissing.

Toen de zon eindelijk achter Karkeek zakte, tilde hij de maaibladen weer op en zette de motor uit. Hij sprong uit de cabine en liep over het veld naar zijn pick-up, plotseling moe. Nog vier dagen hier, dan door naar Jamisons land. Dat zou het einde van de tarweoogst van dit jaar zijn. Maar het derde maaien van het gras zou beginnen rond dezelfde tijd als de scholen. Nog zes weken zware arbeid in het veld en hij zou klaar zijn voor dit seizoen, dacht Scott opgelucht. Om de een of andere reden leek dit jaar zwaarder; de tarwe was iets moeilijker te oogsten en de nachten leken ook korter. Hij had al weken niet goed geslapen. Dat kwam vast door de hitte.

Natuurlijk kwam het door de hitte. Het kon niets te maken hebben met zijn worsteling tegen zijn toenemende gevoelens voor Celeste, waarbij het helder denkende deel van hemzelf hem er abrupt aan herinnerde dat hij nog steeds de ring droeg die een andere vrouw hem gegeven had. Hij keek nu naar die ring. Het stof van het veld kon de glinstering van het goud in de schemering niet doen afnemen. Scott zuchtte diep, draaide de sleutel om en startte de motor. Hij zette de wagen in zijn versnelling en reed de landweg op. Opgaand in zijn gedachten reed hij langs de rand van Shuksan, langs Fircrest. Impulsief zette hij de auto stil en keek naar het raam van de kamer waar zijn vrouw in onbegrijpende stilte lag.

O, Rach.

Twee jonge jongens reden op skateboards over straat en hun stemmen klonken in het bijna duister.

'… heb een hekel aan spruitjes. Mijn moeder maakt ze steeds klaar, ook al haten mijn vader en ik ze.'

'Bah.'

Gelach en toen vervaagden de stemmen in de avond.

Wat moet ik doen, God? Ik luister. Help me alstublieft Uw wil te leren kennen.

Hij zat naar het raam te kijken, alsof het nieuwe stuk glas de antwoorden had op het meest pijnlijke vraagstuk van zijn leven. Maar er was alleen maar de stilte van de avond. Krekels zongen en af en toe klonk het geluid van een passerende auto.

Misschien werd hij, net als Abraham, opgeroepen tot de ultieme geloofsuiting: bereid zijn om Rachels leven aan God over te geven, net zoals Abraham de bergen beklommen had met zijn geliefde zoon, wetende wat hem op de top te wachten stond. Misschien was dit wel zijn eigen berg en wachtte God daar om Zijn genade opnieuw te tonen. Wat een getuigenis van Abrahams liefde voor de Heer, van zijn geloof; zijn onvoorwaardelijke bereidheid om het kind te offeren op wie hij zo lang gewacht had en van wie hij zo veel hield.

Had God Abrahams pijn niet volkomen begrepen? Had Hij Zijn eigen Zoon niet gestuurd als ultiem offer voor de mensheid? Leed het enige twijfel dat Hij Scotts pijn kende en zijn eigen weerstand nu begreep, tweeduizend jaar later?

Verrast door de vochtigheid van zijn wangen, veegde hij de tranen weg en sloot toen zijn ogen. Hij haalde bevend adem en bad: *Hier ben ik, God. U weet dat dit moeilijk voor me is en hoe hard ik heb geprobeerd het allemaal bij elkaar te houden. Maar ik weet dat ik mezelf alleen maar voor de gek houd, want het valt allemaal uit elkaar. Ik heb niets meer over, Heer. Ik heb alles gebruikt en heb nog steeds te kort van alles: geld, tijd, energie, zelfs aandacht voor de kinderen. En ik ben zo moe, Heer. Vergeef me. Neem het allemaal van me af, Heer, want ik kan het niet meer. Help me, God. Help me te doen wat er voor Rach gedaan moet worden. God, ik heb ook haar in Uw handen gelegd. Help me gewoon alstublieft, want ik ben helemaal op.*

De jongens op skateboards passeerden hem rakelings, nieuwsgierig naar hem starend; de oude man die voor het verzorgingshuis zat te janken als een klein kind. Hij negeerde hen en bleef bidden, terwijl er een vrede in zijn hart stroomde en hij Gods liefde voelde.

VERTROUW OP MIJN LIEFDE VOOR RACHEL. LAAT HAAR LICHAAM LOS EN LAAT HAAR BIJ MIJ THUISKOMEN.

Met gebogen hoofd bad hij: 'Help me, God. Geef me de kracht om haar los te laten.'

Hij keerde de auto richting huis, richting de kinderen, en bad opnieuw om kracht en leiding in de dagen en weken die zouden volgen, waarin ze te maken zouden krijgen met de grootste uitdaging van hun leven.

14

Tawnya bekeek haar tanden opnieuw in de spiegel. Het badkamerlicht weerkaatste in het glanzende ijzer. Ze had het grootste deel van de ochtend bij de orthodontist doorgebracht en was teruggekomen met wat eruitzag en voelde als stukken ijzerdraad die tussen haar tanden waren geduwd; de tanden die over waren dan. Vorige week waren er tot haar ellende zes tanden getrokken en had ze zo veel soep en roereieren gegeten als ze op kon, waarna ze zich te beroerd had gevoeld om het er weer uit te gooien. Maar alle ellende zou het uiteindelijk waard zijn. Nu, met haar beugel veilig in haar mond, kon ze niet genoeg krijgen van de aanblik van de metalen draadjes. Het was bijna een wonder. Plotseling kon ze zich voorstellen hoe mooi haar glimlach over een paar jaar zou zijn, als ze niet langer verlegen hoefde te zijn. En als ze ook nog eens slank was, stel je eens voor hoe gelukkig ze dan zou zijn!

Haar huid werd al iets gaver; ze had trouw de medicatie gebruikt die de dermatoloog haar had voorgeschreven. Elke ochtend en avond waste ze haar gezicht met heet water en glycerinezeep en ze zwom bijna in Sea Breeze. Het werkte. Er waren niet veel nieuwe puistjes bij gekomen en sommige van de oude mee-eters en pukkels verdwenen ook al.

Ze pakte haar borstel van de toilettafel en haalde hem door haar pas geknipte bruine lokken. Toen schudde ze haar hoofd en keek toe hoe haar haar netjes op zijn plaats viel. Na de lunch had tante Celeste haar meegenomen naar haar eigen kapper en na een lang overleg had de kapper een korter kapsel met laagjes aangeraden dat Tawnya's natuurlijke golving zou accentueren en een heleboel van het dikke, zware haar dat rondom haar gezicht hing weg zou halen. Ze had zenuwachtig in de stoel gezeten en had het geluid van de schaar gehoord en plukken haar op de grond zien vallen. Terwijl ze met haar handen de armleuningen stevig beetpakte, stond Tawnya zichzelf toe in de spiegel te kijken nadat de kapper het haar geföhnd had. Ze had verbijsterd naar zichzelf gekeken. Ze leek minstens een jaar ouder, dat wist ze zeker. En het was zo veel gaver ook; ze had zich niet gerealiseerd hoelang ze al niets meer aan haar haar gedaan had, behalve wanneer oma de puntjes bijknipte.

Als ze nu ook nog gaatjes in haar oren kon krijgen, was ze helemaal tevreden. Ze schudde haar pas geknipte haar uit haar gezicht en wreef verlangend over een oorlel. Ze had meisjes gezien met wel zeven gaatjes in een oor. Dat was natuurlijk misschien een beetje te veel van het goede, in elk geval voor Shuksan.

Tawnya deed het licht uit, ging de badkamer uit en liep door het appartement naar de schuifpui die naar het balkon leidde. Ze ging in een tuinstoel zitten en keek over het enorme Lake Washington naar de lichtjes op de heuvels aan de andere kant. Ze genoot van het moment en bedacht opnieuw hoe gelukkig tante Celeste moest zijn om hier te wonen, vlak bij het meer. Het geluid van de schuifpui die opengong onderbrak haar gedachten en toen ze zich omdraaide zag ze haar tante aankomen.

'Hier ben je. Hoe voel je je nu?'

'Mijn mond doet zeer.'

'Heb je al ibuprofen ingenomen?'

'Ja, maar het doet nog steeds zeer.'

Celeste nam plaats in de andere stoel en vroeg: 'Heb je er spijt van?'

'Van de beugel? Helemaal niet. Ik kan nog steeds niet geloven dat ik hem heb. Ik vond mijn tanden al zo lang verschrikkelijk.

Ik had nooit gedacht dat ik dit kon laten doen.'

'Nou, het ergste is nu voorbij. Je moet hem alleen elke paar weken strakker laten zetten, maar dat is niet zo erg als het laten plaatsen ervan. Maar goed. Heb je er al over nagedacht wat je morgen wilt gaan doen?'

'Denk je dat ik met Tori af kan spreken?'

'O, heb ik dat nog niet gezegd? We gaan morgenavond met Ana en Tori naar Northgate Mall. We kunnen even winkelen en dan ergens eten. Ik heb aan Tori gevraagd om te komen logeren. Wat vind je daarvan?'

'Ja, gaaf. O, heb je papa gesproken?'

'Nee, maar bel hem maar, als je wilt.'

'Wil jij met hem praten?'

'Als je klaar bent, zeg ik nog even snel gedag.'

Terwijl Tawnya de draadloze telefoon oppakte, stond Celeste op. 'Ik ga naar bed, meid. Klop maar op mijn deur als je klaar bent. Ik zie je morgen, goed?'

'Oké. Trusten. Hoi, pap, ik ben het...'

Terwijl ze zich klaarmaakte om naar bed te gaan, vroeg Celeste zich af of het slim was om nog een gesprek met haar zwager aan te gaan. Ze hadden elkaar sinds zaterdag niet meer gesproken, maar ze had veel aan hem gedacht en ze worstelde met haar gevoelens en de band die tussen hen was ontstaan. Ergens was haar gevoel veranderd van bezorgdheid om de man van haar zus in iets persoonlijkers, iets diepers. En dat beangstigde haar.

Er werd op de deur geklopt en Tawnya zei: 'Ik ben klaar, tante Celeste.'

Ze haalde diep adem, bedankte haar nichtje snel en pakte toen langzaam de telefoon op van haar nachtkastje. Ze wachtte tot ze de klik hoorde en Tawnya aan de andere kant had opgehangen.

'Hoi Scott, met Celeste.'

‘Hoi, hoe gaat het? Hoe is het gegaan met de beugel?’

‘Nou, ze heeft er wel wat last van, maar ze slaat zich er wel doorheen. Dit klinkt misschien vreemd, maar soms heb ik het gevoel dat… o, ik weet het niet.’

Hij drong aan: ‘Je hebt het gevoel dat?’

Verlegen gaf ze nu toe: ‘Alsof ze van mij is, Scott, en we allemaal leuke moeder-dochter dingen doen. Alleen is ze niet van mij, wat waarschijnlijk de reden is dat we zo veel plezier hebben. Als ze wel van mij was, zouden we waarschijnlijk niet eens normaal met elkaar kunnen praten.’

‘Ja, ik snap je, zo gaan Ty en ik tegenwoordig meestal met elkaar om.’

‘Ik denk dat het met het territorium te maken heeft.’

‘Ja, ik weet nog dat ik het mijn vader af en toe ook knap lastig maakte.’

Celeste kon het niet weerstaan hem te plagen. ‘O, vast niet.’

‘O, jawel. Ik zou je wel het een en ander kunnen vertellen, maar dat was nog in de tijd van mijn wilde jeugd, voordat Rachel me op het rechte pad bracht.’

‘En hoe heeft ze dat voor elkaar gekregen?’

‘Dat weet ik eigenlijk niet precies, maar ik meen me te herinneren dat ze niet eens zo veel hoefde te zeggen. Het was meer dat ik besefte wanneer ik te ver ging. Ik denk dat ze dezelfde tactiek bij Ty gebruikte voordat ze ziek werd. Ik zou heel graag weten hoe ze dat voor elkaar kreeg, want ik heb het gevoel dat ik maar wat aanmodder met hem tegenwoordig.’

‘Dat kan ik me voorstellen. Het is vast niet makkelijk.’

‘Dat is het ook niet.’

Er was even een stilte en toen vroeg ze: ‘Hoe gaat het voor de rest?’

‘Goed, maar het is wel heet. Het koelt ’s nachts nauwelijks af, maar dat valt natuurlijk te verwachten in augustus.’

'Het is hier ook heet.'

Er viel weer een stilte en hij zei: 'We doen het weer.'

'Wat?'

'Over het weer praten.'

Ze grinnikte en verbrak daarmee de spanning. 'Inderdaad. Waar wil je het dan over hebben?'

'Niets bijzonders; het is gewoon fijn om je stem te horen.'

'Insgelijks.'

Ze zwegen even en toen vroeg hij: 'Blijf je zaterdagavond slapen?'

'Dat was ik niet van plan. Hoezo?'

'Het is dit weekend kermis. Ik vroeg me gewoon af of je daarvoor bleef.'

Ze was niet meer thuis geweest voor de kermis sinds ze was gaan studeren en had zelden meer aan de lokale kermis gedacht sinds ze eindexamen had gedaan, maar tot haar verbazing leek het haar eigenlijk wel gezellig. Waarom niet? 'Natuurlijk, dat kan wel. Misschien kan ik Tawnya's vriendinnetje Tori wel meenemen. Dan kunnen ze ook eens op Tawnya's terrein met elkaar omgaan.'

'Natuurlijk, neem haar maar mee. Ik vroeg me af...'

'Wat?'

'Nou, zaterdagavond is het kermisbal en zo ongeveer de hele stad is op de kermis of op het bal, mijn kinderen ook. Ik vroeg me af of je ergens iets wilde gaan eten, wij met z'n tweetjes.'

Ze dacht razendsnel na, verscheurd tussen verlangen en beter weten. 'Ik weet het niet. Ik bedoel, nou...'

Beschaamd nam Scott een stap terug. 'Laat maar zitten, vergeet dat ik iets heb gezegd. Het is waarschijnlijk niet zo'n goed idee.'

'Wacht. En hoe zit het met... nou, misschien kan ik iets lekkers voor ons beiden koken, op de boerderij.'

'Dat klinkt geweldig, maar ik bedoelde niet dat je zelf zou moeten koken.'

'Dat weet ik, maar dat is waarschijnlijk beter. Denk je niet?'

Hij zuchtte. 'Ja, je hebt waarschijnlijk gelijk. Wat ga je eigenlijk tegen Catherine zeggen?'

'Ik bedenk wel iets.'

'Nou, bedankt dan. Ik zie ernaar uit.'

'Ik ook,' gaf ze toe terwijl ze een gaap probeerde te onderdrukken, die toch aan de andere kant van de lijn te horen was. Scott vatte het als een hint op en zei: 'Nou, ik bel al een hele tijd, dus ik laat je weer met rust. En ik zie je zaterdag wel verschijnen.'

'We zouden er rond de middag moeten zijn.'

'Dat klinkt goed. Nou, slaap lekker, Celeste.'

Stilte.

'Celeste?'

'Hmm?'

'Nogmaals bedankt, voor alles wat je voor Tawnya gedaan hebt.'

'Je hoeft me niet te bedanken, ik heb niet meer zo veel plezier gehad sinds die keer dat we die vogelverschrikker kapotmaakten.'

'Wat? Wiens vogelverschrikker?'

'O, dat vertel ik je nog wel een keer. Het is een goed verhaal over Rachel. En ik geloof dat we elkaar maar eens wat verhalen over Rachel moeten vertellen, Scott, want het is niet gezond om haar bestaan nu "respectvol" te verzwijgen. Snap je?'

'Ja, dat snap ik. Maar laten we daar nog een tijdje mee wachten, Celeste. Oké? Nog even.'

'Oké, Scott. Nog even.'

'Ik laat je nu met rust. Zorg goed voor mijn meisje.'

'Ik beloof je dat ik dat zal doen. Tot zaterdag.'

Ze legde de telefoon op het nachtkastje en ging toen weer op het kussen liggen, terwijl ze aan Scott dacht en bedacht wat ze zaterdagavond klaar moest maken voor het eten. Het was warm, dus iets zomers. Vis, misschien, of kip. Had hij een barbecue?

Ze dommelde net weg toen het geluid van braken door haar gesloten deur heen klonk. Bezorgd klopte ze zachtjes op de badkamerdeur. 'Is alles in orde met je, Tawn?'

'Ja.'

'Weet je het zeker?'

'Ja, het gaat wel.'

'Wil je wat bronwater? Misschien kalmeert dat je maag iets.'

'Nee, het gaat wel.'

'Nou, laat het me weten als je van gedachten verandert, goed?'

'Dat zal ik doen.'

Celeste bleef even voor de gesloten deur staan voordat ze naar haar kamer terugkeerde. Er leek iets niet te kloppen, maar ze kon er de vinger niet op leggen. Opeens begon haar iets te dagen; Tawnya had ook al overgegeven toen ze hier twee weken geleden was. Ze had Celestes bezorgdheid weggewimpeld en inderdaad, ze leek zich de volgende ochtend weer prima te voelen. Celeste had het toegeschreven aan de hitte en te veel opwinding, maar ditmaal wilde ze het er niet zo gemakkelijk bij laten zitten. Ze had niet veel ervaring om uit te putten en vroeg zich af of ze er zelf zo luchtig over zou hebben gedaan op Tawnya's leeftijd. Absoluut niet. Als ze moest overgeven, wist iemand dat, zeker als het iets was wat vrij regelmatig gebeurde.

Dus waarom zou een twaalfjarige dit geheimhouden? Celeste liet haar eerste idee varen, dat haar nichtje zich te veel schaamde om toe te geven dat ze ziek was of zo verlegen was dat ze haar tante niet wilde lastigvallen met buikpijn. Ze hoopte in elk geval dat dat niet zo was. De andere mogelijkheid, ook eentje die ze wegwimpelde, was dat Tawnya bang was dat ze eerder naar huis zou moeten als Celeste dacht dat ze griep kreeg. Dit was nog minder waarschijnlijk, aangezien er maar weinig dingen erger waren dan reizen als je griep had. En als dit het geval was, dan zou iemand zeker willen liggen en niet te ver bij de badkamer vandaan gaan.

De enige andere mogelijkheid die in haar opkwam was te verontrustend om bij stil te staan, maar iets waar ze aan bleef denken. Een eetstoornis. Een vinger in de keel steken. Boulimia.

Konden twaalfjarigen zo veel moeite met hun zelfbeeld hebben dat ze zulke extreme oplossingen bedachten voor hun gewichtsproblemen?

Was Tawnya verwikkeld geraakt in deze zelfvernietigende gewoonte van wanhoop en geheimhouding?

Angst voor haar nichtje streed met haar eigen natuurlijke terughoudendheid om bemoeizuchtig te lijken en ze aarzelde. Wat zou Rachel doen? Trouwens, wat zou *zij* doen als het haar eigen dochter betrof? Het antwoord kwam duidelijk; ze zou zich erin mengen. Tawnya's moeder kon hier niet tussen komen en zij kon, *wilde* geen oogkleppen opzetten. Niet bij zoiets.

Ik ga hier mijn boekje te buiten, God. Help me de juiste woorden te vinden.

Ze klopte op de slaapkamerdeur en stak haar hoofd toen naar binnen. Het was donker, maar ze vermoedde dat haar nichtje nog wakker was. 'Tawnya? Ben je wakker?'

'Nee.'

Leuk geprobeerd. Ze hield vol. 'Kunnen we even praten?'

De dekens bewogen en een mopperende stem zei: 'Wat is er aan de hand?'

Celeste liep naar het bed toe en vroeg: 'Kan ik hier gaan zitten om met je te praten?'

Met een vermoeide toon in haar stem antwoordde het meisje: 'Ik denk het wel.'

Celeste ging op de rand van het bed zitten. 'Tawn, ik wil je iets vragen. En wees alsjeblieft eerlijk tegen me, het is belangrijk.'

'Wat?'

'Wat is er met je maag aan de hand?'

De vermoeidheid klonk duidelijk door. 'Niets. Hoezo?'

Celeste zuchtte. 'Lieverd, ik zal het duidelijk zeggen, oké? Ik weet dat je vanavond hebt overgegeven. Je hebt de vorige keer dat je hier was ook al overgegeven. Heb ik een reden om me zorgen te maken?'

'Hoe bedoel je?'

'Ik bedoel, komt dit overgeven door iets anders dan buikpijn? Want ik denk niet dat je griep hebt. Kun je me vertellen wat er aan de hand is?'

'Niets! Kun je me niet gewoon met rust laten?'

Ze zuchtte. 'Nee, dat kan ik niet, Tawn. Ik ken je inmiddels goed genoeg om te weten dat je meestal niet zo in de verdediging gaat als ik met je praat. Ik weet niet hoe ik om het onderwerp heen moet draaien; ik heb geen ervaring met eigen kinderen, dus ik kan alleen maar eerlijk zijn en je vertellen wat ik denk. En het komt hier op neer, meid: als je moeder niet ziek was, zou zij dit gesprek met je gevoerd hebben. Helaas is ze daar niet toe in staat. Maar ik kan het wel en ik ga niet net doen of alles in orde is, omdat ik te veel van je houd. Dus ik vraag het je opnieuw en wees alsjeblieft eerlijk tegen me. Heeft dit met je gewicht te maken?'

Zelfs een kinderloze tante kon opstandigheid en weerstand herkennen en ze wist dat haar nichtje zou blijven zwijgen. Ze dacht even na en stond toen op, 'Oké, Tawn. Jij je zin. Ik denk dat we allebei weten wat hier aan de hand is en op dit moment kan ik niets anders doen dan je vader vertellen wat er hier gaande is.'

Het meisje sprong als door een wesp gestoken op en viel op haar knieën. 'Nee! Je mag het niet aan papa vertellen! Ik beloof dat ik ermee zal stoppen. Beloof me alleen dat je het hem niet vertelt.'

Celeste deed het nachtlampje aan en bestudeerde haar nichtje. 'Dat gaat niet, schat. Hij heeft het recht om het te weten. Hij is je vader, Tawn. Denk je dat je moeder dit voor hem zou verzwijgen? Ik kan je vertellen dat ze dat niet zou doen en ik ga het ook niet doen.'

'Alsjeblieft, Celeste. Hij heeft al genoeg om zich druk over te maken.'

'Dat is de taak van een vader, zich zorgen maken om zijn kinderen. Denk je niet dat hij nog veel bezorgder zou zijn als je in het ziekenhuis terechtkwam en hij geen idee had van wat er gaande is? Hoe denk je dat hij zich zou voelen als hij wist dat ik dit voor hem verzweeg? Je moet dit vanuit ons oogpunt zien, Tawn. Het is onze taak om ons zorgen om je te maken.'

'Ik zei al dat het prima met me gaat. Waarom kun je me niet gewoon vertrouwen?'

Celeste veegde een traan van de wang van haar nichtje. 'Besef je wel dat er mensen zijn die overlijden aan eetstoornissen?'

'Dat zal mij niet gebeuren.'

'Misschien niet meteen, maar je richt wel steeds meer schade aan je maag aan, Tawn. En wat dan? Er zijn gezonde manieren om af te vallen, schat. En ik wil je graag een eindje op weg helpen. Maar je moet hiermee stoppen. Als je dat niet kunt, dan moeten we hulp gaan zoeken.'

Het meisje klonk wanhopig. 'Ik zei al dat ik ermee zal stoppen. Dat beloof ik!'

Celeste keek het meisje recht in de ogen en knikte toen. 'Oké, Tawn. We proberen dit op jouw manier, tegen mijn beter weten in, maar weet dat ik je hierover op de huid blijf zitten. Ik laat het er gewoon niet bij zitten. En jij moet me beloven dat je volkomen eerlijk tegen me zult zijn. En als ik het gevoel krijg dat je dat niet bent, dan is dat het einde van onze afspraak en komt je vader in beeld. Afgesproken?'

'Ja, maar ik beloof dat ik het niet meer zal doen.'

'Soms is het moeilijk om te stoppen met dingen waarvan we weten dat ze slecht voor ons zijn. Onthoud, als je tegen de verleiding vecht, dat je het aan God moet overgeven, Tawn, en dat je Hem moet vragen om op dat moment je bron van kracht te zijn. Onthoud dat Hij ons nooit meer verleiding geeft dan we aankunnen. Doe je dat?'

'Ja.'

Ze stond op van het bed, bukte zich en kuste haar nichtje op het voorhoofd. 'Ik zal voor je bidden, schat. Ik ben er altijd voor je als je me nodig hebt. Oké?'

'Oké.'

'Slaap lekker, dan.'

'Trusten.'

Ze liep naar haar eigen kamer, sloot de deur achter zich en leunde ertegenaan in een moment van mentale uitputting. Had ze de situatie op de juiste manier aangepakt? Had ze het juiste gedaan door ermee in te stemmen dit voor Scott achter te houden? Wat als Tawnya haar vinger in haar keel bleef steken, ondanks haar belofte om ermee op te houden? De zorgen vielen haar van alle kanten aan en ze viel op haar knieën naast het bed neer.

God, ik weet niet of ik het juiste heb gedaan of niet. Ik maak me zo veel zorgen om haar. Blijf alstublieft heel dicht bij Tawnya en help haar Uw aanwezigheid te voelen. En geef me wijsheid en leiding, zodat ik op een positieve manier invloed kan hebben op Tawnya's leven. Dank U, Vader. En, Heer, zegen Scott en Rach alstublieft. En moeder en Ty. Bescherm hen en zorg voor hen. Amen.

Over twee dagen zou Tawnya weer naar huis gaan en zou de logeerkamer weer leeg zijn. Ditmaal viel de eenzaamheid, die haar enige gezelschap zou zijn als het meisje eenmaal weg was, niet te ontkennen.

Ze werd plotseling overvallen door een onverklaarbaar verdriet en terwijl ze de tranen uit haar ogen knipperde, legde ze haar pijn aan God voor.

Wat doe ik hier helemaal alleen? Is dit echt Uw weg voor me, Heer? Waarom voel ik deze ontevredenheid in mijn leven? Waarom ben ik plotseling zo eenzaam, Vader? God, ik wil niet meer alleen zijn. Laat me alstublieft zien wat ik met mijn leven moet doen. Wandel met me mee, begeleid me. Help me mijn leven door Uw ogen te zien. Dank U, Heer. Amen.

15

De volgende avond reed Scott na opnieuw een zinderend hete dag in de maaidorser naar huis met maar een ding in zijn hoofd: zijn kast overhoop halen in de hoop iets te vinden om zaterdagavond aan te trekken. Hij kon zich de laatste keer dat hij zich netjes had aangekleed, en iets om zijn uiterlijk had gegeven, niet herinneren. Hij was bijna net zo behaard om de oren als Skip en maakte een afspraak met zichzelf om nog even langs de kapper te gaan.

Hij was nog maar nauwelijks door de voordeur binnengekomen toen de geur van pasta zijn maag flink deed rommelen. Hij ging de keuken binnen, begroette zijn zoon, die al aan tafel zat met een bord vol spaghetti, gemengde salade en een geroosterd knoflookbrood. Hij waste grondig zijn handen, deed de ovendeur open en pakte de spaghetti. Toen haalde hij een bord uit het kastje boven het aanrecht.

Hij ging aan tafel zitten bij zijn zoon, die zwijgend verder at. Toen Ty klaar was, nam hij zijn bord mee naar de gootsteen, spoelde het af en zette het in de vaatwasser. Terwijl hij tegen het aanrecht leunde, vroeg hij: 'Heb je plannen voor vanavond, pap?'

'Alleen maar wat administratie. En ik moet uitzoeken of ik iets geschikts heb om zaterdagavond aan te trekken.'

Bij de vragende blik van zijn zoon legde hij uit dat Celeste zou komen koken. 'Je weet toch dat je met ons mee mag eten, hè?'

Een blik van weerzin verscheen op Ty's gezicht. 'Nee, dank je.

Waarom maakt ze zich trouwens plotseling zo druk?'

'Ik denk dat Celeste er spijt van heeft dat ze er niet was in al die jaren voordat je moeder ziek werd. Ze wil helpen door dingen voor je zus te doen, maar ook voor jou.'

Ty sneerde op verafschuwde toon: 'Wat mij betreft moet ze zich er niet mee bemoeien. We redden het prima zonder haar.'

'We zijn niet de enigen die mama zijn kwijtgeraakt, Ty. Celeste heeft haar zus verloren en ik denk dat dat nog maar kortgeleden tot haar doorgedrongen is.'

Ty schudde zijn hoofd en antwoordde: 'Het is niet mijn schuld dat ze al die jaren nooit geweest is. Het spijt me, maar ik denk dat het gewoon een excuus van haar is om naar Shuksan te komen en met haar geld en dure auto iedereen te imponeren.'

Het kostte Scott moeite zich in te houden. 'Je kent haar echt niet als je dat denkt, Tyler. Hoe dan ook, waar je tante haar geld aan uitgeeft is haar zaak en absoluut niet de jouwe. Ze probeert te helpen, Ty, en ik wil niet horen hoe je haar zwart maakt terwijl ze je zus met al die dingen helpt. Je gedraagt je als ze er is, en zelfs als ze er niet is. Is dat duidelijk?'

Terwijl hij van het aanrecht af gleed, mompelde Ty: 'Het zal wel.'

'Ik meen het, Tyler.'

'Wat levert jou dit eigenlijk op? Wat bijzondere aandacht als Tawn en ik niet thuis zijn?'

Verbijsterd en toen woedend ging Scott vlak voor zijn zoon staan. Met hun neuzen bijna tegen elkaar aan gromde hij tussen zijn opeengeperste kaken door: 'Ik ben je moeder nooit ontrouw geweest, Tyler. Zolang ze leeft is ze mijn vrouw en ik heb een belofte gedaan aan haar en aan God. Ik ben van plan me aan die belofte te houden. Als ik dat soort vuilspuiterij nog eens uit jouw mond hoor komen, ben je een maand lang je truck kwijt. Begrepen?'

Ty wendde uiteindelijk zijn blik af en mompelde: 'Ja, hoor.'

Nadat Ty de keuken had verlaten, schoof Scott zijn stoel bij de tafel vandaan, wilde gaan zitten, bedacht zich toen en schoof de stoel zuchtend weer op zijn plaats. Waren zijn toenemende gevoelens voor Celeste duidelijk voor iedereen? Of haalde zijn zoon alleen maar uit op een manier die te verwachten was van een zeventienjarige die niet wilde dat een andere vrouw de plaats van zijn moeder in zou nemen?

De jongen probeerde hem helemaal gek te maken, daar kwam het op neer. Vandaag voelde het alsof hij er nog in zou slagen ook.

Ty's stem klonk vanuit de gang. 'Ik ga even weg.'

Verbaasd wierp Scott een blik op zijn horloge en vroeg: 'Nu? Is het niet een beetje laat?'

'Zo laat is het niet, pap, en ik blijf niet lang weg. Ik moet alleen even naar Dwight. Ik ben voor middernacht terug.'

'Nou, kun je hem niet gewoon even bellen?'

Ty schoot in de verdediging en riep uit: 'Kom op, pap! Je zou denken dat ik nog maar zeven was in plaats van bijna achttien! Ik heb me de hele zomer uit de naad gewerkt voor het minimumloon en over anderhalve week begint de school alweer! Ik vraag toch niet of ik naar Wenatchee mag gaan?'

Scott hief ten overgave zijn handen op en zuchtte: 'Prima, ga maar. Vergeet alleen niet dat het al snel weer zes uur is.'

'Dat weet ik.'

'Rijd voorzichtig, Tyler.'

De hordeur klapte tegen de muur van de veranda. Even later kwam de Dodge tot leven en na een flits van de koplampen was het buiten weer stil.

Nu de rust was weergekeerd, wierp Scott een blik op zijn afgekoelde eten. Hij had niet veel trek meer. Na wat er was overgebleven van de spaghetti in een Tupperware bakje te hebben gedaan en de pan te hebben gevuld met water om te weken, deed hij het keukenlicht uit en nam het bord door de gang mee naar zijn kantoor. Hij besloot dat hij net zo goed even aandacht kon besteden aan de financiële administratie op de computer, dus hij startte hem op en haalde een spreadsheet tevoorschijn.

De inhoud van de spreadsheet leek voor zijn ogen te dansen en de aanblik van de rekeningen die links van de computer lagen opgestapeld veroorzaakten alleen maar een knoop in zijn maag. Met een gesmoorde kreet van wanhoop trok hij de telefoon naar zich toe en voordat de moed hem in de schoenen zou zakken, toetste hij het inmiddels welbekende nummer. Toen haar stem aan de andere kant van de lijn klonk, trok de spanning weg en verdween de knoop in zijn maag. Ze spraken over niets bijzonders, totdat hij bekende: 'Ik ben best wel jaloers op de mannen met wie je werkt.' Hij voelde zijn wangen branden alsof hij een veertienjarige jongen was die toegaf verliefd te zijn op de aanvoerster van de cheerleaders.

'Jaloers? Waarom?'

'O, dat weet ik niet. Ik denk omdat ik je voor me zie met iemand die helemaal op en top gekleed is, die het spel beter speelt dan deze oude boer.'

Aangedaan antwoordde Celeste: 'Onthoud gewoon dat ik de voorkeur geef aan de "oude boer", niet dat ik het met jouw woordkeuze eens ben! Als je sommige van die mannen zag, zou je precies weten wat ik bedoel. Het zijn watjes, snap je? Misschien moesten sommigen van hen in hun jeugd het gras maaien en hun vader helpen banden te verwisselen, maar ze zijn voornamelijk nutteloos in huis. Sterker nog – een man moest zelfs iemand laten komen om het leertje van zijn badkamerkraan te vervangen. Hij had geen idee hoe dat moest!'

Toen hun gelach wegstierf, merkte Scott op: 'Maar vergeet

niet dat ze het zich kunnen veroorloven om dingen te laten doen. Als je dat niet kunt, leer je vanzelf wel hoe je het zelf moet doen, omdat het anders niet gedaan wordt. Maar als het op opleiding aankomt, winnen ze het op hun sloffen van me.'

'O, kom op! Het duizelt me als ik bedenk hoeveel dingen je moet weten om jouw bedrijf te runnen; reparaties van machines, weerpatronen, gewasziekten en alle andere dagelijkse dingen waar je mee te maken krijgt. Vergelijk jezelf nooit met iemand anders.'

Blij en een beetje beschaamd over haar lof, antwoordde hij: 'Ik moet elke avond gaan bellen zodat je me complimenten kunt geven!'

'Bel wanneer je wilt. Ik ben het nooit zat om met je te praten.'

'Insgelijks. Maar ik denk dat ik je maar weer moet laten gaan. Is Tawnya in de buurt?'

Ze grinnikte. 'Nee, ze zit buiten in de jacuzzi; daar zit ze al de hele avond in. Ze ziet eruit als een rozijn als ze zich er straks eindelijk uit los weet te weken.'

'Ja, ze is nogal verliefd geworden op dat bubbelbad. Nou, doe haar de groetjes van me.'

'Natuurlijk.'

Na nog een paar minuten van verboden lieve woorden kwam Tawnya uit de jacuzzi en wenste Celeste hem welterusten.

Zodra de hoorn de haak raakte, voelde hij zich nog eenzamer dan voor hun gesprek. Hij keek naar het computerscherm en gaf toe dat werken aan zijn financiële spreadsheet ongeveer net zo aanlokkelijk was als de vieze spaghettipan die in de gootsteen stond te weken. Helaas moesten beide taken uitgevoerd worden, maar gezien zijn huidige geestelijke gesteldheid was fysiek werk het enige waar hij toe in staat was. Hij zette de computer uit en liep het kantoor uit. Toen hij door de gang naar de keuken liep, bleef hij staan om te kijken naar de familiefoto's waarop ook Celeste stond.

Terwijl hij zich afvroeg hoe hij tot zaterdagavond moest overleven liep hij verder naar de keuken en stortte zich op de troep met de vurigheid van een manisch-depressief persoon in een manische periode. Hij stond tot aan zijn ellebogen in het sop met een schuursponsje de pan schoon te boenen en vroeg zich af waarom hij er niet aan had gedacht Ty de afwas te laten doen voordat hij wegging. Terwijl hij zijn natte voorhoofd met zijn arm afveegde, moest hij toegeven dat hij op dat moment met zijn hoofd ergens anders had gezeten, voornamelijk bij de inhoud van zijn kast.

Toen de keuken eindelijk weer enigszins ordelijk was, deed hij het licht uit en liep in het donker de trap op. Het moest al elf uur zijn en er was nog steeds geen spoor van Ty te bekennen. Over twee weken begon de school weer; dat zou zeker een einde maken aan de late avonden. Misschien. In de tussentijd werd het nog steeds behoorlijk vroeg weer dag en het werd met de dag moeilijker om die jongen 's morgens zijn bed uit te krijgen.

Leg die jongen dan beperkingen op – je hoeft geen genie te zijn om dat te bedenken, zei hij in gedachten vermoeid tegen zichzelf. Helaas leek hij vast te zitten tussen frustratie over Ty's toenemende onverantwoordelijkheid en zijn eigen schuldgevoel omdat hij die jongen de hele zomer afbeulde. Hij verdiende in elk geval wat geld, bedacht Scott. Toen hijzelf op de middelbare school zat, kreeg hij twintig dollar per maand zakgeld voor zijn werk in huis. Maar dat was natuurlijk nog in de middeleeuwen, toen je heel wat meer kon doen met twintig dollar. Hoewel zijn ouders een nieuwe betekenis gaven aan het woord zuinig, hadden ze het financieel bij lange na niet zo krap als hij op dit moment.

Zijn gedachten gingen naar de komende werkdagen. In dit

tempo, met hete, zonnige dagen en zonder dat er machines stuk gingen, zou nog een dag of drie voldoende moeten zijn om het werk op de boerderij van Heinemann af te ronden.

Tenzij de storm die dreigde tussen hem en zijn zoon voor die tijd losbarstte. Er was een getouwtrek gaande tussen de vijandigheid in Tyler en de frustratie in hemzelf en als Scott de situatie overzag, leek er geen evenwicht te zijn.

Hij was er zeker van dat er momenten van spanning en slechte communicatie waren geweest tussen hem en zijn vader, een ervan herinnerde hij zich zelfs. Hij was weer eens kattenkwaad gaan uithalen met Jim en toen hij en Rachel ruzie kregen, had hij besloten de nacht door te brengen bij Eagle Creek. Alleen hij, Jim en een half kratje bier. Ze hadden zich een stuk in de kraag gedronken; hadden het bier tot aan het laatste flesje opgedronken, al het snoep dat ze hadden ingepakt weggewerkt en elkaar verhalen verteld tot het kampvuur uitging. De ochtend was te fel en te vroeg geweest naar zijn zin. Hij had geholpen de troep op te ruimen, maakte het kampvuur goed uit en nadat hij Jim had afgezet bij zijn huis, was hij zelf naar huis gegaan, waar zijn vader met een grimmige blik op hem stond te wachten. De oude man had hem alleen maar aangekeken en gezegd: 'Ben je al flink over je nek gegaan, jongen?'

In de hoop zijn mannelijkheid tegenover zijn vader te bewijzen had hij pocherig gezegd dat hij zijn drank wel aankon. Zijn vader had hem vanonder zijn borstelige wenkbrauwen aangekeken met een blik die Scott niet kon thuisbrengen en hem opgedragen de stal schoon te gaan maken voor het hooi dat vanuit de velden zou komen voor de winteropslag. Met de hooivork in zijn handen, zinloos zwaaiend naar de vliegen die opgetogen rondzwermden bij de geur van mest, had hij een kruiwagen vol met mest en stro geladen. Hij was naar de tuin van zijn moeder gereden en daar had zijn maag hem in de steek gelaten. Onmiddellijk viel hij op zijn knieën en dacht terug aan de woorden die hij zijn vader had toegesnauwd. Hij bleef een paar minuten op het gras liggen, tot hij er vrij zeker van was dat zijn benen zijn gewicht weer konden dragen. Terwijl hij overeind krabbelde, met een bleek gezicht en een slap gevoel, had zijn vaders hand hem bij de elleboog gepakt en verder overeind getrokken voordat zijn maag zich opnieuw omkeerde. Toen ervoer hij de ellende van het fenomeen kater voor het eerst. Zijn vader had zwijgend toegekeken en toen Scott opnieuw rechtop stond, had hij alleen maar opgemerkt: 'Je verspilt de dag, zoon. Schiet op, dan ben je misschien klaar tegen de lunch.'

Ze hadden het nooit meer gehad over de gebeurtenissen van die ochtend of die van de voorgaande nacht. Zijn vader was het stereotype sterke, zwijgzame man geweest en hij geloofde heilig in het oude gezegde dat daden belangrijker waren dan woorden. Scott had delen van die filosofie toegepast op zijn eigen ouderschap; meestal konden levenslessen inderdaad veel beter geïllustreerd worden door de negatieve ervaringen van een kind dan door het onophoudelijke gezeur van een ouder tegen het uitgeschakelde bewustzijn van dat kind.

Alleen leek het bij Ty niet te werken. Meestal vroeg Scott zich af of zijn zoon überhaupt wel enige aandacht aan hem besteedde afgezien dan wanneer hij zijn loon kreeg.

De vraag die gesteld moest worden, was: wiens schuld was dat? Zeker niet die van Ty. Nee, de verantwoordelijkheid lag volledig bij hemzelf, een vader die het grootste deel van de pubertijd van zijn zoon was opgegaan in verdriet en boosheid. Nu hij aan zijn eigen vader terugdacht, werd Scott overvallen door een nieuw gevoel van onmacht en schaamte.

Ik ben niet half de vader die de oude man was.

Ik doe mijn best, verdedigde hij zichzelf. *Deze jongen staat niet echt open voor mijn pogingen om bij zijn leven betrokken te zijn.*

Maar misschien probeerde hij het niet genoeg.

Hij kleedde zich in het donker uit en liet zich uitgeput op de matras vallen. Hij keek uit het raam en zag de maan helder tussen de sterren schijnen. Hij vroeg zich in stilte af of Celeste misschien op hetzelfde moment naar de maan keek, vanaf haar balkon met uitzicht op Lake Washington.

Zijn laatste gedachte voordat hij in slaap viel was dat hij haar tegen de tijd dat de maan vol was weer zou zien en hij wenste vurig dat de dagen tot het weekend snel zouden verstrijken. Hij sloot zijn ogen en bad. Hij dankte God voor de productie van die dag en voor het feit dat er geen problemen met de machines waren geweest. Hij bad voor zijn kinderen en voor Rachel. Uiteindelijk bad hij om wijsheid en leiding als de relatie tussen hem en Celeste steeds meer zou groeien.

Hij sliep diep in, badend in het zilveren licht van de maan en werd zelfs niet wakker toen Ty's truck het erf op reed.

16

'Ik zeg je, hij maakt me af, man. De zomer is voorbij en het enige wat ik eraan overgehouden heb is spierpijn.'

Dwight nam een flinke teug uit de fles voordat hij hem aan Tyler gaf. 'Je krijgt toch betaald?'

'Ja, het minimumloon en dan zorgt hij er ook nog voor dat ik er een deel van op de bank zet.'

'Jij hebt tenminste werk. Gelukkig ook maar, anders zouden we geen geld hebben voor de goede dingen.' Zijn vriend haalde een sigaret uit het verfrommelde pakje dat op het dashboard lag en zocht in zijn zakken naar een aansteker terwijl de peuk tussen zijn lippen bungelde.

Tyler keek toe hoe zijn vriend de sigaret opstak en zijn humeur zakte opnieuw tot een dieptepunt toen hij bedacht dat hij, als de enige van de jongens met een baan, de rekening voor de leuke dingen altijd voorgeschoteld kreeg. Het begon hem dwars te zitten, het feit dat ondanks dat ze hem wel bedankten voor zijn vrijgevigheid, niemand anders geld had voor de flessen whisky of wat ze ook haalden voor de avonden. De truck zoop ook en de benzinemeter gaf om de paar dagen een sombere boodschap. Dat was ook zoiets; je zou denken dat pap hem de benzine af en toe wel zou vergoeden, aangezien hij meestal naar de werkplaatsen reed. Maar nee, alles wat hij kreeg als reactie op wat een heel redelijk verzoek had geleken, was: 'Het is je eigen keuze om te rijden, Tyler. Je mag best met mij meerijden.' Ja, hoor. De meeste dagen bleef zijn vader tot lang na zonsondergang in het veld en daar paste hij voor. *Hij* haalde tenminste alles uit een leven, in tegenstelling tot anderen die hij kende.

Dwight sprak weer en trok zijn aandacht terug naar het heden. Ty hoorde hem zeggen: 'Het is hoog tijd voor een tochtje naar Seattle, hè? Naar de Déja Vu? Wat dacht je ervan?'

Ja, dacht Ty geïrriteerd, en dan voor vier personen betalen zeker. 'Deze keer legt iemand anders wat geld op tafel, want ik ga niet weer alles dokken. Denkt er ooit iemand aan de vele uren die ik werk om die poen te verdienen?'

'Nooit echt over nagedacht.'

'Nou, dan begin je er nu mee. Trouwens, waarom neem je zelf geen baan? Ze nemen je vast wel aan om hamburgers te bakken bij Alpine.'

Dwight rolde met zijn ogen. 'Man, je maakt me depressief. Als je toch niet gaat drinken, geef die fles dan hier.' Ty gehoorzaamde en keek toe hoe zijn vriend een flinke slok nam en zijn mond afveegde. 'Heerlijk.'

Dwight draaide zich om in de passagiersstoel en frommelde onder de stoel. Toen haalde hij triomfantelijk een bus wonderspray tevoorschijn.

Geschrokken greep Tyler naar de bus. 'Kom op, man. Vanavond niet.'

Dwight hield de bus buiten Tylers bereik en nam genoegen met een compromis. Hij draaide het passagiersraampje omlaag.

'Niet doen, Dwight. Je raakt nog eens gewond, man.'

'Kop dicht, Parnell.' Er klonk een ruwe genegenheid in zijn stem. 'Jij maakt je hersencellen op jouw manier kapot, ik op de mijne.' Hij stak de spuit in zijn mond, drukte op de zuiger en ademde diep in. Even hoestte hij; de bus viel, vergeten, op de grond van de cabine.

'Alles goed, man?' Hij vond het vreselijk als Dwight dit deed. Het was gevaarlijk en, nog erger, giftig. 'Dwight?'

Met zijn hoofd tegen de achterkant van zijn stoel rolde Dwight langzaam zijn nek richting Ty. De vergrote pupillen deden de blauwe ogen bijna zwart lijken. Met langzame, schokkerige bewegingen klopte hij op de stoel aan weerskanten van zijn lichaam. 'Ik kan de bus niet vinden.'

Hoofdschuddend bukte Ty zich en pakte de bus vanonder Dwights schoenen vandaan. Toen stopte hij hem weg achter zijn eigen stoel. 'Genoeg, Dwight. Kom, ik breng je naar huis.'

'Thuis... ja... dat ouwe mens is nu waarschijnlijk wel van de wereld... veilig.'

Terwijl hij de stad in reed besloot Ty dat het enige wat erger was dan een moeder hebben die meer dood dan levend was, was om er een te hebben die haar kinderen als fysieke en psychische boksballen gebruikte. Dora Phillips was al tweemaal gescheiden, verbitterd door de teleurstellingen van het leven en het leek haar niets te doen dat ze gezien werd als de grootste feeks van Shuksan. Het was een harde, venijnige vrouw met gebleekt blond haar en smalle trekken, die achter de kassa bij Harvest Foods werkte. Hij was al met Dwight bevriend sinds de kleuterschool en was al bang voor die vrouw sinds hij de eerste keer een nacht in dat huis doorbracht.

Nu de gesprekken gestaakt waren, keerden Ty's gedachten terug naar hun laatste tocht naar Seattle en in het bijzonder, de rit naar huis. Ze waren maar met z'n drieën geweest: hij, Dwight en Curtis. Ze waren nogal bezopen en hij had geweten dat hij niet meer naar huis kon rijden. Dus nadat ze North Bend achter zich hadden gelaten en over de pas de bergen in waren gereden, had hij de auto stilgezet op een zijweggetje. De andere jongens sliepen, of waren bewusteloos, en hij had zijn ogen gesloten en was ook in slaap gevallen. Ze waren wakker geworden door een late lentesneeuwstorm, geen grote verrassing, maar niet iets waar hij op voorbereid was. Geen kettingen, geen schep, geen manier om hen uit te graven. Ze waren te voet terug naar de hoofdweg gestrompeld en hadden gelift naar North Bend waar hij, omdat hij geen idee had wat hij anders moest doen, zijn vader had gebeld. De oude man was niet bepaald blij geweest, maar hij was hen op komen halen bij het benzinestation. Toen was hij ergens met hen gaan ontbijten en vervolgens had hij Ty's truck uit de sneeuw getrokken en was hij hen naar huis gevolgd.

Niet echt een slimme actie, Tyler, maar ik verwacht dat je er iets van leert.

Dat was zijn vader: *'Het leven zit vol met levenslessen; het is aan ons of we er iets van leren of nog zwaardere lessen krijgen.'*

Het leven van zijn vader ging niet over rozen, besefte Tyler. Zijn vrouw zo ongeveer verliezen voor zijn veertigste, achterblijven met twee kinderen en een boerderij, hoewel er niet veel meer van de boerderij over was. En mam, die daar in Fircrest lag en bijna elke cent kostte die zijn vader verdiende. Waarom was die ouwe nog niet doorgedraaid?

Niet voor het eerst vroeg Ty zich af waar het allemaal zou eindigen; pap, mam, hijzelf, Tawnya. Pap was de enige die het zwaard van Huntington niet boven zich had hangen en ineens besefte hij dat dit weleens de reden kon zijn waarom hij zijn vader niet mocht.

Hij had op de automatische piloot gereden en merkte tot zijn verbazing dat ze al bij het huis van Dwight waren aangekomen. Hij zette de auto in parkeerstand en schudde aan de schouder van zijn vriend. 'Hé, man, wakker worden. Je bent thuis.' Terwijl Dwight zich bewoog en kreunde, zag Ty de voordeur opengaan en Dora verscheen blootsvoets op de veranda, gekleed in een aftandse blauwe badjas. Bij het zien van de truck sloeg ze de badjas om zich heen, marcheerde de trap af en gooide de passagiersdeur open.

'Hallo, mevrouw Phillips.'

De vrouw negeerde hem, zette haar vuisten in haar zij, haalde diep adem en begon haar zoon uit te foeteren. 'Kom uit die wagen, luie nietsnut. Waar ben je in vredesnaam geweest? Ik heb geen sigaretten meer.'

Dwight kwam iets bij zinnen, pakte het pakje van het dashboard en gaf dat aan zijn moeder. 'Alsjeblieft.'

'Wat is dit? Er zitten maar drie sigaretten in dit pakje. Wat heb ik daar nou aan? Je bent waardeloos, weet je dat? Jij en die jongen van Parnell, allebei een stelletje mislukkelingen.'

Met een verkrampte maag zei Ty: 'Tot kijk, man.'

'Ja, tot kijk.' Dwight deed de deur dicht en liep met zijn moeder de stoep op, die hem een flinke stomp in de rug gaf toen ze de trap op liepen.

Ty bleef een paar minuten zwijgend in de wagen zitten nadat de voordeur was dichtgegaan en de buitenlamp was gedoofd.

'Luie nietsnut. Je bent waardeloos, weet je dat?'

Dwight was achttien jaar en zijn moeder sloeg hem nog steeds, met vuisten en met woorden. Ty vermoedde dat de vuisten uiteindelijk nog het beste van de twee waren. Blauwe plekken genazen. Woorden konden iemand lang bijblijven.

Terwijl hij naar huis reed, vergeleek hij in gedachten hoe zijn vader alles had laten liggen om twee uur te rijden om hem uit de sneeuw te trekken met de scène die hij zojuist had gezien bij Dwights huis. Hoe ging hij daarmee om? Goed, hij was een feestbeest, kon er jongens van twintig jaar ouder uit drinken, maar het leek nooit genoeg te zijn. Nu snoof hij en dat beangstigde Ty, hoewel het niet stoer was om dat te zeggen. In plaats daarvan probeerde hij de boel goed in de gaten te houden en meestal zorgde hij ervoor dat hij geen spuitbussen in de wagen had liggen, maar hij was de wonderspray vergeten. Pap had hem er gisteren voor naar huis gestuurd omdat een van de pompen vast zat. Hij had achteraf niet weer terug naar huis willen gaan en had de bus onder zijn stoel gelegd. Hij moest de volgende keer gewoon nog voorzichtiger zijn, dat was alles.

Ze moesten snel weer eens naar Seattle gaan, Dwight kon waarschijnlijk wel een verzetje gebruiken.

Ty herinnerde zichzelf er nogmaals aan dat hij uiteindelijk het beste scenario van de twee moeders had.

Maar het is niet eerlijk. Mam was een goed mens, niet iemand die mishandelde zoals mevrouw Phillips. En toch is mam degene die luiers draagt – degene die van haar man en kinderen hield. Het is gewoon niet eerlijk.

Ja, ze moesten de DéjaVu echt binnenkort weer 'doen'. Dwight was niet de enige die wel een uitstapje kon gebruiken. Misschien kon Dave van de Golden Harvest wat sterke drank voor hen regelen. Was er geen oud gezegde, iets over plezier zoeken waar je het kunt vinden? *Zoekt en gij zult vinden.* Tyler zette de truck naast die van zijn vader en besloot om net zo lang en zo hard te zoeken als nodig was. Alles wat hielp om de scherpe kantjes eraf te halen was prima voor hem. Behalve snuiven. Nu hij er weer aan dacht pakte hij de wonderspray achter de stoel vandaan, legde de whisky onder de stoel en sloot zachtjes het portier. In het stille maanlicht bracht hij de bus bij zijn neus en liet hem vol afschuw weer zakken. Het rook naar, nou ja, *chemicaliën*. Hij moest binnenkort echt een keer met Dwight gaan praten. Zodra ze allebei eens nuchter waren. Waarschijnlijk niet dit weekend trouwens, vanwege de kermis. Maar er zou wel een kans komen. Misschien als de scholen waren begonnen. Het had geen zin om Dwight tegen het einde van de zomer van streek te maken.

Hij voelde zich beter nu hij een actieplan bedacht had en hij praatte zachtjes tegen Skip. Toen liet hij zichzelf het donkere huis binnen en beklom de trap richting het geluid van zijn vaders gesnurk.

Toen hij een blik op de digitale wekker op zijn nachtkastje

wierp, kreunde hij; alweer één uur. Die ouwe zou hem wakker komen maken om half zes en hij zou geen medelijden hebben met zijn slaaf die maar vier uur geslapen had. Absoluut niet.

Hij bedacht nogmaals wat een hekel hij aan landbouwen had, sloeg toen vol overgave op zijn kussen en wendde zijn gezicht naar het heldere licht van de maan. *Bijna vol,* merkte hij slaperig op en toen zakte hij weg.

17

De zaterdagmiddag was warm met een strakblauwe lucht, perfect weer voor de kermis en de rodeo. Celeste lag op haar oude bed en dacht na over de avond die zou komen. Ze zou vanavond bij Scott zijn. De laatste weken was ze heen en weer geslingerd tussen plezier over hun toenemende band en ongemak vanwege dat plezier. Wat was het protocol voor het omgaan met aantrekkingskracht tussen een alleenstaande vrouw en de man van haar enige zus, nu die zus ongeneeslijk ziek was en niet meer bij kennis leek te komen? Wanneer ze er rustig over nadacht, zei ze tegen zichzelf dat de situatie belachelijk was en beloofde ze zichzelf dat ze Scott uit haar hoofd zou zetten, dat ze de telefoon 's avonds zou laten rinkelen in plaats van er als een klein kind heen te rennen om op te nemen. Maar ondanks al haar goede bedoelingen gingen haar gedachten steeds weer naar hem uit en haar gevoelens werden sterker met de dag, met elk telefoongesprek. Ze bracht de situatie dagelijks in gebed en vroeg om leiding en twijfelde aan de juistheid van haar toenemende gevoelens voor de enige man aan wie ze niet eens op deze manier zou mogen denken.

Het zou wel extreem ironisch zijn als degene die God voor haar in gedachten had al een lid van haar familie zou zijn. Het zou op incest kunnen lijken, maar ze herinnerde zichzelf eraan dat ze geen familieleden waren en dat zelfs haar band met Ty en Tawnya vooral emotioneel was in plaats van een bloedband. Toch was een deel van haar van streek door de ongebruikelijkheid van de situatie.

Zou het niet gemakkelijker zijn, minder ingewikkeld, God, als de man die U voor me hebt gekozen iemand is die nieuw in mijn leven is, iemand met wie ik een nieuwe relatie op kan bouwen, zonder alle bagage, zonder de familiecomplicaties die uiteindelijk zeker zullen komen?

Misschien liep ze trouwens toch op de zaken vooruit. Zelfs als hij hetzelfde voor haar voelde als zij voor hem, was hij niet in de positie om iets met die gevoelens te doen, laat staan een bepaalde verbintenis aan te gaan. En dan waren er nog de kinderen, die een groot deel van zijn leven waren en die hadden al genoeg problemen. Het was dus een onmogelijke zaak; ze konden niet met een schone lei beginnen en samen hun weg vinden. De weg was al geplaveid en begaan. Zij zou degene zijn die moest leren door de bochten van die weg te manoeuvreren en omgaan met de risico's van de andere bewandelaars, tijden van slecht zicht en waarschijnlijk talloze gaten in de weg.

Wanneer ze echt nadacht over alle gevolgen van een vaste relatie met Scott deinsde ze soms voor het vooruitzicht terug. Dat was op de momenten waarop ze vastbesloten was de relatie te laten bekoelen, maar haar vastbeslotenheid hield nooit stand. Op de een of andere manier bleef ze vrede in haar hart ontvangen na alle gebeden die ze uitgesproken had. In een andere situatie zou ze hieruit hebben opgemaakt dat ze de vrede van God ervoer en zou ze het pad blijven bewandelen, maar hoe kon ze dat in deze situatie doen? Scott was al getrouwd.

Gisteravond had ze eindelijk eerlijk met Ana gepraat en het verhaal van haar groeiende relatie met haar zwager gedeeld, terwijl ze ondertussen goed zocht naar tekenen van afkeer of veroordeling bij haar vriendin. Deze had ze echter niet gevonden. Ana was pragmatisch en gezegend met een eenvoudig en op de een of andere manier ouderwets gezond verstand en gaf vaak geweldige inzichten vanuit haar sterke geloof in God. Op een Bijbelstudie een aantal jaren geleden was het onderwerp de hemel geweest en of een christen bij zijn dood onmiddellijk naar zijn of haar hemelse thuis ging, of vredig bleef slapen totdat de Heer bij de opname terugkeerde om hem of haar mee te nemen. Er was een geanimeerde discussie gaande binnen de groep, totdat Ana had gesnoven en aangekondigd: 'Daar kan ik me niet druk over maken, dat is Gods zaak. Als Hij zegt dat ik de eeuwigheid bij Hem zal doorbrengen, dan is dat goed genoeg voor mij. Ik kan me geen zorgen maken over het moment waarop de bus vertrekt!'

Er was even een stilte geweest, toen klonk er gelach en overal knikten hoofden.

Ana had absoluut een manier om het kaf van het koren te scheiden bij problemen. Als iemand Celeste een eerlijke mening over de situatie met Scott kon geven, dan was het Analiese wel.

Dus nadat de meisjes van tafel waren gegaan had ze alles eerlijk verteld, zonder iets achter te houden. Ze sprak over de angst voor haar moeders reactie, als en wanneer de tijd kwam dat ze hun relatie bekend zouden maken. Ze vertelde over de zorgen die ze had over het op zich nemen van de rol van stiefmoeder voor de kinderen, terwijl haar rol als tante tot voor kort afstandelijk was geweest.

En ten slotte haar diepste en meest geheime angst. Wat als God Rachel *wel* met Zijn genezende hand aan zou raken? Wat als, na al die tijd, Rach opstond uit haar ziekbed en weer terug wilde komen in de levens van haar man en kinderen?

Wat zouden ze in vredesnaam doen in zo'n situatie? Diep in haar hart wist ze hoe Scott op een dergelijk scenario zou reageren; hij zou zijn vrouw weer verwelkomen, ook al deed het hem misschien pijn. De vraag waarmee ze zichzelf kwelde was of, en hoe, ze zo'n ervaring zou overleven. Ze was heel bang dat ze dat niet zou kunnen, of het in elk geval niet zou willen.

Ana luisterde zwijgend, leunde toen achterover in haar stoel en trok een wenkbrauw op naar haar vriendin. 'Dus dit gebeurt er als je naar huis gaat voor het weekend, hè? Het lijkt wel of ik je geen minuut alleen kan laten. Je weet dat ik maar een grapje maak, toch? Ik denk dat ik gewoon verrast ben, dat is alles. Ik zou nooit geraden hebben dat je een oogje op iemand had. Je hebt het tot nu toe aardig goed voor je gehouden, maar ik ben blij dat je toch het gevoel gekregen hebt dat je er met mij over kon praten.'

Celeste voelde een blos naar haar wangen stijgen en antwoordde: 'O, Ana, het is niet zo dat ik dit voor je wilde verzwijgen. Het is gewoon... nou, ik weet het niet. Ik denk dat ik gewoon net deed of het niet echt was en zolang ik er niet over praatte, was het alleen maar *iets* wat Scott en ik voelden. Zodra ik ergens over praat, wordt het echt. Ik denk dat ik er tot nu toe gewoon nog niet klaar voor was. Maar nu heb ik echt advies nodig, wat wijze woorden. Dus, ben ik gek? Ben ik helemaal doorgedraaid?'

'Ik denk dat we er soms niets aan kunnen doen van wie we houden.' Er gleed een schaduw over het gezicht van haar vriendin toen ze sprak en Celeste wist dat ze dacht aan haar eigen mislukte huwelijk, het einde van haar hoop en dromen die haar zo dierbaar geweest waren. 'Ik denk dat ik je gewoon eerlijk moet vragen of je de hand van God hierin voelt, Cellie? Hoe zit het met Scott? Bidt hij ook? Ja? Nou, dat is goed en het is goed dat jullie met elkaar over jullie geloof praten. Ik denk dat dat het belangrijkste is, dat jullie eerst een relatie met Christus delen.'

Celeste knikte. 'Het is zo'n geweldige omslag, Scotts terugkeer naar God. Hij is een heel sterk persoon, Ana, en ik heb gewoon zo veel respect voor hem, dat hij zich al die jaren zo sterk heeft gehouden. Hij en Rachel hadden een fantastisch huwelijk en ik denk dat dat me ook beangstigt; als we er wel mee verder gaan, wat gebeurt er dan als ik niet aan haar kan tippen? Ik bedoel, ik heb *totaal* geen ervaring met het huwelijk.'

'Hebben we het over seks?'

Celeste voelde zich rood worden en knikte. 'Natuurlijk, dat ook, maar dat niet alleen. Ik heb een hekel aan tuinieren. Ik heb niets tegen ingeblikte groente en fruit uit de supermarkt. Ik kan niet naaien. Ik zal niet mijn eigen gordijnen maken of 's morgens dekens maken met de andere vrouwen. En ik weet wel zeker dat ik geen ervaring heb in de omgang met tieners, vooral niet met tieners met problemen zoals Scotts kinderen hebben. Het lijkt allemaal zo overweldigend, maar dan kom ik weer bij de basis, mijn gevoelens voor Scott. En al het andere lijkt te vervagen totdat ik mezelf eraan herinner wat ik me op de hals haal. Voeg daar het feit aan toe dat Rachel leeft en Scott nog steeds haar man is en dan vraag ik me af wat ik eigenlijk aan het doen ben.'

Ana schudde haar hoofd. 'Het klinkt alsof je je afvraagt of je wel goed genoeg voor Scott bent?' Toen Celeste knikte, ging ze verder. 'Dat is een weg die nergens toe leidt, meisje. Je kunt Rachels plaats niet innemen, Celeste, omdat God je als een uniek persoon gemaakt heeft. Ik zeg niet dat er geen aanpassingen nodig zouden zijn. Maar het feit is dat jij Rachel niet bent en dat weet Scott. Hij zou niet van je verwachten dat je Rachel bent, Celeste, als hij van *jou* houdt.'

Een groepje giechelende tienermeisjes liep langs de tafel en Celeste dacht even over Ana's woorden na. Zoals ze al verwacht had, had Ana geholpen orde in haar gedachten te scheppen. Ze haalde diep adem en stelde de laatste vraag waar ze al een tijdje mee rondliep. 'Weet je nog al die vrijdagavonden dat we samen aten, Tori dan in de kinderstoel zetten en samen baden?' Toen Ana knikte, ging ze verder. 'Jarenlang hebben we gebeden dat God iemand in allebei onze levens zou brengen, toch? Je weet hoelang ik erop heb gewacht tot de "ware" in mijn leven zou komen, hoezeer ik naar een man en een gezin verlangd heb. Nu ben ik bang dat ik het zo graag wilde dat ik mijn idealen op

Scott projecteer, omdat hij in mijn leven is. Wat als ik zo graag een man wil dat ik op hem gefixeerd ben? Ik bedoel, hij is nu kwetsbaar en eenzaam. Wat als we allebei alleen maar genoegen met elkaar nemen omdat we het alleen zijn zat zijn?'

Ana grinnikte. 'Ja, "de ware toen" tegen "de ware nu". Kom op, Celeste. Probeer je me te vertellen dat je zo graag een man wilt dat je je zwager moet versieren? Ik begrijp wat je zegt en ik weet dat ik mezelf hetzelfde af zou vragen, maar ik denk dat je hiermee moet stoppen en moet luisteren naar wat God echt tegen je zegt. Ja, we hebben veel gebeden en Hem gevraagd iemand in ons leven te laten komen. En ja, ik weet hoe graag je dit wilt. Dus dit is mijn advies, Celeste. Als jij en Scott allebei vragen of Gods wil gedaan mag worden in jullie levens en als jullie echt verliefd worden, vertrouw er dan op dat Hij weet wat Hij doet en vecht er niet tegen. Heb je er ooit bij nagedacht dat de reden dat je al die jaren hebt moeten wachten misschien is omdat God van plan was jullie samen te brengen? Scott en zijn kinderen hebben je nu nodig. Gods tijd is altijd perfect, zelfs als wij er niets van snappen. Dat denk ik, Celeste. Doe wat je denkt dat goed is. Houd gewoon de gebedskanalen open. En bid met Scott, jullie allebei. Bouw dit op het Fundament en wandel dan in geloof verder.'

Tranen welden op in Celestes ogen. Die wijze Ana, ze maakte het allemaal zo duidelijk. 'Je laat het zo gemakkelijk klinken, Ana.'

'Nee, ik heb nooit gezegd dat het gemakkelijk zou zijn, meid. Ik zeg alleen dat als God dit verlangen in je hart legt, je Zijn geschenk aan moet nemen en Hem moet vertrouwen dat Hij je draagt op de moeilijke momenten. "Wees stil en weet dat Ik God ben", toch?'

'Ik heb het moeilijk met het "Wees stil".'

'Wij allemaal toch, lieverd. Wij allemaal toch.'

Ze had haar gesprek met Ana met een opgelucht hart en vernieuwde hoop afgesloten. En vanavond zou ze Scott zien. Vrijdag had lang geduurd en bij elke kilometer die ze aflegde op de I-90 was ze meer naar hem gaan verlangen.

Nu, met de zon vlak boven de top van de bergen ten westen van de stad, klonk countrymuziek vanuit Rachels oude kamer, vermengd met de gesmoorde giechels van twee jonge meisjes. Omdat er die avond een feest zou zijn, hadden ze besloten dat het makkelijker voor de meisjes was om zich bij Catherine om te kleden en dan de avond in de stad door te brengen. Zo te horen raakten ze al helemaal in dansstemming, tot en met de countrymuziek die vanachter de gesloten deur klonk.

Ze trok een smalle spijkerrok aan die tot halverwege haar kuiten reikte en pakte toen het truitje waarover ze getwijfeld had. Ten slotte had ze besloten dat het niet te gekleed was voor een etentje waarvoor ze zelf achter het fornuis stond. Hij was zachtroze en had een V-hals. Het model accentueerde haar rondingen en gaf haar een wespentaille. Ze stond voor de spiegel en bekeek zichzelf met een kritische blik. Ze had zich in de afgelopen jaren voor genoeg etentjes opgetut, maar op de een of andere manier was ze vanavond zenuwachtiger dan ooit tevoren. Was ze te erg opgedirkt? Zou ze het gewoon alledaags moeten houden en een nette broek aantrekken? Wat als ze dat deed en Scott in iets chiquers verscheen? *Had* hij eigenlijk nog wel iets formeels in zijn kast hangen tegenwoordig? Wat als hij in een overall en met werklaarzen verscheen? Wat als hij niet echt degene was die ze dacht dat hij was en ze teleurgesteld zou zijn in de avond en al haar dromen verwoest werden? Wat als ze alle signalen helemaal verkeerd interpreteerde en hij alleen maar een zelfbereide maaltijd wilde?

Ze haalde diep adem en dwong zichzelf te ontspannen. *Onthoud dat je je vertrouwen op God hebt gesteld en dat Hij je naar dit moment gebracht heeft, in geloof, en dat je gelooft dat je precies bent waar je zou moeten zijn.*

Ze hing een gouden ketting met een kleine diamant om haar nek, deed een paar kleine gouden ringen in haar oren, bracht zorgvuldig haar make-up aan en spoot toen een paar druppeltjes parfum op. Ze deed een paar schoenen met lage hakken aan en merkte plotseling met vlinders in haar buik op dat, terwijl ze zich klaarmaakte voor de avond, de schemering was ingevallen.

Toen er op de deur werd geklopt, draaide ze zich bij de spiegel vandaan. Al babbelend kwamen de meisjes de kamer binnen en liepen rechtstreeks naar de spiegel. Dankbaar voor de afleiding van haar eigen gedachten leunde Celeste tegen de muur. 'Lieve help, kijk jullie nou eens! O, ja. Jullie worden echte hartenbrekers, vooral hier in de stad!'

Met een blos van blijdschap op haar wangen streek Tawnya verlegen over haar spijkerbroek, trok haar nieuwe blouse recht en boog zich naar de spiegel toe om haar mascara te controleren. Tante Celeste had haar geholpen met haar make-up, niemand zou haar nog uitlachen. Tevreden over haar uiterlijk, riep ze uit: 'Ziet Tori er niet prachtig uit?'

Celeste antwoordde: 'Ja, inderdaad. Jullie zien er allebei geweldig uit. Tori, meid, als je moeder je nu zou zien, zou het me grote moeite kosten te voorkomen dat ze je tot je vijfentwintigste in je kamer zou opsluiten.' De meisjes straalden en Celeste vroeg: 'Weet je zeker dat je het niet erg vindt om hier te slapen?'

'Nee, het is goed, want zo kunnen we later naar huis lopen. Het zal prima gaan.'

'Oké. Als ik nog niet terug ben als jullie thuiskomen, bel dan naar huis en laat je vader weten dat je veilig thuisgekomen bent.'

'Dat doen we.'

Precies op dat moment ging de bel en Celeste rechtte haar rug, pakte haar handtas en zei: 'Daar gaan we, jongens. Zeg tegen je vader dat ik er zo aan kom, Tawn.'

Terwijl de meisjes de trap af renden, staarde Celeste nogmaals in de spiegel. Dit was het dan. Na nogmaals een borstel door haar haar te hebben gehaald, deed het licht uit en sloot de deur achter zich. Boven aan de trap haalde ze diep adem en liep toen naar beneden. Toen ze onder aan de trap was, viel haar blik op Scott, die naast haar moeder stond. Bijna instinctief vonden haar ogen de zijne en even vervaagde alles, behalve de man onderaan de trap.

Scott voelde een blos op zijn wangen verschijnen en toen hij Catherines blik op zich voelde, probeerde hij normaal te praten. 'Hoi, Celeste.'

Zijn woorden waren misschien nonchalant, maar de warmte in zijn ogen verraadde hem. Plotseling verdwenen haar zenuwen en wist ze dat alles goed zou komen. Toen ze haar onrust van zich af voelde glijden, stapte ze, zich nog steeds bewust van haar moeders starende blik, de trap af. Een warmte stroomde door haar heen.

'Ook hallo. Je ziet er mooi uit.' En dat was ook zo. Hij droeg een nieuwe spijkerbroek, een paar glanzend gepoetste westernlaarzen en een jagersgroen, glad shirt, waarvan de mouwen tot aan zijn ellebogen waren opgerold. Ze vermoedde dat hij naar Ellensburg of Wentchee was geweest; ze herinnerde zich niet zoiets in Rumley's gezien te hebben de vorige maand. Het feit dat hij de moeite genomen had om dit te doen in zijn drukste periode ontroerde haar.

Ze wendde zich tot haar moeder en zei: 'Ik weet niet hoe laat we allemaal weer thuiskomen, maar blijf maar niet voor ons op, oké?'

Catherine nam niet de moeite hier met woorden op te reageren en wendde zich tot haar schoonzoon. 'Ik denk niet dat de meisjes naar dit feest zouden moeten gaan, Scott. Er is vast alcohol en ze zijn nog te jong om 's avonds laat uit te gaan.'

'Catherine, hier hebben we het al over gehad. Het zal prima gaan, niemand zal ze lastigvallen.'

Gefrustreerd dat ze de situatie niet in de hand had, vuurde de oudere vrouw haar laatste schot af. 'Ga je vanavond nog langs Fircrest?'

Met kalme stem antwoordde Scott: 'Nee, vanavond niet, Catherine. Ik ben ontzettend nieuwsgierig naar wat vrouwen in Seattle doorgaans koken. Over eten gesproken, zijn we klaar?'

'De koelbox staat op de veranda.'

Knikkend zei hij: 'Nou, Catherine, fijne avond. Bedankt dat de meisjes mogen blijven logeren.'

'Ik zie je morgenochtend, mam.' Celeste kuste haar moeder snel op de wang en volgde Scott en de meisjes toen de zomernacht in.

Toen Celeste Scotts truck zag, kreeg ze een idee. Ze rommelde in haar tas, vond haar sleutels en wierp ze Scott toe. 'Laten we de mijne nemen, Scott. De meisjes horen vanavond niet in de laadbak van een truck te zitten, toch?'

Grijnzend ving Scott de sleutels, ging zijn dames voor naar de Beamer en opende galant de passagiersdeur. Hij hielp de meisjes achter instappen en liet Celeste op de passagiersstoel plaatsnemen waarna hij de deur zachtjes dichtdeed. Terwijl hijzelf achter het stuur plaatsnam, bewonderde hij de luxe om zich heen; boterzacht leer, meer toeters en bellen dan een ruimtevaartuig en een geluidssysteem waar je u tegen zegt.

'Hij is wel veel lager dan mijn oude truck,' merkte hij op terwijl hij hem in zijn versnelling zette en het geronk van de motor waardeerde. 'Hier kan ik wel aan wennen.'

Celeste bleef recht voor zich uit kijken en flapte eruit: 'Sorry dat mam zo deed, Scott. Ik had moeten weten dat ze een paar steken onder water zou geven vanavond.'

Schouderophalend wimpelde hij haar zorgen af. 'O, zo is ze gewoon, Celeste. Ik denk dat ze iets oppikt, maar ze kan niets bewijzen, dus ze probeert de situatie gewoon onder controle te houden. Ik dacht er even aan om te vragen of ze mee wilde rijden naar de kermis, maar toen bedacht ik me.'

'Ja, gelukkig maar. Zie je haar daar al zitten, naar iedereen starend, scheldend op alle kinderen, terwijl ze zich gewoon ellendig voelt?'

'Nou, zoals ik al zei, ik *dacht* erover. Uiteindelijk denk ik dat ze zich thuis beter zal voelen.' Met een bewonderende blik vroeg hij: 'Heb ik al gezegd dat je er geweldig uitziet?'

'Ja, dat heb je al gezegd. En jij ziet er ook heel goed uit, Scott.' Ze keek naar zijn gespierde armen, gebronsd door de zon, en toen gleed haar blik naar zijn handen die het stuur omklemden. De aanblik van zijn trouwring herinnerde haar eraan dat zelfs iets onschuldigs als een etentje, met z'n tweeën in de grote keuken, een intimiteit vormde die misschien al te ver ging.

Het leek maar een paar seconden te duren voordat ze bij de kermis aankwamen en Tawnya trok aan Tori's arm. 'Kom mee, Tori. Ik moet mijn lippenstift bijwerken.'

Hoofdschuddend wierp Scott een verbijsterde blik op Celeste. 'Wat heb je eigenlijk met mijn kleine meisje gedaan? Ik herken haar tegenwoordig nauwelijks meer, make-up, ander kapsel, nieuwe vriendin. Ze lijkt ineens al zo volwassen.'

Celeste glimlachte. 'We hebben alleen de buitenkant iets opgepoetst, maar de grootste verandering zit in feite in haar zelfvertrouwen. En ik heb ervan genoten. Ik vond het heerlijk om haar beter te leren kennen.'

De rit naar de boerderij was kort en al snel parkeerde Scott voor het huis, stapte de auto uit, liep eromheen naar de passagierskant en maakte de deur open voor Celeste.

'Dank u, meneer.'

'Graag gedaan, mevrouw. Ik neem de koelbox wel mee. Ik hoop dat je genoeg hebt om een heel weeshuis te voeden. Ik ben uitgehongerd.'

'Zo niet, dan kan ik altijd nog wat vissenkoppen met rijst in elkaar flansen.'

'Ik denk dat ik wel tevreden ben met een broodje tonijn, als je het niet erg vindt.'

'Je zult wel moeten, want de visboer hield zelf de kop van de zalm toen hij hem inpakte.'

'O, natuurlijk, *hij* krijgt de vissenkoppen met rijst.'

'Er moeten wel voordelen aan die baan zitten als je constant het risico loopt een vinger af te hakken.'

Hij pakte de koelbox in zijn andere hand, hield de hordeur open en liet haar voorgaan naar binnen.

'Ty? Ben je thuis?'

Stilte.

'Nou, dat is interessant,' zei Scott lijzig. 'Nu hij in de afgelopen weken gewend geraakt is aan Connies zelfgemaakte maaltijden, slaat hij meestal geen maaltijd over. Niet dat ik teleurgesteld ben, natuurlijk.'

'Nou, dit is de grote avond van Shuksan. Hij is waarschijnlijk in Alpine Burger en werkt zeven cheeseburgers en drie porties uienringen weg.'

'Ik herinner me die tijd nog.'

'Geweldige tijd, hè?'

Nadat ze de inhoud van de koelbox op het aanrecht gelegd had, keek Celeste de keuken rond. 'Als je me hier gewoon mijn gang laat gaan, probeer ik deze maaltijd op tafel te krijgen.'

'Ik zal wat muziek opzetten.'

'Leuk.'

Toen hij de keuken uit was, draaide ze zich langzaam om, op zoek naar potten en pannen, borden en bestek. Ze dekte de tafel voor twee personen, niet met Rachels trouwporselein maar met het Mikasa aardewerk, dat ze uiteindelijk in de vaatwasser vond, gelukkig schoon. Ze dekte vlug de tafel, bleef even staan en bekeek haar werk. Het zag er een beetje kaal uit, maar ze had nergens de kans gehad om bloemen te plukken, behalve in de perkjes van haar moeder en ze had wel beter geweten dan die vraag te stellen. Ze ging op zoek naar een kandelaar en bedacht zich uiteindelijk; ze wilde niet de indruk wekken dat ze te hard haar best deed om een romantisch sfeertje te creëren.

Ze zette haar zoektocht voort naar de aluminiumfolie. Ze maakte de zalm klaar, voegde er knoflook, ui en citroenschijfjes aan toe en schoof hem toen onder de grill. Terwijl ze zich afvroeg waar haar tafelgenoot gebleven was, maakte ze de pasta klaar, deed de groene salade die ze al eerder had klaargemaakt in een bijpassende schaal en doorzocht de koelkast naar saladedressing. Ze zette net het bord gesneden zuurdesembrood op tafel toen de hordeur dichtsloeg en Scott weer verscheen, met een enorme bos bloemen in zijn handen.

Haar ogen vlogen wijd open. 'O, Scott! Ze zijn prachtig.'

'Ik dacht dat we hier nog wel ergens een vaas hadden.' Hij doorzocht de keukenkastjes totdat hij een kristallen vaas gevonden had, deed er water in en propte de bloemen erin. Hij vroeg zich af waarom hij zich een tikje schuldig voelde omdat hij zijn eigen bloemperken had geplunderd, naast het feit dat het, eerlijk is eerlijk, meer Catherines bloemperken waren dan de zijne en hij keek niet uit naar het moment waarop ze zijn strooptocht ontdekken zou. Als ze een en een optelde en er achterkwam dat hij ze voor Celeste had geplukt, nou, daar durfde hij niet eens over na te denken.

'Laat mij het maar doen.' Celeste redde de vaas, haalde de

bloemen eruit, sneed de stelen af, schikte ze enigszins symmetrisch in de vaas en zette die toen op een ereplaats op tafel, in het midden van het kanten kleed.

'Ik ben geen bloemist, wat kan ik zeggen?'

Celeste maakte een afwerend gebaar en maakte een kleine buiging. 'De meestertuinier hoeft niets te zeggen. Hij heeft al genoeg gedaan voor de productie van de materialen.'

'En als ik je nu vertelde dat je moeder de meestertuinier was...'

Ze grijnsde. 'Dan zou ik zeggen dat ik maar hoop dat ze niet hierheen komt om een inspectie uit te voeren. Vooral als het bewijs nog steeds hier in de vaas staat!'

'Ik huiver al bij de gedachte.'

'Denk er dan niet aan. Laten we aan de salade beginnen. En dank je wel, ze zijn prachtig. Leeuwenbekjes, rozen, wat zie ik hier nog meer?'

'Geen flauw idee hoe ze heten, ze hebben zeker trek in Pokon en beendermeel.'

'Ben jij even blij dat je een beter vooruitzicht voor de maaltijd hebt dan de bloemen.'

'O, ja. Het ziet er geweldig uit, ruikt goed. Kom op, ga zitten.'

Terwijl ze plaatsnamen, vroeg Scott: 'Heb je ooit gehoord over Rachels rozen toen we een jaar getrouwd waren?'

Toen ze haar hoofd schudde, ging hij verder. 'Nou, we hadden een stomme hond die op zekere dag ineens voor onze neus stond en we vonden het zielig om hem weer weg te jagen. We hadden niet veel geld, maar Rachel wilde zo graag rozen, dus ik ging naar het tuincentrum en kocht een dozijn rozen met wortels, de goedkoopste die ze hadden. Ze waren er behoorlijk slecht aan toe, maar ze was vastbesloten dat ze het zouden overleven en ze koesterde die rozen. Nou, op een ochtend ging ze met de tuinslang naar buiten om ze te besproeien en elke rozenstruik was uitgegraven, helemaal verwoest. En daar was die rothond. Hij lag vlak naast de laatste met zijn snuit vol beendermeel.'

'Je bedoelt...'

'Ja. Hij rook dat beendermeel en groef totdat hij het gevonden had en smulde ervan. Naast dat beendermeel had hij zijn buik natuurlijk vol met andere rotzooi die niet zo goed voor zijn spijsvertering was, want hij was drie dagen lang doodziek. Ik geloof niet dat ik Rachel ooit zo kwaad heb gezien als op die ochtend en ik denk dat ik nooit zal vergeten hoe ze de hark naar die hond toegooide. Ze stampte zo'n tien minuten om die rozen heen, plofte toen op de grond neer en begon te huilen. De hond *wist* dat hij de schuldige was, maar ik was bang dat ik de hark zelf naar mijn hoofd zou krijgen als ik ook maar durfde te glimlachen, dus ik bleef op afstand totdat ze gekalmeerd was. Een week of twee later, als ik het me goed herinner.'

Celeste greep naar haar buik en lachte zich krom. Uiteindelijk wist ze uit te brengen: 'Je bent niet eens gebleven om te helpen die rozen opnieuw te planten en je vrouw te troosten?'

'Nee, mijn zelfverdediging kreeg de overhand en ik maakte gewoon dat ik weg kwam. Maar Rach plantte die rozen opnieuw en ik hoorde haar helemaal bij de schuur, scheldend op die hond en dreigend hem iets aan te doen als het ook maar *leek* dat hij een poot in dat bloemperk wilde zetten.'

'En, hebben de rozen dit trauma overleefd?'

Scott gebaarde naar de vaas. 'Zeg jij het maar.'

'Dit zijn dezelfde rozen?'

'Dat klopt.'

Ze zweeg, bestudeerde de bloemen en keek Scott toen aan. 'Dat is een geweldig verhaal. Dank je dat je het me verteld hebt. En wat is er met de hond gebeurd?'

'O, hij overleefde het nog een paar jaar. Toen hij doodging was Rachel van de kaart; ze was echt aan die oude hond gehecht geraakt. Heb je dat gele rozenstruikje aan de zijkant van het huis weleens gezien? Dat is zijn graf. De volgende lente bestelde ze dat bij het tuincentrum en plantte het op zijn graf. Ze stopte zelfs nog wat extra beendermeel in de grond als eerbetoon.'

Celeste sneed een tomaat, plotseling peinzend. Haar zus had dingen meegemaakt waar ze geen idee van had. De woede die door Rachels kleine lichaam gestroomd had, was net zo vreemd voor haar als ze aan haar zus dacht als het idee van haar in een ruimtepak in de volgende raket naar Mars. Ze kon het zich niet goed voorstellen, tenzij...

'Was ze toevallig zwanger van Tyler toen dit gebeurde?'

'Ja, zo'n drie maanden.'

'O, dat maakt het iets makkelijker voor te stellen. Ana vertelt me altijd verhalen over haar uitbarstingen tijdens haar zwangerschap van Tori.'

'Ja, ze had zeker haar buien. Maar hoe zit het met jou? Heb jij ooit aan kinderen gedacht?'

Pijn en verlangen schoten door haar hart en op dat moment kon ze even geen hap meer door haar keel krijgen. Als hij ook maar wist hoeveel jaar ze gedroomd had van een man en een gezin van haarzelf en hoe het verlangen naar die dingen een levend, tastbaar iets was geworden.

Scotts stem bracht haar weer naar het heden. 'Je bent akelig stil. Heb ik iets verkeerds gezegd?'

Ze dwong zichzelf te glimlachen en schudde haar hoofd. 'Nee, natuurlijk niet. En ja, ik zou heel graag op een dag een gezin willen hebben. Maar ik denk dat ik gewoon moet proberen te accepteren dat het misschien geen deel uitmaakt van Gods plan voor mij.'

Ze duwde de stoel bij de tafel vandaan, legde haar servet naast haar bord en zei: 'Ik denk dat de zalm wel klaar is. Excuseer me even.'

Hij had duidelijk per ongeluk een gevoelige snaar geraakt. Onzeker over hoe hij verder moest gaan, stond Scott op. 'Laat mij dat maar doen, het is heet.'

'Dank je.'

'Celeste... als ik iets heb gezegd wat je van streek heeft gemaakt, dan spijt dat me echt.'

Gegeneerd zette ze haar vrolijkste glimlach op. 'O, je hebt me niet van streek gemaakt, het is gewoon... laat maar. Kom op, laten we het opeten nu het nog heet is.'

Nu het eten officieel was opgediend, gingen ze weer aan tafel zitten, dankten ervoor en probeerden het gesprek iets minder zwaar te maken. Uiteindelijk zwaaide hij in een gebaar van overgave met zijn servet en kreunde: 'Ik denk dat ik een week niet meer hoef te eten. Alles was heerlijk, Celeste. Dankjewel.'

'Graag gedaan. Maar ik had je moeten waarschuwen dat je nog een gaatje moest overhouden voor het toetje.'

'O... nou, misschien kunnen we een paar rondjes door de tuin lopen of zo, de boel even laten zakken. Ik zou het toetje niet graag mislopen. Wat is het?'

'Dat zul je wel zien, meneer Parnell. De kokkin geeft haar geheimen niet zo makkelijk prijs.'

'Je bent gemeen, Celeste.'

'Nou, dan kun je het toetje wel helemaal vergeten. Ik geef het aan de hond. O, dat is ook zo. Ze mogen geen chocolade hebben, hè?'

'Chocolade? Ik beloof dat ik braaf zal zijn. Dat garandeer ik. Je hoeft niet te dreigen het aan de hond te geven!'

'Want anders?'

Ze stonden vlak voor elkaar en voordat hij wist wat er gebeurde, had hij zijn armen om haar heen geslagen en raakten zijn lippen de hare. Een lang moment verstreek voordat Celeste zich uit de omhelzing losmaakte, wankel een stap naar achteren deed, omdraaide en zich op de vaat stortte. Scott kreunde inwendig, hij was te ver gegaan. Nu was ze net zo schichtig als een eenjarig paard dat met angst en beven naar het zadel keek en zich afvroeg hoe het kon ontsnappen.

Goed gedaan, Parnell.

Hij streek met een hand over zijn gezicht en zei: 'Celeste? Het spijt me.'

Ze bleef even met kaarsrechte rug voor de gootsteen staan en draaide zich toen naar hem om. 'Je hoeft geen spijt te hebben. Ik heb geen spijt, hoewel ik dat wel zou moeten hebben. En dat maakt me een slechte zus, hè?'

Hij liep naar haar toe. 'Nee, het heeft niets te maken met wat voor zus je bent. Waar het *wel* mee te maken heeft gaat veel verder dan zussen zijn, verder dan alles in een normale relatie tussen zwager en schoonzus. Want waar het op schuld en verantwoordelijkheid aankomt, moet je bij mij zijn, want ik ben degene die een ring draagt.' Hij hief zijn hand waar de ring in kwestie om zijn ringvinger zat en wiebelde met zijn vingers. Maar ze had zich al omgedraaid en staarde niets ziend uit het raam boven de gootsteen naar de groenten die in rijen in de tuin groeiden en waar het beeld van Rachel haar plotseling levendig voor de geest kwam.

Hij legde zijn handen op haar schouders en draaide haar naar zich toe. Toen ging hij verder: 'Als we het hier over verantwoordelijkheid hebben, of onverantwoordelijkheid, dan komt mijn deel mij toe. Maar op de een of andere manier voel ik het gewoon niet zoals ik zou moeten. En ik heb ervoor gebeden, Celeste, heel veel. Het lijkt wel of ik de laatste tijd niets anders meer doe. Ik heb gevraagd of God deze gevoelens van me weg wil nemen, als dit verkeerd is, maar dat is niet gebeurd. Ik weet het niet, misschien rationaliseer ik de situatie alleen maar, maar ik denk dat er een reden is dat we dit allebei voelen en misschien is het toch niet zo verkeerd. Daarbij neem ik aan dat jij hetzelfde voelt als ik.'

'Daar ben ik vrijwel zeker van. Ik heb ook gebeden en hoe meer ik deze gevoelens van me af probeer te zetten, hoe sterker ze worden. Maar hoe weten we of die gevoelens van God komen en niet van satan? Want ik weet dat alle verleiding van hem komt en ik heb nog nooit zo met verleiding geworsteld. Hoe weten we van wie dit komt?'

Scott zuchtte diep en dacht even na voordat hij antwoordde: 'Ik denk dat er een Bijbelvers is waarin staat dat al het goede van God komt. En ik geloof dat *dit* iets goeds is, Celeste. Ik geloof dat als we allebei bidden om leiding en God vragen of Zijn wil gedaan mag worden, dat we er gewoon op moeten vertrouwen dat Hij het ons zal laten zien.'

Ze knikte. 'Dat blijf ik ook tegen mezelf zeggen, maar ik wil gewoon zeker weten dat dit van Hem is en niet gewoon mijn eigen behoeften en verlangens die de kop opsteken.'

Ze bleven even zwijgend staan en toen merkte Celeste op: 'Nou, ik denk dat we vanavond in ieder geval ontdekt hebben dat we over Rachel kunnen praten zonder ons al te ongemakkelijk te voelen. En daar ben ik blij om, omdat ik denk dat het belangrijk is dat we nooit het leven dat je met haar gedeeld hebt proberen te vergeten.'

'Je hebt gelijk. En weet je wat? Het ging echt automatisch, praten over haar en die oude hond. Ik had verwacht dat het veel moeilijker zou zijn en misschien zal dat soms wel het geval zijn, maar ik denk dat het goed is. De laatste paar jaar zijn zo zwaar geweest dat ik alle goede jaren vergeet.'

'En daar waren er een heleboel van, vanaf de middelbare school.'

'Ja. O ja, we hebben het goed gehad samen. Ik denk dat ik er lange tijd niet aan probeerde te denken omdat het me verdrietig en bitter maakte. Het was gemakkelijker om te proberen dat allemaal achter me te laten, maar nu realiseer ik me dat alles deel uitmaakt van het loslatingsproces, dat ik het verleden moet accepteren voordat ik naar de toekomst kan kijken.'

Celeste glimlachte. 'Ze hield zo veel van je. Wat de toekomst ook brengt, vergeet dat nooit.'

'Dat zal ik niet doen. Ik hield zo veel van haar dat ik dacht dat ik het niet zou overleven toen de diagnose werd gesteld en we de prognose te horen kregen. Ik kon gewoon niet geloven dat ik nog gelukkig zou kunnen zijn of ooit zelfs maar niet diep ongelukkig. Het is een traag proces geweest, maar nu ben ik gewoon dankbaar voor de tijd die we samen hebben gehad.'

Celeste knikte en dacht aan haar zus, en de wilsverklaring en de beslissing van Scott. 'Heb je al met de kinderen gepraat over je besluit om de kunstmatige beademing te stoppen?'

'Nog niet. Binnenkort. Ik denk dat ik ze eerst maar even een paar weken aan school laat wennen. We hebben nog wat tijd. Ik denk aan half september. Ik ga met ze zitten, laat hun haar ondertekende verklaring lezen en leg uit dat hun moeder dit wilde. Dan geef ik ze een maand of zo om de situatie te verwerken en afscheid te nemen. Of denk je dat ik niet zou moeten wachten?'

'Dat kan ik je niet vertellen, jij weet beter hoe ze op het nieuws zullen reageren. Dus moet jij inschatten wanneer je het moet vertellen. Weet je al wanneer je het aan mam gaat vertellen?'

Hij schudde zijn hoofd. 'Dat weet ik niet. Ik weet echt niet hoe ik het haar moet vertellen, ze zal het er zo moeilijk mee hebben.'

'Vergeet niet dat dit Rachels keuze is. Laat haar de verklaring zien, net zoals je bij je kinderen gaat doen. Laat haar weten dat je om raad gevraagd hebt bij deze beslissing en dat je de vrede van God hebt gekregen. Natuurlijk zal ze er stuk van zijn, maar ik denk dat als ze er echt goed over nadenkt, ze het wel zal accepteren. Wil je dat ik met je meega om met haar te praten? Dat is misschien makkelijker, hoewel het sowieso niet gemakkelijk zal zijn.'

'Dat vraag ik niet graag van je. Ik denk dat ik bang ben dat ze zal denken dat we tegen haar samenspannen. Aan de andere kant, het is jouw moeder en Rach is jouw zus en je hebt alle recht om hierbij betrokken te zijn.'

'Laat het me maar weten. Als je het wilt, ben ik erbij.'

Ze ruimden de tafel af en zetten de vaat in de vaatwasser. Toen liepen ze naar de tuin voor een wandeling. De avondlucht was zacht, nu de hitte van de dag verdwenen was en de volle maan aan de donkere hemel hing. Scott keek naar Celestes voeten en zei toen: 'Ik moet even naar het weiland om de irrigatie af te zetten. Ik zou je vragen of je mee wilt, maar ik denk dat je dat niet op die schoenen wilt doen. Wil je hier wachten? Ik ben over een paar minuten terug.'

Ze schudde haar hoofd. 'Ik wil graag met je mee. Heeft Tawnya misschien een paar sportschoenen dat ik kan lenen?'

'Ik zal eens kijken.'

Een paar minuten later, toen Celestes voeten schuilgingen in een paar felroze sportschoenen, liepen ze naar het weiland. Nadat hij de pomp had uitgezet, gingen ze onder de bomen zitten op dezelfde plek waar ze gezeten hadden toen hij voor het eerst over Rachels verklaring had verteld. Krekels en kikkers begonnen aan hun avondconcert, verder was het stil om hen heen.

Ze zuchtte en strekte haar benen. 'Het is zo prachtig hier, zo rustig. Ik snap wel waarom je er zo van houdt.'

Hij liet zijn blik over het weiland dwalen, richting het gebergte. 'Ja, ik houd van deze omgeving. Ik kan me niet voorstellen dat ik ooit ergens anders zou willen wonen.' Hij zweeg even en draaide zich toen naar haar toe. 'Zou *jij* hier kunnen wonen?'

Ze zweeg en dacht over haar antwoord na. Was dit een retorische vraag of iets meer rechtstreeks? Uiteindelijk koos ze voor een vaag antwoord met een tegenvraag. 'Bedoel je Shuksan in het algemeen?'

'Nou, ja. Ik bedoel, zou je ooit je appartement aan het meer opgeven en hier in het boerenland gelukkig kunnen zijn?'

'Ik denk dat dat zou afhangen van wat er gaande is in mijn leven. Ik heb je verteld dat ik me op dit moment op een soort tweesprong bevind, wat betreft mijn baan en mijn richting. Eigenlijk heb ik zitten nadenken over iets wat Connie me vorige week vertelde. Ik geloof dat Bill Koch met pensioen wil. Zijn bedrijf staat te koop, maar hij heeft nog geen gegadigden.'

'Dat zou nogal een verandering voor je zijn, hè? Boeren in plaats van zakenlui als klant hebben? De stad inruilen voor een dorp met twee stoplichten. Denk je er echt over na?'

'Ja, eigenlijk wel. Ik ben er veel mee bezig. Ik heb het gevoel alsof ik uit mijn leven ben gegroeid, alsof het een paar schoenen is dat niet meer goed past. En ik denk dat ik me ook op andere dingen richt. Mijn leven voldoet gewoon niet meer aan mijn behoeften en als dat gebeurt, is het tijd om eens goed te kijken wat er niet meer werkt en een nieuwe richting proberen te ontdekken.'

'Ja, ik weet precies wat je bedoelt.'

Ze glimlachte. 'Ja, dat geloof ik wel. Als iemand het kan begrijpen, ben jij het wel.'

Ze zaten nog een tijdje in stilte en toen zuchtte Scott en stond op. Hij kreunde toen zijn knieën tegen zijn beweging protesteerden. Celeste merkte op: 'Het klinkt alsof dat zeer doet.'

'Nee, hoor. Zo laten mijn knieën me alleen weten dat ik oud begin te worden. Dit doen ze al sinds mijn dertigste. Ik zei altijd tegen Rachel dat ik een knie tekort kwam, dat ik klikken en kraken had, maar niets meer over had voor het ploppen. Maar nu denk ik dat mijn rechterelleboog dat gaat doen.' Ze lachte, pakte toen de hand die hij naar haar uitstak en liet zich door hem overeind helpen.

'Klaar om terug te gaan?'

Ze knikte. 'Ik denk dat dat wel verstandig is.'

Ze liepen zwijgend in het maanlicht, luisterend naar het gezang van een nachtvogel. Celeste werd opnieuw geraakt door de stille vredigheid van deze plaats. Het leek zo authentiek, zo ongerept. Ze haalde diep adem om te genieten van de lucht, geen spoor van uitlaatgassen of rottend afval uit vuilnisbakken hier, alleen maar de geur van dennenbomen en aarde, van weiden en irrigatie. Tegen Scott merkte ze op: 'Ik besef net dat ik, ondanks dat ik hier ben opgegroeid, toch een stadsmens ben. Ik heb me nooit gerealiseerd hoe anders het leven op een paar kilometer van de stadsgrenzen is.'

'Anders op een goeie manier?'

'O, absoluut. Ik kan me de laatste keer niet herinneren dat ik me zo ontspannen voelde, zo tussen de bomen, met uitzicht op de bergen. Had Rachel die ervaring ook toen ze bij mam vandaan hierheen verhuisde nadat jullie getrouwd waren?'

'Ik kan me niet herinneren dat ze ooit zoiets heeft gezegd. Rachel was niet iemand om wandelingen zoals deze te maken. Ze was niet echt een buitenmens. Ze voelde zich op haar gemak in huis en in de tuin. Ik had soms graag een lunch in willen pakken om dan met haar naar het meer te wandelen, misschien de slaapzakken mee te nemen en daar een paar dagen te kamperen, maar dat was iets waar ze nooit zo veel zin in had. Ik weet nog dat ik de eerste paar zomers teleurgesteld was dat ik die ervaringen niet met haar kon delen, maar toen kwam Ty en ik denk dat ik het gewoon vergat. Tot nu toe, dan.'

Ze had het gevoel zich te moeten verontschuldigen. 'Het spijt me als ik te ver ging door ernaar te vragen. Ik wilde me niet bemoeien met je huwelijk, Scott.'

Hij kneep geruststellend in haar hand. 'Dat heb je niet gedaan, Celeste. Dit is gewoon een van die dingen die we moeten verwachten, jij en ik. Ik heb al die jaren niet op een onbewoond eiland gewoond en het is niet meer dan normaal dat je nieuwsgierig bent naar het leven dat Rachel en ik hadden. Vraag maar wat je wilt.'

Ze hadden de rand van het erf bereikt en het huis kwam in zicht. Ze liepen de tuin door en de trap naar de veranda op. Een aantal motten dansten in de gloed van de buitenlamp en vlogen weg toen Scott de hordeur opendeed.

'Na u.'

'Klaar voor het toetje?'

'Chocolade? Kom maar op!'

Hij ging aan tafel zitten en keek toe hoe ze dikke plakken van een heerlijk uitziende chocoladetaart opdiende. Glimlachend keek hij naar het bord voor hem. 'Bedankt, dit ziet er fantastisch uit!'

'Laten we hopen dat hij smaakt. Het is het recept van mijn vriendin Ana en ik vind het heerlijk, maar dit is de eerste keer dat ik er zelf eentje gebakken heb.'

Hij prikte een stuk aan zijn vork en bracht het naar zijn mond. Toen knikte hij goedkeurend, met een overdreven vertoning van puur genot. 'Dit is de lekkerste taart die ik ooit heb gegeten, zelfs beter dan die van Rach en dat zegt wel iets. Waarom zet jij je tanden in getallen om de kost mee te verdienen? Je zou een schort moeten dragen, tot aan je ellebogen in de bloem, als je zo kunt bakken.'

Ze grijnsde. 'Bedankt voor het compliment, maar pas op of je krijgt een mep met een deegroller. Ik ben niet echt een keukenprinses, voor het geval je het nog niet wist.'

'Ik zou het nooit geweten hebben, niet als het eten van vanavond een aanwijzing was. Je kunt geweldig koken. Je weet toch wat dit betekent, hè?'

Omdat ze net een hap van haar stuk taart had genomen, trok ze alleen maar vragend een wenkbrauw op.

'Ik denk dat je Connie Ripley net werkeloos hebt gemaakt.'

Ze slikte het stuk taart door, veegde haar mond af met het servet en zei toen: 'O, denk je dat? Twee uur is een lange rit om elke avond voor je te koken, vind je niet?'

De plagende blik in zijn ogen verdween en hij antwoordde op serieuze toon: 'Ja, dat denk ik ook, maar het zou misschien makkelijker zijn als je hier was. Je weet toch dat ik maar een grapje maak over elke avond koken? Ik denk dat ik me gewoon afvroeg hoe serieus je wilt nagaan of Bills bedrijf te koop is. Ik bedoel, wil je echt ontslag nemen, de kans om een dijk van een salaris te verdienen laten schieten om hier de belastingaangiften van boeren te doen? Nogal saai werk vergeleken met wat je nu doet.'

Ze voelde zich enigszins teleurgesteld. Ze legde haar servet naast haar bord neer en merkte op: 'Het lijkt wel of je me probeert te ontmoedigen.'

Hoofdschuddend wierp hij tegen: 'Nee, helemaal niet; ik probeer alleen te verwerken wat jij me vertelt. Ik bedoel, dit is een enorme stap voor je, Celeste. Ik wil dat je goed weet waar je aan begint.'

Celeste stond abrupt op en nam haar bord mee naar de gootsteen. 'O, ik weet precies waar ik aan begin, en waar ik mee stop ook. De afgelopen vijf jaar heb ik naar niets anders gestreefd dan het partnerschap; zestig uur per week werken en klanten van andere bedrijven weglokken. Ik heb me net pas gerealiseerd wat een hekel ik heb aan wat mijn baan geworden is, Scott. Het lijkt wel of de enige mensen die klant zijn bij ons bedrijf rijk en onverantwoordelijk zijn. En hoe rijker ze worden, hoe onverantwoordelijker. Het wordt gewoon een vicieuze cirkel. Dan moeten wij de boel weer rechtbreien. En opnieuw. En opnieuw. En waarvoor? Zodat ze de belasting kunnen ontduiken, alleen maar om te bewijzen dat ze het kunnen? Het is als een spelletje voor ze, hoe dicht bij de grens kunnen ze komen zonder echt de wet te overtreden? Ik heb er gewoon geen zin meer in. Ik ben accountant geworden omdat ik er goed in ben om dingen in elkaar te passen, uit te zoeken wat de beste manier is om met een financieel probleem om te gaan. Dat wil ik blijven doen, voor mensen die iemand als ik nodig hebben om hen te helpen. Eerlijke klanten, mensen die ook echt werken voor hun geld. Dat wil ik, Scott. Begrijp je?'

'Als je het zo stelt, begrijp ik het inderdaad. Het klinkt alsof je hier al veel over hebt nagedacht.'

'Dat is ook zo.'

'Nou, dan denk ik dat ik het gewoon moet vragen: waar wil je wonen? Weer bij Catherine?'

Ze zuchtte. 'Dat is de enige kink in de kabel. Het zou niet mijn voorkeur hebben, hoewel het daar misschien wel een tijdje op uitdraait.'

'En op de lange termijn?'

'Op de lange termijn zie ik mezelf een stuk land bij het meer kopen en er een houten huis neerzetten. Dat is het voordeel van weer naar huis komen, de kans om bij een meer te wonen dat niet altijd vol is met mensen en speedboten.'

'Je weet dat er hier gebouwd wordt, hè, voornamelijk door Wet-Siders die er vakantiehuisjes neerzetten. Het zal misschien wel net zo erg als jouw meer worden.'

Ze grijnsde bij de verwijzing naar de inwoners van west-Washington in Seattle, 'West-Siders' genaamd. Inwoners van Oost-Washington, die altijd mooi weer hadden, gebruikten vaak de term 'Wet-Siders' als ze de weekendgasten bedoelden die door de bergen naar het oosten kwamen om wat zon en warm weer te hebben. 'Hopelijk heeft de gemeente regels voor het formaat van huizen en voorschriften voor appartementen.'

Hij knikte. 'Ja, op dit moment moeten huizen ten minste twee hectare hebben. De gemeenteraad dacht dat dat zou voorkomen dat mensen pal naast elkaar gingen wonen en zou helpen daar een plattelandsgevoel te houden. Voor zover ik weet mogen daar geen appartementencomplexen neergezet worden. Ik denk dat een heleboel mensen een scène zouden maken als er iemand met het idee kwam om daar appartementen te bouwen, hoewel ik weet dat de lokale aannemers geen bezwaar zouden hebben tegen het extra werk dat dat oplevert.'

Zijn opmerking maakte haar nog vastbeslotener. 'Ik denk dat dit een goed moment is om daar alvast wat land te kopen, voordat dit bekend wordt onder de rest van de "Wet-Siders". Op slechts twee uur afstand van Seattle zouden een heleboel mensen weleens geïnteresseerd kunnen zijn in ons kleine meer.'

'Het verbaast me dat het nog niet eerder gebeurd is, om je de waarheid te zeggen. Hoewel ik het jammer vind om te zien dat daar zo veel gebouwd wordt.'

'Val ik daar ook onder?'

'Nee. Wat mij betreft ben jij een plaatselijke bewoner. Maar...' Hoofdschuddend maakte hij de zin niet af.

Hij keek haar even aan en haalde toen zijn schouders op. 'Ik denk dat ik me gewoon afvroeg...'

Celeste wilde hem wel door elkaar schudden. 'Kom op, Scott. Voor de draad ermee!'

Hij haalde diep adem en zuchtte toen. 'Ik heb hoe dan ook geen recht om een mening te hebben. Dat weet ik. Het is gewoon dat, nou, ik denk dat ik me gewoon afvraag hoe wij later in dit plaatje passen. Als er een later is. Dat hoop ik wel. Ik probeer geen druk op je te leggen, Celeste... Vergeet dat ik iets heb gezegd. Als je bij Carrot wilt wonen, ga er dan voor. Doe wat jou gelukkig maakt. Dat is alles wat ik wil.'

Ze dacht dat ze begreep waar hij heen wilde en die wetenschap verwarmde haar hart. 'Bedankt, Scott, dat waardeer ik. Maar ik wil zeker weten dat ik goed begrijp wat je nou *echt* zegt. Bedoel je dat als ik bij het meer ga bouwen en we *wel* een relatie krijgen, we dan met het dilemma zitten waar we dan zouden moeten wonen? Is dat het?'

Hij voelde zich dwaas omdat hij nu al dingen aannam. Hij hief zijn handen op. 'Ja, ik denk het. Het is belachelijk en dat weet ik, dus vergeet het maar. Ik hoor me niet met jouw beslissingen te bemoeien.'

Ze wendde haar blik even af en keek hem toen weer aan. Ze antwoordde: 'Gek, maar het voelt alsof je dat *wel* hoort te doen.'

Ze zwegen en wisselden een blik die boekdelen sprak. Toen pakte hij haar weer vast. In zijn omhelzing voelde ze het gestage kloppen van zijn hart en wist met absolute zekerheid dat de gestaagheid die ze voelde veel dieper reikte dan alleen zijn hart. Deze man was *standvastig*, een man waar ze op kon bouwen, van afhankelijk kon zijn, maar die haar toch niet zo stevig vast zou houden dat ze los zou willen breken.

'Scott?'

'Hm?'

Ze bewoog zich iets naar achteren om hem aan te kunnen kijken. 'Laten we deze weg ook in geloof bewandelen, oké? Het voelt zo goed, bij jou zijn, je vasthouden, en ik zou hier voor altijd kunnen blijven. Als de juiste tijd komt, als die komt, dan is dat het moment om ons zorgen te maken over huizen. Voor nu, laten we gewoon... *leven*. Ik kan nu niets meer van je vragen en daar heb ik vrede mee. In de tussentijd moet je mij mijn eigen pad laten volgen.'

Hij liet haar los, legde zijn handen op haar schouders en kneep er even in. 'Hoe ben jij zo slim geworden, stadsmeisje?'

Ze rolde met haar ogen. 'Ik heb het op de harde manier geleerd, als je de waarheid wilt weten. Boerenkinkel.'

Met een spottende grijns deed hij net alsof hij met zijn knokkels op haar hoofd sloeg. 'Boerenkinkel? *Boerenkinkel*?'

Giechelend wendde ze zich af. 'Nou, zoals ze zeggen, wie de schoen past...'

'Jij moet nodig iets zeggen over schoenen; ik heb je de hele avond al op die roze sportschoenen zien paraderen!'

Ze maakte een pirouette en hield een voet voor hem omhoog. Hooghartig zei ze: 'Een heer hoort geen laster te verspreiden over de schoenen van een dame.'

'Ja, en een dame zou een *heer* geen boerenkinkel noemen.' Hij deed weer een stap naar haar toe en veegde een lok van haar voorhoofd. 'Hoe erg ik het ook vind, ik kan je maar beter naar huis brengen. Je moeder zal me wel levend willen villen.'

Ze reden in een aangename stilte terug naar de stad. Toen ze bij het huis van Catherine aankwamen, bracht Scott de koelbox naar de voordeur, gaf Celestes sleutels terug en zei: 'Nogmaals bedankt voor het gezellige dineetje.'

'Ik heb me ook echt vermaakt.'

De onwetendheid of Catherine nog wakker was of al sliep hield het tweetal op afstand. Uiteindelijk zuchtte hij. 'Nou...'

'Ja...'

'Welterusten, dan maar.'

'Welterusten, Scott.'

Ze keek toe hoe hij wegliep en keek hem na totdat de truck om de hoek en uit het zicht was verdwenen. Toen zuchtte ze diep en nam de koelbox mee naar de keuken. Alles was stil... *De meisjes zijn nog niet thuis en moeder zal al wel slapen. Ik had me dus niet zo veel zorgen hoeven maken dat ik 'voorzichtig' moest zijn!*

Ze begon de keuken op te ruimen, zette de koelbox op zijn kop op de veranda om 's nachts te drogen en ging er toen naast zitten, zonder acht te slaan op het vocht dat in de achterkant van haar rok drong. Pas op dat moment besefte ze dat ze Tawnya's roze sportschoenen nog steeds droeg. Ze deed ze uit en dacht terug aan de gebeurtenissen van die avond. De woorden die uitgesproken waren, en de kus. Haar wangen gloeiden nog bij de herinnering. Het was niet haar eerste kus, ze had er een paar gehad om mee te kunnen vergelijken, maar ze wist dat geen enkele ook maar in de buurt kwam of, zo vermoedde ze, ooit in de buurt zou komen bij de gevoelens die ze deze avond in Scotts armen ervaren had.

Het schrille gerinkel van de telefoon verdreef de stilte en ze stond snel op om op te nemen voordat moeder er wakker van zou worden. Ze verwachtte Tawnya's stem te horen en haar hart sloeg een slag over toen de nu bekende mannenstem door de lijn klonk.

Er hing een lange stilte tussen hen en toen zei hij: 'Ik wilde alleen welterusten zeggen. Nog een keer.'

Ze glimlachte in het donker. 'Ik ben blij dat je gebeld hebt.'

'Ik ook. Ik dacht dat ik vanavond misschien een beetje te voortvarend ben geweest. Dat is niet mijn bedoeling, Cel. Ik denk dat ik onder deze omstandigheden misschien niet goed weet hoe ik me *moet* gedragen.'

'Insgelijks, geloof me. En nee, je was niet te voortvarend. Het lijkt alleen zo intens tussen ons. Het is net als dat gevoel in de lucht voordat een storm losbarst, snap je? Wanneer je het voelt aankomen maar niet precies weet waar het zal toeslaan. Klinkt dat logisch?'

'Ja, dat is een heel goede omschrijving. Je vindt het toch niet erg als ik je vertel dat ik blij ben dat ik niet de enige ben die het voelt?'

Gek hoe zijn woorden kriebels in haar maag veroorzaakten. Blij dat het donker was, fluisterde ze: 'Nee, jij bent het niet alleen, Scott. Maar het beangstigt me. Ik blijf verwachten dat ik wakker zal worden en dat niets ervan echt is, dat Rachel rondrent in de keuken en dat het allemaal een droom is geweest.'

Ze hoorde zijn zucht door de telefoon. 'Dit is een droom waar niemand van ons uit ontwaakt, Cel. Het wordt niet echter dan dit.'

Er hing een lange stilte tussen hen en toen zuchtte hij. 'Ik zal je zo missen. Ga je morgen terug?'

'Ja, na de kerk. Kom jij ook?'

'Ik zal er zijn.'

Ze bleven zwijgend zitten, al tevreden om op deze manier met elkaar verbonden te zijn. Toen gaapte ze en Scott zei: 'Ik zal je met rust laten. Ik wilde je alleen nog even laten weten hoezeer ik van de avond heb genoten. Heerlijk eten. Bedankt.'

'Graag gedaan. Het was leuk om voor je te koken.'

Een moment van stilte en toen: 'Nou...'

'Ja...'

'Welterusten, Celeste. Tot morgen.'

'Slaap lekker, Scott.'

Hij legde de hoorn op de haak en stond op om de schemerige gang door te lopen naar waar de familiefoto's hingen. Twee zussen; de een had zijn verleden gevormd en de ander zou een belangrijke rol spelen in zijn toekomst.

Zou je het begrijpen, Rach, als je wist dat ik verliefd geworden ben op je zus? Zou je geloven dat ik hier niet naar op zoek ben geweest, maar dat het wel gebeurd is en dat ik het niet meer kan stoppen?

Hij deed het licht uit en liep de trap op. Morgen was er een nieuwe dag en dan zou hij Celeste weer zien.

Hij sliep beter en dieper dan hij in maanden had gedaan.

In het bed uit haar jeugd lag Celeste in de stille duisternis, luisterend naar de geluiden van de nacht en terugdenkend aan alle jaren dat ze met haar oudere zus in dit huis gewoond had. Kerstavonden en kerstochtenden, paasmandjes en eierzoektochten. Ruziën over wiens beurt het was om de tafel te dekken of het gras te maaien. Dagen die eindeloos en evenwichtig leken te zijn; en waarvan ze, als klein meisje, dacht dat ze altijd zouden voortduren.

De komende paar weken zouden moeilijk zijn voor hen allemaal en ze bad in stilte voor elk lid van het gezin. Rachels kinderen, haar man en voor Catherine. Uiteindelijk bad ze om kracht en wijsheid voor zichzelf, dat de Heilige Geest haar woorden en geest zou leiden wanneer de stappen die een einde zouden maken aan Rachels leven genomen zouden worden.

Hemelse Vader, help me geduld te hebben met mijn moeder, want ik weet dat dit heel pijnlijk voor haar zal zijn. Help me te doen wat U gedaan zou hebben, God. In Jezus' naam. Amen.

18

Ze kwamen rond half acht op een grijze zaterdagavond aan in Seattle. Het dichte woud had ruimte gemaakt voor winkelcentra, parkeerplaatsen en drukke vijfbaanswegen. Tegen de achtergrond van de aankomende septemberavond wierpen neonlichten een felle gloed die reflecteerde op de gezichten van de passagiers van de oude Chevy. Gezellig met elkaar kletsend reden ze door de binnenstad. Ze waren opgetogen over de avond die voor hen lag en al aardig dronken door de biertjes die ze tijdens hun tocht door de bergen naar binnen hadden gewerkt.

'Kijk eens.' Tyler haalde een fles whisky van onder zijn jas tevoorschijn en zwaaide ermee.

'Nou, geef die stoute jongen maar hier, Parnell. Waar wacht je nog op?' Dwight stak een arm uit in Tylers richting en de auto schokte toen hij snel corrigeerde met zijn vrije hand.

'Echt niet, man, je bent al ladderzat. Blijf nou maar gewoon naar de weg kijken, oké?'

'O, alsjeblieft! Ik heb nog nooit een bekeuring gehad, voor het geval je dat vergeten was.'

'Je hebt geluk gehad, man, dat is alles.'

Ty keek Darrell aan en schudde geïrriteerd zijn hoofd, terwijl hij de fles weer veilig onder zijn jas stopte. *Ik had moeten rijden; als we allemaal in de truck hadden gepast, zou ik dat gedaan hebben.*

Het probleem was dat Dwight alle controle kwijt was. En niet alleen vanavond. Sinds de school weer was begonnen was hij volledig losgeslagen. Hij dronk en snoof wat hij maar in handen kon krijgen. Afgelopen woensdag was hij helemaal stoned in de les gekomen, met een glazige blik en trillend. Hij had altijd zwaar geëxperimenteerd, maar ergens was er een grens overschreden. Die jongen kon nu nauwelijks meer nuchter zijn.

Ty zette zijn zorgen opzij en haalde geïrriteerd zijn schouders op. Dit was niet de avond voor een van die suffe 'ingrepen' waar die belachelijke drugs- en alcoholvoorlichter van de school het over had, waarbij hij met dure woorden smeet als 'afhankelijkheid', 'twaalfstappenplan' en 'genezing'. Wat een onzin. Alsof iemand genoeg door zou draaien op de middelbare school om te maken te krijgen met al dat volwassen gezeur waar geen enkele volwassene trouwens zelf in zou trappen. Geërgerd zei hij tegen zichzelf: *Alle ouders drinken en zelfs mijn ouwe gooit er af en toe een paar achterover.*

Dat was het probleem met ouders, ze waren hypocriet.

Vanavond zou hij lol hebben met de jongens. Punt.

Ze stopten bij een groezelige tent, waar ze hamburgers en patat bestelden, parkeerden op de donkerste hoek van de parkeerplaats, en alles wegspoelden met bier dat gestaag aangevoerd werd vanuit de koelbox in de kofferbak.

'Hoe laat is het?'

'Iets na negenen.'

'Nou, ze zijn open – waar wachten we nog op?'

Terwijl ze de laatste paar kilometer onder de felle stadslichten reden, in een sfeer van bier en kameraadschap, ontspande Tyler zich en genoot hij van het geklets van zijn vrienden. De Velvet had een warme gloed in zijn binnenste verspreid en hij genoot van de roes. Als Dwight niet als een gestoorde zou rijden, dan zou de avond bijna perfect zijn.

Ik rijd naar huis. Het kan me niet schelen wat hij zegt. Het zou wel erg fijn zijn om levend thuis te komen!

Zelfs als ze ergens moesten stoppen zoals de vorige keer en de nacht in de auto doorbrengen. Er lag in elk geval geen sneeuw. Niets om je zorgen over te maken.

De nacht lonkte, vol belofte.

Ty gooide zijn deur open en riep uit: 'We gaan ervoor!'

Ze konden de muziek op de parkeerplaats al horen, met een dreunende bas en een gesmoorde beat. Voor de ingang bleven ze even staan en Ty vroeg: 'Klaar?' Toen deed hij de deur open en de muziek overspoelde hun zintuigen, terwijl hun ogen zich aanpasten aan de schemering binnen.

'Heren.'

De portier stond te wachten, netjes gekleed in een zwart smokingjasje met wit overhemd en spijkerbroek. 'Identiteitsbewijzen?'

Vier jonge mannen pakten hun portemonnees met verscheidene maten en diktes en alleen Dwight haalde een legaal rijbewijs tevoorschijn waarop stond dat hij achttien jaar was. John, Darrell en Tyler overhandigden de valse identiteitsbewijzen die ze via internet hadden besteld. Even hielden ze allemaal hun adem in terwijl de uitsmijter de kaarten zorgvuldig bekeek en ze toen met een grijns teruggaf.

'Jullie weten hoe het gaat? Vijftien dollar om binnen te komen, drankjes zijn vijf dollar per stuk en je betaalt de eerste met je borg. Twintig dollar per persoon. Geniet van de show.'

Terwijl Darrell door de schemerige gang naar de zaal liep, riep hij: 'Hij keek niet eens naar mijn identiteitsbewijs!'

John antwoordde: 'Nou, hij keek naar de mijne en ik zag dat hij wist dat hij vals was.'

Ty schudde zijn hoofd. 'Het gaat hem er alleen maar om dat we identiteitsbewijzen hebben; ze kunnen hem niets maken als er een inval komt.'

De muziek was luid. De bassen dreunden en vibreerden tot in het dikke tapijt terwijl ze door de schaars verlichte gang naar de showruimte liepen. Het leed geen twijfel, dacht Tyler terwijl hij de zaal door keek, dat ze de jongste leden van het publiek waren. Met de borg hier ging hij ervanuit dat de vaste medewerkers veel meer verdienden dan het minimumloon. Maar wie verdiende er tegenwoordig nou *niet* meer dan het minimumloon, behalve hijzelf? Hij zette zijn slechte humeur van zich af en probeerde zich op de show te concentreren. Een slanke brunette gleed over de tegelvloer. Hij keek over de tafel naar zijn vrienden en merkte op dat John en Darrell zich met grote ogen aan de show vergaapten. Dwight bevond zich ergens in een andere werkelijkheid, hij stond daar met open mond en een glazige blik. Zijn handen beefden, merkte Tyler op, en hij zag eruit alsof er een stroom van vijftigduizend volt door zijn lijf ging. Dwights kleur stond hem ook niet aan; hij zag er niet goed uit, bleek en hevig bezweet. Hij voelde zijn roes vervagen en beloofde zichzelf dat hij als ze thuis waren, hij absoluut met zijn vriend zou praten over hulp zoeken.

De lol van de avond was op slag verdwenen.

Het leek uren te duren voordat hij John en Darrell ervan overtuigd had dat het tijd was om te gaan; ze moesten nog twee uur rijden. Toen hij aangestoten werd, staarde Dwight blindelings naar de rest van de groep en liet zichzelf het gebouw uit leiden. De geur van regen hing in de lucht en ze renden over de parkeerplaats. Tyler vloekte toen hij naar de sleutels zocht, voordat hij zich herinnerde dat hij niet had gereden.

'Dwight, man, kom op, het kan elk moment gaan regenen!' schreeuwde hij geïrriteerd naar zijn vriend, die midden op de parkeerplaats stilstond.

'O, man, hij is helemaal van de wereld,' merkte Darrell op.

'Ik had moeten weten dat dit zou gaan gebeuren. Jongens, wacht hier. Ik neem hem wel mee.' Tyler draaide zich naar zijn vriend toe en riep: 'Kom op, man, geef me de sleutels.'

Dwight stond aan de grond genageld en beefde over zijn hele lichaam. Tyler liep in snel tempo op hem af. 'Wat is er met je aan de hand, man?' Bij Dwight aangekomen, pakte hij hem bij de arm en voelde onmiddellijk het beven, alsof hij door een hoogspanningskabel geraakt werd. 'Hé... Dwight, is alles in orde?' Met een gesmoord geluid greep Dwight zich aan Tylers shirt vast en toen viel hij tegen de grond, Tyler met zich meetrekkend.

'Wat is er... Dwight?' Hij realiseerde zich dat zijn vriend te stil was. 'Dwight!'

Tyler schudde aan de schouders van zijn vriend en bleef zijn naam roepen, met een toenemend gevoel van paniek dat het al te laat was, zelfs terwijl hij naar de andere jongens riep dat ze het alarmnummer moesten bellen en om een ambulance vragen. Zich nauwelijks van zijn eigen woorden bewust bleef hij tegen Dwight praten en probeerde hij de paniek onder controle te houden totdat de ambulance er was. Dan zou alles goed komen. Iedereen wist dat verpleegkundigen elke dag levens redden. Toen Tyler een geluid hoorde, keek hij op en zag John en Darrell zwijgend naast hem staan. De schok was op hun gezichten af te lezen.

'Tyler, man, pak de sleutels en laten we wegwezen,' zei Darrell ten slotte zonder zijn blik van Dwights witte gezicht af te wenden.

'Nee! We laten hem hier niet achter!'

'Hij is dood, man! We kunnen nu niets meer voor hem doen.'

'Kom op, Parnell,' smeekte John met trillende stem. 'Laten we in elk geval onze jassen uit de auto pakken en de drank lozen voordat de politie hier is.'

Dat is misschien maar het beste, dacht Tyler verdwaasd. Hij doorzocht de zakken van zijn vriend, haalde de sleutelbos eruit en gooide deze in de lucht. Hij was zich vaag bewust van het feit dat hij en Dwight weer alleen waren. Toen hoorde hij het geluid van rennende voetstappen op het asfalt, hoorde met een knal de motor tot leven komen, het gepiep van banden en remmen en toen het schrille gejank van naderende sirenes.

De Déjà Vu was niet gewoon een stripclub, besefte hij, terwijl hij dacht aan die nacht in juni toen zijn vrienden hem voor Fircrest in de steek hadden gelaten toen de situatie benard werd.

Toen de flitslichten van de hulpdiensten de parkeerplaats verlichtten, knielde hij naast zijn beste vriend neer en de koude regen vermengde zich met de hete tranen die over zijn wangen liepen. Toen drong de realiteit plotseling tot hem door, zo meteen zou de politie hier zijn. Hij kon niets voor Dwight doen, maar hijzelf was minderjarig en mocht geen alcohol drinken, om het bezit van een vals identiteitsbewijs maar niet eens te noemen. De beslissing werd in een fractie van een seconde genomen. Hij graaide opnieuw in Dwights zak, haalde het rijbewijs van zijn vriend uit zijn portemonnee en legde dat op zijn borst.

'Het spijt me, man, ik moet ervandoor.'

Hij keek om zich heen, ontweek de verpleegkundigen die nu richting Dwights lichaam renden en glipte tussen de Déjà Vu en de supermarkt ernaast door, en toen de stoep op. Hij wierp een blik over zijn schouder om er zeker van te zijn dat hij niet gevolgd werd, haalde diep adem en ging op in de menigte. Hij wist niet precies waar hij was, had geen idee waar hij heen ging maar op dit moment kon hem dat niets schelen.

Zijn vriend was dood.

Hoofdschuddend, alsof de realiteit van de situatie door het leegmaken van zijn gedachten zou verdwijnen, liep Ty verder door de regen en probeerde hij erachter te komen waar alles zo misgegaan was. Beelden van Dwight en hemzelf door de jaren heen speelden door zijn hoofd: hockeyen op straat toen ze op de basisschool zaten, naaktzwemmen in het meer op de middelbare school, Dwight die op een avond in beschonken toestand bekende dat hij wou dat *zijn* moeder in coma lag. De tranen kwamen opnieuw, heet en brandend, en Ty stond stil op de stoep. Hij greep naar zijn maag en wist dat hij zou moeten overgeven. Hij keek blindelings om zich heen en merkte dat hij zich voor een autoshowroom bevond. Hij kon de parkeerplaats nog net bereiken voordat hij de controle kwijtraakte. Kokhalzend, tot op zijn huid doorweekt en emotioneel uitgeput drong het tot hem door dat hij op zaterdagavond door Seattle dwaalde, samen met dealers, prostituees en wie weet wat nog meer. En hij kon nergens heen. Toen hij ongemerkt in een grote plas stapte, huiverde hij. Hij wist dat hij van straat af moest.

Toen schoot er een gedachte door zijn hoofd.

19

Er waren bijna een paar weken verstreken sinds het weekend van de kermis en twee weken sinds Tori weer naar huis in Seattle was gegaan. Tawnya was eenzaam. De vrijdagavond en zaterdag met haar vriendin waren fantastisch geweest. Ze had ontdekt hoe het was om een vriendin te hebben om mee te giechelen over niets in het bijzonder, iemand om geheimen mee te delen. En uiteindelijk had ze haar geheim onthuld, geheel te danken aan Tori's eindeloze doorvragen naar de waarheid. *Het* geheim. Ze hadden een nachtelijk gesprek gevoerd, een discussie met verhitte stemmen, tranen van Tawnya en onbuigzame onverbiddelijkheid van Tori.

'Als je denkt dat ik het niet meen dat ik Cellie wakker maak, Tawnya, dan ken je me niet zo goed als je denkt. Ik *meen* het, meid!'

Het probleem was op de kermis begonnen, omdat ze zich volgevreten had met maïskolven en oliebollen. Het feest was een fiasco geweest. Er waren voornamelijk volwassenen, op wat kinderen van de middelbare school na, evenals Ariel en haar groepje, die steeds fluisterend langs Tawnya en Tori bleven lopen. De klaterende lach van Ariel ging als een mes door haar heen en de nare woorden voelden aan als dolksteken.

Toen ze, gebukt onder wanhoop en een enorme woede, aan Tori had gevraagd of ze zin had om naar de attracties te gaan, was ze bijna naar de deur gerend, zo groot was haar opluchting om aan haar beeldschone kwelgeest te ontsnappen.

Vervolgens had ze haar pijn en vernedering gevoed met eten.

Ze had haar zakgeld verkwist aan de ene na de andere lekkernij totdat haar portemonnee leeg was en haar maag bijna ontplofte. Terwijl ze het voedsel verslond, kon ze er niet van genieten en beelden van het toilet en het vooruitzicht van de ellende die voor haar lag, teisterden haar gedachten.

Het voedsel hielp wel de spot en kleinering die ze in Ariels ogen had gezien uit te wissen. Dat was altijd zo, in elk geval een tijdje. En zo, overspoeld door ellende, gaf ze zich weer over aan haar verslaving.

Toen ze eenmaal thuis aankwamen, had ze, na Celeste even wakker te hebben gemaakt om haar te laten weten dat ze er weer waren, Tori achtergelaten om haar pyjama aan te trekken en ging ze in de badkamer haar lot tegemoet. Het probleem was dat het bijna onmogelijk was om de geluiden te verhullen die iemands lichaam maakt en ze kon echt geen radio mee naar de badkamer nemen en die keihard zetten terwijl oma verderop lag te slapen.

Om een lang verhaal kort te maken, Tori had haar gehoord, net zoals haar tante een maand eerder. Ze was niet overtuigd geweest door Tawnya's van tevoren bedachte smoesje dat ze misselijk was geworden van de attracties en Tori had tot Tawnya weten door te dringen totdat de waarheid in de stilte van haar moeders oude slaapkamer hing.

'Als je denkt dat ik het niet meen dat ik Cellie wakker maak, Tawnya, dan ken je me niet zo goed als je denkt. Ik meen het, meid!'

Ze schaamde zich voor de manier waarop ze gemeen, grof en strijdlustig geweest was tegen de enige vriendin die ze had en tegen haar was uitgevallen.

'Je weet er helemaal niets van, mevrouw Tori Perfect! Ik ben niet een van je… zielige straatkinderen tegen wie je moet preken, dus laat me gewoon met rust!'

Tori had haar lange tijd aangestaard en was toen in bed gaan zitten, met haar rug tegen de muur en haar knieën opgetrokken. 'Er zijn allerlei redenen waarom een kind hulp nodig kan hebben. Daar is niet altijd drugs of alcohol voor nodig.'

Toen Tawnya koppig bleef zwijgen, had ze even afgewacht en toen gezegd: 'Kom eens hier, Tawnya. Kom bij me zitten. Alsjeblieft?'

Ze had gehoorzaamd, met afgewende blik, en was op de oude matras geklommen. Tori ging verder: 'Weet je nog die avond toen we elkaar voor het eerst ontmoetten, toen ik tegen je zei dat God de Enige is die jou kan helpen, of mij, of wie dan ook, om te stoppen met dingen waarvan je weet dat ze verkeerd zijn? Weet je dat nog? Nou, het is waar, meid. Daarom stierf Hij aan het kruis, omdat Hij wist dat niemand van ons het alleen kan. Maar Hij houdt van je, Tawnya, en weet alles over je.'

Bij Tawnya's ongelovige blik knikte ze. 'Echt waar, *alles.* Elke keer dat je je over dat ellendige toilet heen buigt, weet Hij het. Hij is bij je, meid, Hij wacht tot je alles aan Hem overgeeft. Ik wou dat ik je kon doen begrijpen hoeveel Hij van je houdt. En Zijn liefde is alle kwelling waard die een klein blond meisje kan veroorzaken. Ja, ik heb een aardig idee van waar je mee bezig bent, Tawn. En je kunt misschien niets aan *haar* houding doen, maar je staat er niet alleen voor.' Toen Tawnya zachtjes begon te huilen, herhaalde ze: 'Je bent nooit alleen. Laat het los. Leg het allemaal aan Zijn voeten neer. Geef Hem alles, alle pijn. Alles. Laat Hem je genezen.'

De nacht was stil, afgezien van het geluid van Tawnya's zachte huilen, het geluid van twee stemmen in gebed en de onmiskenbare aanwezigheid van vrede.

Het was een moment van genade en Tawnya wist dat ze de geweldige kracht van dat moment de rest van haar leven met zich mee zou dragen. Ze had zich nog nooit zo opgelucht gevoeld of zo'n onverklaarbare vreugde meegemaakt, zelfs niet in het moment van tijdelijk genot als ze een chocoladereep openmaakte.

Nee, dit was iets heel anders geweest, veel krachtiger, en ze voelde de hand van God op zich rusten. Ze was zo vervuld geweest van Zijn aanwezigheid dat ze niet geloofde dat ze nog zou kunnen slapen, maar dat was toch gelukt. En de volgende middag, na de kerk, toen papa vlak bij Celeste stond op straat en oma als schildwacht bij de voordeur was blijven staan, had Tori haar koffer over oma's oneffen stoep gesleept, worstelend met een groot blok beton waar haar koffer achter bleef hangen. Tawnya stond erbij toen haar vriendin haar koffer in Celestes auto legde en ze omhelsde het andere meisje toen met tranen in haar ogen. Ze lieten elkaar los en glimlachten. Ze deelden een ervaring die maar weinigen gedeeld hadden en waren met elkaar verbonden in geloof en vriendschap.

Er was zo veel te zeggen en zo weinig tijd om er iets van te zeggen. Worstelend om haar stem in het gareel te houden kon ze op dat moment niets meer uitbrengen dan: 'Doei, Tori.'

Tori was op de bijrijdersstoel gaan zitten en hield haar hand omhoog voor een high-five. 'Dag, meid. Jullie weten hier wel hoe je een feestje moet bouwen!'

Iedereen begon te lachen, omdat ze geen seconde geloofden dat hun kleine plattelandskermis aanleiding gaf om het stadsmeisje te imponeren. Tori glimlachte even en terwijl de auto van de stoeprand wegreed, keek ze Tawnya aan en zei: 'Houd je vinger uit je keel, meid. Begrepen?' Tawnya knikte naar haar vriendin en wist dat ze nooit meer een moment zou doorbrengen 'met haar vinger in haar keel', zogezegd. Ze was er klaar mee. Absoluut nooit meer. Voorgoed.

En toch zat ze hier, twee weken na haar belofte aan Tori, twee weken na dat krachtige moment van overgave aan God in mama's oude slaapkamer. Hier zat ze, over het toilet gebogen, en een intense pijn deed haar dubbelklappen op de vloer voordat ze zelfs nog maar begonnen was.

Dat was niet helemaal waar. De hele cyclus was vanmiddag tijdens de gymles opnieuw begonnen, tijdens de inmiddels gebruikelijke 'tijd om Tawnya te pesten'. Ze had het zich aangetrokken, hoewel ze zichzelf en Tori had beloofd dat ze dat niet zou doen. Maar ze was zo eenzaam geweest sinds Tori weer terug naar Seattle was gegaan. En ook al bad ze dagelijks en elke avond of God haar zou helpen het gepest en de scheldwoorden van de andere meisjes te negeren, het was haar toch weer te veel geworden.

'Hé, Ton-ya tonnetje rond!'

Terwijl ze na het avondeten aan haar huiswerk bezig was, kwam ze haar woordenboek in haar rugzak tegen en hield het stilletjes in haar hand. Zo veel woorden, zo veel manieren om zinnen te maken. Zo veel manieren om woorden samen te voegen om iemands gevoelens te uiten. Gek dat woorden op zichzelf weinig kracht hadden om te verwonden, maar dat ze samengevoegd bijna dodelijke wapens konden worden.

De pijn van binnen werd zo diep dat ze, wetende wat ze zou doen en zichzelf hatend om haar zwakheid, de badkamer in ging, neerknielde bij het toilet en op het punt stond om zich van de pijn te verlossen. Misschien zouden de nare woorden haar geheugen verlaten als haar maag leeg was, en zou de plaats waar pijn in haar hart werd opgeslagen ook leeg worden.

Maar het werkte vanavond niet. De pijn was vlijmscherp en toen ze haar missie eindelijk voltooid had, zag ze tot haar afschuw het bloed dat mee was gekomen. Angst deed haar hart bonzen en een echte misselijkheid overspoelde haar. Wat had ze gedaan? Ze had eindelijk bewezen dat tante Celeste en Tori gelijk hadden, ze had zichzelf op de een of andere manier vanbinnen verwond. En wat nu?

Tranen stroomden over haar wangen toen ze van de pijn op de grond lag te kronkelen, grijpend naar haar maag en zachtjes huilend. Zo ver mogelijk in elkaar gedoken huilde ze van oprechte angst, van schaamte om haar zwakheid, omdat ze haar belofte had gebroken, omdat ze een mislukkeling was voor God. Met alle helderheid die een twaalfjarige kon kennen in haar hart begreep ze op dat moment dat haar leven op het spel stond.

Kijk eens naar al dat bloed... tante Celeste had gelijk. Als ik hier niet mee kan stoppen, ga ik dood.

Toen, liggend op de koude tegelvloer, haar laatste verdediging gebroken, herinnerde ze zich de woorden van haar vriendin.

'Hij weet alles van je. Elke keer dat je je over dat ellendige toilet heen buigt, weet Hij het. Hij is bij je, meid, Hij wacht tot je alles aan Hem overgeeft.'

God, huilde ze, *help me! Neem het weg, Heer. Alstublieft, God. Ik kan dit niet alleen!*

Langzaam voelde ze de druk vanbinnen wegebben. Ze ging rechtop zitten en leunde uitgeput tegen het bad. Angstig keek ze in het toilet, sloot haar ogen bij de aanblik van het bloed en haalde toen diep adem en spoelde het weg.

Ze stond langzaam op, liep naar de wastafel en keek naar zichzelf in de spiegel. Toen hoorde ze de woorden die haar leven voorgoed zouden veranderen.

TAWNYA, JIJ BENT MIJN KIND EN IK HOUD VAN JE. OP DE DAG DAT JE GEBOREN WERD, KENDE IK DE PLANNEN DIE IK VOOR JE HAD EN EINDELIJK WAS JE ER, OM HET WERK TE DOEN DAT IK VOOR JE GEPLAND HAD. JE BENT GESCHAPEN ALS DEEL VAN MIJN VOLMAAKTE PLAN EN IK VIND JE PRACHTIG.

De sluizen van haar hart gingen open en de tranen die over haar wangen stroomden spoelden alle pijn weg, al het verdriet en de onzekerheid, en vulden haar hart dat snakte naar de onvoorwaardelijke liefde die ze nooit had gedacht te zullen vinden.

Ze wist dat ze nooit meer op deze vloer, op welke vloer dan ook, zou liggen, in een poging zichzelf te verlossen van de pijn die ze diep vanbinnen voelde.

Er was vanavond een wonder geschied en het leven van een twaalfjarig meisje zou voorgoed veranderd zijn.

Dank U, Heer. Uw genade houdt eeuwig stand.

20

Celeste had gedroomd; ze zat weer op de middelbare school en hielp haar moeder en Rachel sperziebonen inblikken.

'Dat is de zoemer, Celeste. Zet de snelkookpan uit.' Ze draaide de knop om, maar de pan bleef zoemen. Toen begon hij op het fornuis te trillen, heen en weer te schommelen en een luid gebons klonk naast het geluid van de zoemer.

'Celeste!'

'Hè? Wat...' Ze was onmiddellijk wakker en het gebonk op de voordeur verving de restanten van de droom. Geschrokken trok ze haar ochtendjas aan, gleed in haar pantoffels en deed elk licht aan dat ze tegenkwam onderweg naar de deur. Ze gluurde door het kijkgaatje en herkende tot haar stomme verbazing haar neef. Ze haalde even diep adem voordat ze de deur van het slot haalde en openmaakte.

'Tyler.'

Ze keken elkaar even zwijgend aan en toen zei Tyler met trillende stem: 'Ik kan nergens anders heen. Het regent en... ik kan nergens anders heen.'

Celeste zag dat hij volledig doorweekt was. Zijn haar plakte op zijn hoofd en de druppels sijpelden langs zijn nek zijn shirt in. Hij rook naar bier en kots. Ze deed een stap opzij en zei: 'Kom binnen, Ty.'

Hij bleef op dezelfde plek staan, keek haar zonder iets te zeggen aan, zo lang dat ze zich begon af te vragen of ze er wel goed aan deed hem binnen te laten en onderdak aan te bieden. Toen flapte hij eruit: 'Hij is dood. Hij is dood en ik heb hem daar gewoon achtergelaten op die parkeerplaats!'

Geschrokken vroeg Celeste: 'Wie is er dood? Wat is er aan de hand, Tyler?'

'Dwight! Hij is dood!'

Hij was lijkbleek en zag eruit alsof zijn knieën het elk moment konden begeven. Zonder nadenken liep Celeste de deurmat op, pakte hem bij de arm en zei sussend: 'Kom binnen, Ty, dan praten we erover. Je bent nat en het is warm binnen. Oké? Kom binnen en doe je schoenen en sokken uit, dan zorgen we dat je weer wat opwarmt.' Terwijl ze sprak, begeleidde ze hem naar binnen en sprak rustig toen hij tegen de gesloten deur leunde en zwijgend zijn schoenen en sokken uittrok en op de grond gooide.

Celeste ging hem voor door de gang en zei over haar schouder: 'Kom op, Ty, ik zal je laten zien waar de badkamer is. Ik wil dat je een warme douche neemt. Ik zal iets droogs voor je pakken om aan te trekken en als je weer warm bent, kun je me vertellen wat er aan de hand is.'

Ze pakte een schone handdoek uit het kastje en zei: 'Als je je natte kleren voor de deur neerlegt, zal ik ze voor je wassen, oké?'

'Dat zou fijn zijn.'

'Goed, ga maar onder de douche voordat je een longontsteking oploopt. Ik zal voor de deur iets voor je neerleggen om aan te trekken.'

'Tante Celeste?'

'Hm?'

'Sorry dat ik zo ineens kom opduiken.'

'Dat geeft niet, Ty. Toe maar, neem een douche en dan zie ik je zo.'

Ze controleerde of ze de voordeur weer op slot had gedraaid en liep toen terug door de gang. Ze pakte de natte, smerig ruikende kleding en nam die mee naar de waskamer. Daar stopte ze het vale T-shirt, de zwarte spijkerbroek, sokken en ondergoed in de wasmachine nadat ze de zware ketting die aan Tylers portemonnee vastzat van de riemlus had losgemaakt. Ze voegde wasmiddel toe, sloot de deur, draaide zich om en leunde tegen de wasmachine aan. Ze kon het nog niet bevatten dat haar neef zo onverwachts voor haar deur was opgedoken om één uur 's nachts.

Zijn vriend was dood.

Hoe troostte een kinderloos persoon een kind dat zojuist een vriend had verloren?

God, help me om met Ty te praten. Help me de juiste woorden te vinden.

Ze haalde een oude joggingbroek en een wijd T-shirt uit haar kast en legde die voor de gesloten badkamerdeur neer. Gelukkig was ze lang; de kleding zou volstaan totdat Tylers vieze kleding droog was. Hier waren basisbehoeften nodig, in elk geval om mee te beginnen. Aan die behoeften kon ze in elk geval tegemoetkomen. Ze ging de keuken in, zocht in de kast naar een blik tomatensoep, voegde er wat groenten uit een zakje aan toe en zette de pan op het fornuis. Terwijl haar gedachten overuren maakten, maakte ze de soep klaar en een kaastosti. Troostvoedsel. En als er ooit een beter moment voor zoiets was geweest, kon ze zich dat zeker niet herinneren.

Ze haalde nog een steelpannetje uit de kast en maakte warme chocolademelk klaar. Wanhopig rommelde ze in de kast en haalde triomfantelijk een zak kleine marshmallows tevoorschijn; ze was afgelopen zomer van plan geweest om rijstsnacks te maken voor Tawnya en Tori, maar was er niet aan toegekomen. Ze dacht dat de marshmallows wel zacht zouden worden in de chocola.

De zak marshmallows deed haar ook denken aan de knikkende knieën van Scott en hoe Rach ze vond lijken op het geluid van Rice Krispies in melk. Zou het altijd zo zijn? Zouden er altijd herinneringen aan hem opduiken in haar dagelijks leven?

Terwijl ze druk bezig was in de keuken schrok ze zich wild toen Tyler stilletjes links van het fornuis verscheen. De joggingbroek was maar iets te kort voor hem, het shirt paste redelijk goed en de dikke sokken spanden om zijn grote voeten, maar hij was warm en droog.

'Bedankt voor de kleren.'

'Graag gedaan. Ik ben blij dat je niet langer bent, of dat ik kleiner ben. Maar goed, heb je honger?'

De keuken was gevuld met een heerlijke, zoete geur en hij besefte dat hij echt honger had.

'Ja, bedankt.'

'Ga maar vast zitten, dan maak ik het hier af.'

Hij ging aan tafel zitten, bekeek zijn voeten in de onbekende sokken, trok zijn shirt uit en beoordeelde het jazzplaatje dat erop stond. Toen Celeste aankwam, haar handen vol eten, keek hij weer op.

Ietwat verlegen bekeek hij het aangeboden voedsel. 'Ik ben gek op tomatensoep. En tosti's. Bedankt.'

'Graag gedaan. Ik heb ook warme chocolademelk gemaakt, hoewel ik er niet zeker van ben dat de marshmallows lekker zijn.'

'Het is allemaal prima.'

Ze begon pannen af te wassen, te drogen en weer in de kastjes terug te zetten. Ze riep uit de keuken: 'Ik heb wat chocoladekoekjes. Wil je er een paar?'

'Graag.'

Ze legde wat koekjes op een schaal en zette die op tafel. Toen ging ze op een stoel zitten en nam zelf ook een koekje. 'Mijn eigen zwakke punt.'

'Dat lijkt me niet zo'n ramp.'

'Dat is waar. En je kunt niet te ver gaan als het chocolade betreft, toch?'

'Absoluut.'

Ze aten zwijgend verder en toen stond Celeste op om de tafel af te ruimen. Tot haar verbazing gaf Tyler aan dat hij de spullen wel naar de keuken zou brengen.

'Waar zal ik ze neerzetten?'

'In de gootsteen is prima, bedankt. Er is nog meer chocola. Tast toe.'

Hij vulde zijn beker opnieuw, voegde er een handvol verschrompelde marshmallows aan toe en zei toen: 'Ik kan me niet herinneren dat ik je huis ooit eerder heb gezien.'

'Ik denk niet dat je hier geweest bent.'

'Tawnya zei dat het heel mooi was. Het *is* heel mooi.'

'Bedankt.'

Met zijn beker in de hand liep hij de woonkamer in en bleef voor de schuifpui staan om naar de duisternis erachter te kijken. 'Is dit je balkon?'

'Ja.'

Hij liep langzaam de woonkamer door en besloot dat hij de neutrale kleuren, geaccentueerd met een paar felle details mooi vond; de saffierblauwe kussens en smaragdgroene dekens op de zwarte, leren bank en fauteuil, het dieprode oosterse tapijt onder de glazen salontafel. De muren waren grotendeels kaal en boven de schoorsteen hing alleen een groot olieverfschilderij; een zeegezicht in zachtblauw en groen. Er brandde een vuur in de haard en hij stond even stil voor het glas, met zijn handen de schoorsteenmantel omklemmend, totdat zijn tante zachtjes begon te praten.

'Wil je me vertellen wat er is gebeurd?'

Hij draaide zich om, keek naar Celeste die in de fauteuil zat, haar voeten onder haar ochtendjas uitgestoken, en realiseerde zich tot zijn eigen verbazing dat hij de gebeurtenissen van de avond *echt* wilde delen met de vrouw die onlangs in hun levens was teruggekomen.

Hij ging op de bank zitten en vroeg zachtjes om toestemming om een deken over zich heen te trekken. Hij merkte dat Celeste de lichten had uitgedaan; alleen de flikkerende vlammen in de haard wierpen hun zachte gloed over de schemering.

Hij zette zijn gedachten even op een rijtje en begon te praten. De woorden kwamen eerst langzaam, maar rolden al snel over elkaar heen. De rit uit Shuksan, Dwights grillige rijden, zijn bezorgdheid over Dwights escalerende drugs- en alcoholgebruik in de afgelopen paar maanden, zijn terughoudendheid om hulp te zoeken voor zijn vriend. En uiteindelijk, met een stem die verstikt was van tranen vertelde hij over de avond in de Déjà Vu, hoe Dwight was ingestort op de parkeerplaats, John en Darrells verdwijntruc, zijn eigen paniek, de schok en pijn dat zijn vriend in de stromende regen dood op een parkeerplaats van een stripclub lag.

En zijn eigen overweldigende, verstikkende schuldgevoel.

'Hij is dood, tante Celeste. Hij was mijn beste vriend, sinds we klein waren.' Tyler verslikte zich, boog zich voorover en sloeg zijn handen voor zijn gezicht.

Terwijl de tranen van medelijden in haar eigen ogen brandden, ging Celeste naast hem zitten. Ze sloeg een arm om hem heen en voelde zijn lichaam schokken van het huilen. Ze hield hem nog steviger vast en stond hem toe te rouwen.

'Ik heb hem vermoord.'

'Nee, Ty. Je hebt hem niet vermoord. Het is niet jouw schuld. Je had niets kunnen doen om te veranderen wat er vanavond is gebeurd.'

'Ik had al lang geleden iets tegen iemand kunnen zeggen, tegen de klassenmentor of zo, wie dan ook! Als ik dat gedaan had, had hij misschien nu nog geleefd.'

'Dat weet je niet, Ty. Ik weet niet veel over verslavingen, maar ik weet wel dat je iemand niet clean of nuchter kunt wensen als ze dat zelf niet willen. En je kunt geen verantwoording dragen voor de beslissingen van iemand anders.'

Hij knikte zwijgend. Ze bleven een paar minuten zitten zonder iets te zeggen en toen wreef Ty in zijn ogen en zei: 'Ik kan pap waarschijnlijk beter even bellen. Hij vermoordt me hierom.'

Celeste aarzelde en vroeg toen: 'Wil je dat ik hem bel?'

'Hoe laat is het?'

'Half drie.'

Ty wreef met zijn handen over zijn gezicht en kreunde: 'O, man, hij vermoordt me echt.'

Celeste stond op en zei: 'Kom mee. Ik zal je laten zien waar de logeerkamer is. Ik zal je vader bellen en hem zeggen dat je slaapt, wat dan de waarheid is. Wat denk je daarvan?'

'Ja, oké.' Tyler stond op met de trage, pijnlijke bewegingen van een oude man. Hij realiseerde zich dat hij volledig uitgeput was, zowel lichamelijk als emotioneel.

Terwijl ze de deur naast de badkamer opendeed, deed Celeste het licht aan, trok de beddensprei naar beneden en legde de kussens recht. 'Maak het jezelf makkelijk, Ty. Als je iets nodig hebt, laat het me dan weten. Goed?'

'Bedankt. Ik waardeer het dat ik hier mag blijven van je, vooral nadat ik niet erg vriendelijk tegen je ben geweest.'

'Het is goed, Ty. Ik wil gewoon dat je onthoudt dat ik van jou en Tawnya allebei houd.'

Terwijl hij haar aan bleef kijken, mompelde hij: 'En ook van mijn vader?'

Ze probeerde haar stem gelijkmatig te houden, ook al voelde

ze een blos op haar wangen verschijnen. Uiteindelijk koos ze voor de eeuwenoude optie van ontwijken. 'Ik houd van jullie allemaal, Ty. Ga nu maar slapen. Slaap zo lang uit als je wilt. Laat het me weten als je iets nodig hebt.'

'Welterusten.'

Ze liep de gang in, trok de deur achter zich dicht en bleef even staan, zich afvragend of ze het juiste had gedaan door opzettelijk aan Ty's vraag voorbij te gaan. Of was het meer een observatie geweest? Een mens kon volslagen gek worden door de voortdurende twijfel wanneer het op omgaan met kinderen aankwam!

Na Ty's kleren van de wasmachine in de droger te hebben gestopt en de gashaard te hebben uitgezet, controleerde ze de sloten nog eenmaal en ging toen haar kamer in. Ze rolde zichzelf in de dekens, pakte toen de telefoon en toetste Scotts nummer in.

'Hallo?' Zijn stem was duf en slaperig en had nog nooit zo aantrekkelijk geklonken.

'Scott? Ik ben het. Het spijt me dat ik je wakker maak.'

Een diepe kreun klonk door de lijn en toen: 'Celeste?'

'Ja, ik ben het. Het spijt me dat ik je heb wakker gemaakt, maar ik wilde je laten weten dat Tyler hier is.'

Scott greep naar de wekker en kneep zijn ogen halfdicht; het was half drie. 'Ty is bij jou? Wat doet hij daar? Geef hem eens.'

'Nou, hij slaapt eindelijk. Het punt is, Scott, dat er vanavond iets is gebeurd. Met Ty is alles in orde, maak je geen zorgen over hem, maar zijn vriend Dwight is overleden.'

'*Wat?*'

'Ja. Ze waren met John en Darrell naar een stripclub hier in de stad gegaan met valse identiteitsbewijzen. Blijkbaar heeft Dwight een drugsprobleem en hij schijnt te zijn ingestort op de parkeerplaats toen ze weer weggingen. Het klinkt als een hartstilstand volgens Ty's omschrijving. Niemand kon iets doen, het gebeurde nogal snel.'

Scott wurmde zich al in zijn spijkerbroek, de telefoon tussen zijn schouder en oor geklemd. 'Weet Dwights moeder het al?'

'Dat weet ik niet, Scott. Ik weet alleen dat Ty in paniek is geraakt en gevlucht is. De andere jongens zijn er in Dwights auto vandoor gegaan en hebben Ty in de steek gelaten omdat hij Dwight niet achter wilde laten. Hij wachtte tot de ambulance er was en is toen weggerend. Hij was bang dat hij in de problemen zou komen omdat hij een vals identiteitsbewijs had.'

'Ik zal met Jim Clark gaan praten, dat is een vriend van me en hij kan navraag doen in Seattle en Dora inlichten als dat nodig is. Ik vertrek nu, Celeste, ik ben er over een paar uur.'

'Oké, Scott. Lichamelijk is hij in orde. Hij was doorweekt toen hij hier rond één uur ineens opdook, maar hij heeft gedoucht en wat gegeten en we hebben gepraat. Nu slaapt hij eindelijk. Maak je dus geen zorgen om Ty. Rijd alsjeblieft voorzichtig, oké?'

'Dat zal ik doen. En Celeste? Bedankt.'

'Graag gedaan. Rijd voorzichtig.'

'Tot straks.' Scott legde de telefoon neer, pakte een paar sokken uit de la en haalde een schoon shirt uit de kast. Hij rende snel de badkamer in, poetste zijn tanden en haalde een kam door zijn haar. Terwijl hij de trap af rende, herinnerde hij zich dat Tawnya lag te slapen en hij vertraagde zijn pas. Snel dacht hij na. Hij ging de keuken binnen, trok het bovenste blaadje van het kladblok dat gebruikt werd voor boodschappenlijstjes en krabbelde vlug een uitleg en dat hij over een paar uur vanuit Celestes huis zou bellen. Hij legde het briefje midden op de tafel, waar hij er zeker van was dat ze het meteen zou zien liggen. Hij bleef staan op de veranda, trok zijn laarzen aan, praatte zachtjes tegen Skip en liep toen door de tuin naar zijn truck. Na een snelle inspectie van de benzinemeter startte hij de motor en reed de schuur uit.

Toen hij in de stad was aangekomen, stopte hij bij het politiebureau, legde de situatie zoals hij die kende uit aan de dienstdoende agent en merkte op dat Dwights auto inmiddels wel bij zijn huis zou zijn neergezet. Ten slotte, om half vier, draaide hij de Interstate-90 op, die rustig was op dit tijdstip. Terwijl hij in het donker naar het westen reed, begonnen de gedachten die hem 's nachts wakker hielden, opnieuw te malen in zijn hoofd. Hoewel hij intens verdrietig was om het nieuws van Dwights dood, was hij blij met het vooruitzicht Celeste weer te zien. Dit zou de eerste keer zijn dat ze bij elkaar waren sinds het weekend van de kermis, hoewel ze urenlange nachtelijke telefoongesprekken gevoerd hadden. Maar dat was niet genoeg. Het was bij lange na niet genoeg.

Hij miste haar. Dat was de waarheid.

Opgaand in zijn gedachten merkte hij tot zijn verbazing dat hij de lege snelweg achter zich had gelaten en Issaquah binnenreed, vanwaar het nog maar een half uur rijden was naar Seattle. In gedachten ging hij de aanwijzingen na die Celeste hem via de telefoon had gegeven. De regen kletterde zo hard op zijn voorruit dat zijn ruitenwissers moeite hadden het bij te houden, zelfs op de hoogste snelheid. Hij leunde over het stuur heen en tuurde in de waterige gloed van de stadslichten terwijl hij door de stad reed. Er was al een gestage stroom bestuurders op de Interstate-5 om zes uur op zondagochtend. Tot zijn grote opluchting reed hij rechtstreeks naar het appartement. Hij parkeerde achter Celestes auto en zette de motor af. Hij stapte de wagen uit, liep naar de voordeur, twijfelde of hij wel aan moest bellen en klopte toen zachtjes. Even later klonken er voetstappen en toen het geluid van sloten die eraf gehaald werden. Daar stond ze voor hem, met een slaperige blik en gekleed in een roze joggingbroek en een veel te groot T-shirt. Er was even een moment van aarzeling en toen omhelsden ze elkaar. Ze klampte zich zo wanhopig aan hem vast dat Scott het gevoel kreeg dat ze, als ze dat had gekund, bij hem in zijn huid was gekropen. Ten slotte trok hij zich ver genoeg los om haar gezicht te kunnen zien en Celeste zei: 'Hoi.'

'Goedemorgen.'

'Kijk eens, je wordt drijfnat! Kom binnen, Scott. Geef me je jas.'

Dat deed hij en hij schopte zijn laarzen uit. Hij mompelde: 'Dus hier woon jij.'

'Klopt. Wil je een rondleiding?'

'Later. Slaapt Ty nog?'

'Ja. Hij was nogal van streek.'

'Hoelang denk je dat hij nog zal slapen?'

'Geen idee. Ik heb niet veel ervaring met tieners, voor het geval je het vergeten bent. Kom binnen, laten we gaan zitten. Wil je een kopje koffie?'

'Heerlijk, als je hebt.'

'Komt eraan.'

Celeste zette de haard aan en liep toen naar de stereo, waar ze een cd van Rebecca St. James opzette.

'Zin in ontbijt?'

Scott wendde zich af van de schuifpui en volgde haar de keuken in. 'Doe niet te veel moeite, Celeste. We kunnen ook ergens een hapje gaan eten als Tyler wakker is.'

Ze maalde de bonen, deed de koffie in het filter en stopte dat toen in het koffiezetapparaat. 'Het is geen moeite, bovendien heb ik nu trek. Het kost me maar een paar minuutjes. Maar je kunt wel aan de bar gaan zitten en me gezelschap houden.'

Hij gehoorzaamde en nam plaats op een barkruk, dankbaar glimlachend toen ze een kop dampende koffie voor hem neerzette. Ze scharrelde rond in de keuken en zette bosbessenmuffins op een bakblik. Toen die eenmaal in de oven stonden, gooide ze eieren in een pan, voegde er melk en kaas aan toe en roerde het geheel door. Ten slotte liep ze een aantal keer heen en weer tussen de kastjes en de eettafel, die ze voor drie personen dekte. Ze was op haar gemak in haar keuken, realiseerde hij zich enigszins verbaasd. Op de een of andere manier paste het niet bij het beeld dat hij van Celeste had dat ze ervan genoot om ontbijt klaar te maken op een regenachtige zondagochtend. Hij stond op en liep opnieuw naar de schuifpui, waar hij met zijn handen in zijn zakken uitkeek over het grijze water en de lage wolken die boven de heuvels aan de andere kant van de oever hingen. Hij ging op in zijn gedachten tot hij onderbroken werd door Celestes stem. 'Aan tafel!'

Ze gingen tegenover elkaar zitten, pakten roereieren en muffins en schonken sinaasappelsap uit een glazen kan.

'Alles goed? Nog een kopje koffie?'

Hij schudde zijn hoofd, klopte op zijn maag en kreunde: 'Ik zit vol. Bedankt.'

Ze bleven nog even zitten en genoten gewoon van elkaars gezelschap. Ten slotte stond Celeste op en begon de borden op te ruimen en Scott hielp haar een handje. Nadat ze alles in de gootsteen hadden gezet, gingen ze op de bank zitten, een plaid over hun knieën, en keken ze hoe de vlammen aan de gasblokken likten.

Doordat ze opgingen in hun gesprek, merkten ze geen van beiden dat Ty was binnengekomen totdat hij met slaapdronken stem zei: 'Goedemorgen.'

Ze draaiden zich om en zagen hem achter de bank staan, in zijn eigen kleren. Beiden groetten hem terug en toen stond Scott op zonder nog iets te zeggen. Het leek een hele poos te duren, hoewel het in werkelijkheid maar een paar seconden waren, tot Ty opkeek van de grond, met zijn voeten schoof en zei: 'Sorry dat je me moest komen ophalen.'

O, jongen, ik kan me niet eens voorstellen hoeveel pijn je op dit moment hebt.

'Het geeft niet, Ty. Wat afschuwelijk dat Dwight is overleden. Hoe gaat het met jou, is alles goed met je?'

Hij haalde zijn schouders op en keek zijn vader niet aan, terwijl hij zei: 'Ja. Waar denk je dat hij nu is? Ik bedoel, weet zijn moeder het al?'

'Ik ben langsgereden en heb agent Stinson laten weten wat er aan de hand is. Hij zou met de politie van Seattle gaan praten en dan Dwights moeder inlichten.'

Tyler schudde verdrietig zijn hoofd en riep toen uit: 'O, man. Ik kan gewoon niet geloven dat het echt is.'

Scott aarzelde en vroeg toen ronduit: 'Gebruikte jij ook?'

Ty's hoofd ging onmiddellijk omhoog en hij keek recht in zijn vaders onverbiddelijke ogen. Hij overwoog het te ontkennen, maar koos toen voor eerlijkheid. Wat tenslotte gebeurd was, was gebeurd. Misschien zou zijn vader zijn truck afpakken, maar op dat moment, in vergelijking met de dood van Dwight, leek het kwijtraken van zijn truck onbelangrijk.

'Geen wiet. Ik heb wel wat gedronken, ja, maar Dwight was de enige die allebei gebruikte.'

'Hoelang is dit al gaande?'

'Wat, Dwight of ik?'

'Allebei. Jij nu vooral.'

Ty keek zijn vader verdedigend aan. 'Dat weet ik niet. Kom op, pap, ik weet dat jij ook een wilde was op school. Doe nu niet zo hypocriet.'

Scott voelde de frustratie die er meestal was tijdens gesprekken met zijn zoon en concentreerde zich erop rustig te blijven. Hij antwoordde: 'Wat ik al dan niet heb gedaan op school is op dit moment niet aan de orde. Wat *wel* aan de orde is, is of we op zoek moeten naar een behandeling voor jou.'

'Echt niet, pap!' viel Ty uit, terwijl zijn stem door de kamer echode. 'Ik ben niet anders dan anderen, ik ga weleens uit mijn dak in de weekenden. Wat maakt dat uit? Ik ga niet dronken of stoned naar school.' Geïrriteerd ging hij verder: 'Waarom moet ik het er hier nu eigenlijk over hebben?' Hij knikte naar Celeste, die nog steeds op de bank zat.

'Alles wat we te zeggen hebben kan gezegd worden waar je tante bij is,' antwoordde Scott.

'Het is goed, Scott,' probeerde Celeste zich in het gesprek te mengen, het ongemak van de situatie aanvoelend.

'Nee, het is niet goed, Celeste. Ty heeft je hier zelf bij betrokken door hier midden in de nacht te komen opdagen. Het is een beetje laat voor hem om zich te schamen dat jij deel van het gesprek uitmaakt.'

Celeste richtte haar aandacht op Ty. 'Ik ben blij, heel blij, dat je hier vannacht naartoe bent gekomen, Ty. Ik geef echt om je, dus heb alsjeblieft niet het gevoel dat je niet vrijuit kunt praten als ik erbij ben. Heb je honger? Wil je ontbijt?' Ze wierp Scott een veelzeggende blik toe. 'Kom, jongen. Wat dacht je van roereieren en bosbessenmuffins? En nog wat warme chocolademelk? Nee? Ik beloof je dat ik geen keiharde marshmallows meer heb.'

Terwijl Ty haar naar de keuken volgde, haalde Scott zijn handen door zijn haar, slaakte een diepe zucht en liet zich toen weer op de bank zakken. Wat was er met die jongen dat elke keer dat hij een gesprek met hem probeerde te voeren, ze alleen maar ruzie kregen? Net zoals de berggeiten die ruziënd over een vrouwtje met kopstoten steeds opnieuw op elkaar inbeukten, totdat de sterkste overwon en de zwakkere het opgaf of stierf aan de verwondingen die hij in de strijd had opgelopen.

Natuurlijk hadden hun eigen ruzies niets te maken met territorium of vechten om hetzelfde vrouwtje, maar plotseling bedacht hij dat er misschien wel een vergelijking getrokken kon worden. Op een bepaald moment zou de jongere tegenstander de oudere verslaan, dat was de manier van de natuur om volwassenheid en zelfvertrouwen te geven aan de individuele dieren en vers bloed in de kudde als geheel te brengen. Maar hoe zat het met het jonge, onvolwassen dier dat, met het elan van de jeugd gecombineerd met onvoldoende levenservaring, de vaak wrede en vergevingsloze tegenstanders uitdaagde? Dat misschien niet eens de consequenties op de langere termijn kon overzien van het gevecht dat het zo graag aan wilde gaan? Het trok zich verslagen terug, om verder te groeien en te rijpen om misschien op een dag het gevecht weer aan te gaan, of het stierf aan de verwondingen die het in de strijd had opgelopen.

Het beeld van Ty en hem, in de traditie van de berggeiten, elkaar aanvliegend in de strijd, deed hem huiveren, ondanks de warmte van het flikkerende vuur. Een tijdlang zou Ty zonder twijfel een waardige tegenstander blijken te zijn in zijn strijd om controle en onafhankelijkheid en Scott twijfelde er niet aan dat hij, met zijn eigen krachtige wil en gezonde dosis koppigheid, op een dag zou winnen. Maar tegen welke prijs?

Hoe zat het met de dieren die vochten tot de dood? Welke ondefinieerbare karaktereigenschap zorgde ervoor dat ze op het punt belandden dat ze zichzelf liever de vernieling in hielpen dan te kiezen voor terugtrekking en overleving? Gingen ze zo op in de strijd dat tegen de tijd dat ze het gevaar ontdekten, het al te laat was om zich nog terug te trekken? Vielen ze ook in de val van ontkenning en dachten ze dat er altijd een nieuwe kans zou zijn? Of was het gewoon dat de strijd om leven zo intens en uitputtend werd dat ze de energie om te vechten niet langer op konden brengen?

Was het zo gegaan met Dwight? Bedroefd liet Scott zijn hoofd zakken en de tranen prikten in zijn ogen. Het was geen geheim in Shuksan dat Dora Phillips overdag een bittere en boze vrouw was en 's avonds een dronkenlap. Dora had zichzelf en haar zoon, door haar houding en gedrag, geïsoleerd van degenen die zich zorgen maakten en uiteindelijk had iedereen hen maar met rust gelaten, ook al werd er overal in de stad gefluisterd over lichamelijke en geestelijke mishandeling in dat huis. Natuurlijk, af en toe verscheen Jim Clark in zijn dienstwagen en klopte op de deur, hij had haar zelfs een aantal keren opgezocht toen Dwight nog jonger was. Maar toen Dwight een jaar of veertien was, werd er over het algemeen gedacht dat hij eindelijk groot genoeg was om zichzelf, in lichamelijk opzicht, te verdedigen en dat het net goed zou zijn voor Dora als hij eens terug zou slaan. Erop terugkijkend, besloot Scott dat het rechtssysteem en de hele gemeenschap in het geval van Dwight gefaald had. Op de een of andere manier had iedereen de situatie gewoon geaccepteerd en was uiteindelijk blind geworden voor de mishandeling en de verwaarlozing. Natuurlijk, hij was een mislukkeling en hij had niet veel ambitie, maar wat kon je verwachten met een moeder als Dora? Hij had het overleefd en dat was het belangrijkste.

Alleen had hij het *niet* overleefd. Scott kon het beeld van de geiten niet van zich afzetten en de stille overtuiging dat Dwights dood niet geheel per ongeluk geweest was.

Hij kon niets meer doen voor Dwight, maar misschien zou er iets positiefs uit deze ellende voortkomen; een herinnering dat kinderen vaak in relatieve stilte leden en hun angst en woede wegslikten met pillen en drank, varend op de woeste zeeën van het leven in lekke reddingsboten.

Dwight had problemen gehad, dat leed geen twijfel, en had niet de inwendige kracht gehad om dat vaartuig naar rustiger water te leiden. Hoe ging Ty dan om met zijn problemen en het vooruitzicht op de mogelijkheid van een ziekte die geen mededogen kende in zijn strijd om gezonde, jonge levens? In feite had hij geen idee van Ty's gevoelens over de situatie. De jongen zou nog liever zijn tong afbijten dan eerlijk over zijn gevoelens praten. En Scott realiseerde zich dat hij bereid was geweest, zelfs opgelucht, een heleboel gesprekken over Ty's situatie te vermijden. Had hij onlangs niet geleerd dat onwil om onplezierige zaken te erkennen deze niet minder echt maakte?

Er was al een naam voor deze boze geest en die naam luidde Huntington. Als de demon een maatje meegenomen had, was die naam ontkenning. Een paar valse mormels, maar een paar dat niet langer ontkend kon worden, zo wist Scott, omdat de veronachtzaming van de een de potentiële gevolgen van de ander niet zou verminderen en dat was niet eerlijk tegenover Ty. De realiteit, zelfs een beroerde realiteit, moest uiteindelijk toch onder ogen worden gezien. Scott erkende dat hij zo diep begraven was geweest in zijn voortdurend ontkennen van Ty's situatie dat hij het slechtste voorbeeld had gegeven dat maar mogelijk was: ontwijking. Alsof het geheel door net te doen of het niet gebeurde gewoon op magische wijze zou verdwijnen.

Niet meer, besloot hij, *vanaf vandaag. Ik heb dan misschien geen idee hoe ik met mijn zoon moet praten, maar ik zal er gewoon achter moeten komen.*

Scott voelde zich beter nu hij besloten had de stilte te doorbreken die zo lang had bestaan. Hij stond op en liep naar degenen van wie hij hield.

21

De gebeurtenissen van de daaropvolgende paar dagen gaven het woord 'stress' betekenis en Celeste ervoer zowel vermoeidheid als euforie. Om alles op een rijtje te krijgen aangaande haar besluit om naar Shuksan terug te keren, had een psychische uitputting veroorzaakt die ze nog maar zelden ervaren had, zelfs tijdens de drukke maanden op haar werk niet. Als ze bedacht dat ze bereid was om het leven zoals ze dat kende achter te laten en de verantwoordelijkheid van een eigen zaak op zich te nemen, schommelde ze tussen enorme opwinding en de angst dat het veel te hoog gegrepen was. Een van de eerste zorgen was dat de lokale klanten, loyaal aan de gepensioneerde accountant die bijna vijftig jaar de zaak had geleid, zouden aarzelen om hun gegevens aan 'dat kleine meisje van Malloy' te geven. Scott had haar gerustgesteld en haar eraan herinnerd dat Bill de enige in de stad was en dat, hoewel het de mensen een tijdje zou kunnen kosten om aan het idee te wennen, ze uiteindelijk wel bij zouden trekken. Hij was er vooral zeker van dat Analieses juridische ervaring een welkome toevoeging was in Shuksan, aangezien de dichtstbijzijnde advocaat in Ellensburg zat.

Celeste, Ty en Scott hadden het grootste deel van de zondag samen doorgebracht. Ty was opvallend opmerkzaam geweest en was een paar uur weggegaan voordat ze terug naar huis gingen, hetgeen Celeste en Scott wat tijd samen gaf. Ze hadden bij elkaar op de bank gezeten en hadden gesproken over Scotts inzicht in wat er schortte aan de relatie tussen zijn zoon en hem. Hij vertelde haar over zijn vastbeslotenheid om de weerstand te verminderen totdat ze een middenweg zouden vinden waar ze konden beginnen te communiceren over zo veel zaken die al veel te lang onbesproken waren gebleven.

Ze hadden gesproken over Celestes terugkeer naar Shuksan en hoe ze met hun eigen relatie om moesten gaan, als de ogen van de hele stad, en in het bijzonder die van Catherine, op hen gericht waren. Hij had eerlijk gesproken over zijn zorgen wat betreft Ty en Tawnya, en zijn angst voor hun reacties op het nieuws dat hun moeder over minder dan een maand van de machines afgehaald zou worden.

Gedachten aan Scott, de kinderen en haar moeder vulden haar hoofd voortdurend. Ze zat ook tot over haar oren in de voorbereidingen voor de veranderingen in haar eigen leven; het organiseren van de nieuwe praktijk, de verkoop van het appartement en het uitwerken van de talloze details die hieraan vastzaten. Ze had maandag vrij genomen en had een afspraak gehad met meneer Koch. Ze hadden de details van de overname besproken en tot haar opluchting was haar berekening vrij nauwkeurig geweest. Met de opbrengst van haar appartement kon ze niet alleen het bedrijf betalen, maar ook het bakstenen gebouw van twee verdiepingen waarvan het kantoor de onderste in beslag nam en dat een appartement met twee slaapkamers op de tweede verdieping had. Er was zelfs nog genoeg financiële ruimte voor een opknapbeurt van het pand. Ook zou ze een buffer hebben voor een paar maanden om te overleven terwijl ze in financieel opzicht de benen er weer onder kreeg.

Bill had genoeg koude winters meegemaakt en was van plan naar Arizona te verhuizen. Zijn vrouw was enkele jaren geleden overleden, zijn kinderen en kleinkinderen woonden verspreid door het land, er was niets dat hem aan Shuksan bond. Hij was opgetogen geweest een deal voor het hele gebouw te kunnen maken, wat meer was dan waarop hij had gehoopt. Voor Celeste was het een geweldige gelegenheid, niet alleen als aftrekpost voor de belasting, maar ook als een thuis voor Ana en Tori zolang ze het nodig hadden, iets om de zaak aantrekkelijker te maken toen ze Ana voor haar idee enthousiast probeerde te maken.

Ze had Ana gevraagd om bij haar te komen eten toen het geld was overgemaakt, het contract getekend en de beslissing definitief genomen was. Tijdens een ontspannen diner met kip, gevulde courgette en stokbrood had ze haar voorstel gedaan en Ana's wereld op zijn kop gezet. Na duizend en een vragen had Ana om een paar dagen bedenktijd gevraagd om de optie te overwegen en er met Tori over te praten. Ze wilde geen carrièreswitch voor zichzelf maken die zo groot was, zonder dit te overleggen met haar dochter. 'Dit zal haar wereld op zijn grondvesten doen trillen, Celeste. Nog meer dan de mijne, omdat we allebei weten dat ik *geen* leven heb naast BBSS en Tori.'

Ze hadden het er voor die avond bij gelaten en de volgende middag kwam Ana bij Celeste op kantoor langs en zei eenvoudigweg: 'We willen het doen.' Ze hadden een paar minuten rondgedanst in het kantoor, lachend en springend van de zenuwen, en toen waren ze gaan zitten om spijkers met koppen te slaan en hadden besloten allebei de volgende dag hun baan op te zeggen, op vrijdag.

Ana had het juist voorspeld: 'Dit zal de partners versteld doen staan, Celeste. Ze hebben overwogen je voor het partnerschap te vragen en ze raken niet alleen hun kip met de gouden eieren kwijt, maar ze gaat terug naar Podunk, Washington, om kilo's per hectare te berekenen voor een stelletje veefokkers. Ze zullen het *afschuwelijk* vinden. Wat *naïef* van je!'

Celeste trok een arrogant gezicht. 'In de eerste plaats, is het Shuksan, raadsvrouwe, niet Podunk. En in de tweede plaats ga ik daarheen om kilo's per hectare te berekenen voor agrariërs, niet voor veefokkers. Het verschil daartussen is dat agrariërs akkers bebouwen en dat veefokkers fokken. Begrepen?'

'Ze mogen zichzelf noemen hoe ze maar willen zolang ze maar niet van mij verwachten dat ik hooibalen ga tellen en dat soort onzin komende zomer.'

'Nee, lieve schat, je vergeet dat je daarheen gaat als advocaat. *Ik* zal waarschijnlijk degene zijn die hooibalen telt.'

Met een heerlijke huivering herhaalde Ana: 'Ik ga erheen als advocaat. Knijp me en zeg dat het waar is, Celeste, want ik kan het nog steeds niet geloven!'

'Je zult het echt wel beseffen als je tot over je oren in testamentszaken en zaken voor rijden onder invloed zit.'

'Ja, het schrikbeeld van een advocaat in een klein stadje.'

'Begin niet nu al te jammeren, anders zorg ik ervoor dat ik een paar velden voor je bewaar om vee te tellen. In je nieuwe Ferragamos.'

'Ga zo door, dan geef ik je wat leuke koeienvlaaien voor op je bureau.'

Celeste begon te lachen. 'Je maakt me niet bang, raadsvrouwe. Op de een of andere manier zie ik niet voor me dat je koeienvlaaien staat op te scheppen.'

'Serieus, Cellie, heb ik je al bedankt?'

'Waarvoor?'

'Voor de mogelijkheid, meid! Als je ook maar wist hoezeer ik deze baan verafschuwd heb in de afgelopen paar jaar. De dag waarop ik geen wetboek van de staat Washington meer hoef in te kijken kan me niet snel genoeg aanbreken.'

'Ik wist niet dat je hier zo ontevreden was, Ana. Waarom ben je hier gebleven als je het zo verafschuwde?'

Ana haalde haar schouders op. 'Zekerheid, denk ik. Als het alleen om mij ging, zou ik waarschijnlijk al ergens anders mijn heil hebben gezocht, maar ik moet ook aan Tori denken. Ik had het zelfs slechter kunnen treffen. Ik denk dat ik gewoon niet bereid was om dat risico te nemen.'

'Maar ben je er nu wel klaar voor? En Tori?'

'We zijn er klaar voor. We hebben er allebei voor gebeden en we hebben het gevoel dat dit Gods weg voor ons is. Zij is degene die tegen me zei dat ik gek zou zijn om dit te laten schieten. Ze zei: "Mama, je doet het, punt uit!" Gekke meid, kun je geloven dat ze al aan het pakken is?'

Plotseling bedacht Celeste iets en ze keek haar vriendin verontrust aan. 'Ik heb niet echt nagedacht bij het feit dat Shuksan nogal... nou ja...'

'Blank is? Ja, dat had ik zelf al bedacht. Dat is niet zo erg voor ons. Mensen zijn mensen, waar je ook komt. Er zullen er altijd zijn met wie het niet zo klikt, maar ik maak me er geen zorgen over. En Tori, die zal zich snel thuisvoelen.'

Ze hadden allebei hun baan opgezegd en Celeste begon haar klanten voor te bereiden op de overname door andere accountants binnen het bedrijf. Ze was verbaasd en dankbaar dat een aantal van haar klanten van haar diensten gebruik wilde blijven maken, ondanks het feit dat haar kantoor op tweeënhalf uur rijden van Seattle zou zijn. Dit was een grote opluchting en zou haar helpen de eerste maanden rond te komen terwijl ze relaties met de voormalige klanten van meneer Koch opbouwde. Zoals ze tegen Ana zei: 'En ik dacht nog wel dat, met een beetje mazzel, de enige persoon die me zou willen volgen die dwaas zou zijn, Spence Beckwith.' Waarop Ana snuivend had gereageerd: 'Tegen die tijd zit hij waarschijnlijk in de gevangenis.' Maar verwende Spencer had ervoor gekozen om bij de firma in Seattle te blijven en Celeste trok haar handen van hem en zijn voortdurende problemen af. SSBB mocht hem van haar houden!

Het appartement was binnen drie dagen verkocht en ze was begonnen met het inpakken. De spullen die uiteindelijk de reis over de bergen zouden maken als ze haar eigen huis had, liet ze ergens opslaan en de rest gooide ze meedogenloos weg. Een belangrijk punt op haar activiteitenlijstje was haar Beamer inruilen voor een grote Ford Expedition. Ze was niet van plan die bergwegen in de winter te berijden in een sportauto.

De Expedition was van voor naar achter volgeladen met haar kleding, stereo, tv en een collectie cd's en dvd's, evenals haar computer. De laatste papieren voor de verkoop van het appartement waren getekend en die voor de aankoop van het gebouw en de nieuwe praktijk lagen klaar voor de ondertekening de volgende dag. Ana, in haar officiële rol als nieuwe advocaat van Shuksan, zou aanwezig zijn bij de ondertekening. Zij en Tori wachtten buiten terwijl Celeste voor de laatste keer door haar appartement liep. Ze stond lange tijd bij de schuifpui, keek naar het meer, en had geen spijt. Ze keek alleen maar uit naar de toekomst. Een glimlach speelde rond haar lippen en ze waardeerde opnieuw de ironie van de situatie; haar ambitie had haar lang geleden uit Shuksan geleid en nu leidde haar volwassenheid haar weer naar huis. Haar leven vormde een cirkel die eindelijk gesloten werd. Ze herinnerde zich hoe ze nog maar een paar maanden geleden op het balkon had gestaan en zichzelf wijs maakte dat ze gelukkig was. Ze had zichzelf altijd voorgehouden dat onafhankelijk zijn het hoogste goed in haar leven was. Toen had ze onmogelijk kunnen toegeven dat ze een slachtoffer was geworden van een uitgebluste carrière en dat ze verlangde naar een eenvoudiger leven.

Misschien was het een teken van persoonlijke groei dat ze deze dingen eindelijk tegenover zichzelf kon toegeven, hoewel er sommigen waren die spottend opmerkten dat ze de druk gewoon niet aangekund had. Dit leek de houding te zijn die heerste bij Barton, Biddle, Sutton & Swales. Ze konden denken wat ze wilden, zei ze resoluut tegen zichzelf. Blij zullen ze er niet mee zijn geweest, want ze verloren wel een aantal van hun vaste klanten aan de nieuwe accountantsfirma.

Mensen hadden er moeite mee te accepteren en te begrijpen dat omstandigheden, vooruitzichten en wereldbeelden volledig konden veranderen. Misschien maakte het zien van iemand die alle schepen achter zich verbrandde hen zenuwachtig, omdat ze zich realiseerden dat zij misschien ook ooit op zoek moesten naar een nieuw schip. Het viel niet mee om een carrièreswitch te maken, of een andere grote verandering in het leven te ondergaan, als iemand de verantwoordelijkheid droeg van een normaal leven: partner, kinderen, scholen, hypotheek, enzovoort. Zij en Ana hadden geluk, wist Celeste. Ze waren allebei relatief ongebonden en het was makkelijker voor hen om opnieuw te beginnen dan voor de meesten, omdat alleen in unieke situaties de carrière of levenskeuze van een vrouw boven die van haar man ging. In dat opzicht hadden zij en Ana een grote voorsprong. De keerzijde van de medaille was dat er geen veiligheidsnet onder hen hing, geen salaris van een man om de val te breken en geen ingebouwd onderhoudssysteem dat thuis op hen wachtte. Toch wist Celeste ook dat het niet altijd een automatisme was dat een echtgenoot het vangnet vormde dat een vrouw af en toe nodig had. Ze kende genoeg vrouwen van wie de partners uit gewoonte namen zonder iets terug te geven en, naar haar mening, de situatie alleen maar erger maakten. Soms was het echt beter om alleen te zijn, alleen op jezelf te vertrouwen en aan niemand verantwoording af te hoeven leggen. Dit was haar hele volwassen leven haar motto al geweest en het was altijd opgegaan. Maar aan de andere kant, niemand was het risico ook nog waard geweest.

Tot nu toe.

Soms schudde ze nog steeds ongelovig haar hoofd dat degene op wie ze uiteindelijk verliefd was geworden niet alleen de laatste persoon ter wereld was van wie ze het verwacht had, maar daarnaast ook nog familie was.

Het was tijd om te gaan. Ze sloot haar ogen en bad.

God, ik geloof dat U me naar huis brengt en dat U Uw bedoelingen daarmee hebt. Help me alstublieft U te dienen als ik opnieuw begin in Shuksan. Verlicht mijn pad, hemelse Vader. Amen.

Ze fluisterde: 'Vaarwel' tegen niets en alles en trok voor de laatste keer de voordeur achter zich dicht.

22

Ze hadden de verhuizing en alle bijkomende ellende overleefd. Ana en Tori zaten in het bovenliggende appartement en Celeste was in haar oude slaapkamer in het huis van haar moeder getrokken. Ze kwam er al snel achter dat een weekend thuis eens in de paar maanden iets heel anders was dan officieel weer bij je moeder wonen. Catherine, al nooit een bijzonder vriendelijke gastvrouw, had die rol 'volledig afgedaan en ver weggestopt,' mopperde Celeste op een ochtend tijdens koffie en muffins tegen Ana.

'Ik ben bijna in staat om mezelf bij jullie op te dringen en op de bank te gaan slapen,' waarschuwde Celeste, terwijl ze een dode kamerplant van een wankele plank in het receptiegedeelte van het kantoor pakte. 'Dit is een schande, Ana! Zou je niet denken dat een man van in de zeventig er inmiddels achter moet zijn gekomen dat je planten *water* moet geven om ze te laten overleven? En hoe zit het met dit tapijt en de verf en al het andere?'

'Ja, het toilet bijvoorbeeld.'

'Dat is inderdaad een eng gezicht. Dus wat pakken we het eerst aan?'

Ana ging rechtop zitten, rekte zich uit en zette haar handen in haar zij toen ze de mogelijkheden overwoog. 'Ik zou er persoonlijk voor kiezen om eerst te schilderen en dan dit stoffige oude tapijt te vervangen. Ik denk dat het hier al veertig jaar ligt en bovendien stinkt het!'

Ze waren naar Wenatchee gegaan, hadden tapijt en een ondervloer uitgezocht en geregeld dat het gelegd zou worden. Toen hadden ze verf gekocht en alles wat erbij kwam kijken: kwasten, rollers, bakjes en terpentine. Celeste had onderhandeld met Ty en Tawnya, die de volgende zaterdag kwamen schilderen, samen met Tori, Ana, Celeste en Scott. Het nieuwe tapijt was de daaropvolgende dinsdag gelegd en Celeste was opgelucht dat het schilderwerk af was voordat het tapijt werd gelegd.

Ze hadden ook een winkel voor kantoorbenodigdheden gevonden en na het bestellen van twee nieuwe bureaus, drie computers, stoelen en tafels voor het receptiegedeelte, drie nieuwe telefoons en een berg kantoorartikelen was Celeste naar haar auto gewankeld, uitgeput en aanzienlijk minder rijk dan een paar uur daarvoor. Ze spaarde kosten noch moeite om het kantoor in te richten en had geweten dat het een kostbare zaak zou zijn, maar was niet bereid genoegen te nemen met minder. Hun nieuwe klanten zouden elk aspect van hun zaak inspecteren, inclusief de inrichting van het kantoor, lang voordat ze een goede band ontwikkeld hadden met hun nieuwe accountant of advocaat. Celeste was vastbesloten niet in gebreke te blijven.

Afgezien van het werk in het kantoor, het weggooien van dode planten en het uitzoeken van jaargangen stoffige accountantspublicaties, waarvan vele nog steeds in hun oorspronkelijke plastic mapjes zaten, had ze wat tijd genomen voor persoonlijke zaken. Ze had een aardig idee van wat ze wilde en na de derde nacht in het huis van haar moeder had ze haar banksaldo zorgvuldig bekeken, de resterende opstartkosten berekend en de verschuldigde belasting opzij gelegd. Ten slotte had ze achterover geleund in de krakende stoel van een voormalig receptioniste, voldaan dat ze niet van de honger om zou komen of een weekendbaan zou moeten nemen bij de snackbar om te overleven tot de eerste opbrengsten binnen zouden komen.

Het feit dat het maar drie dagen had geduurd tot het punt waarop ze het gevoel kreeg dat ze iets moest doen om niet helemaal gek te worden, was geen goed vooruitzicht voor een lange logeerpartij onder Catherines dak. Er waren niet veel andere opties, ze kon zich niet bij Ana en Tori opdringen, hoezeer ze daar ook mee dreigde. Een motelkamer boeken paste niet in het financiële plaatje en er waren niet veel huizen te huur in Shuksan.

Haar moeder maakte haar helemaal gek en dat ging veel sneller dan ze verwacht had. Tot nu toe had ze ervoor gezorgd dat ze niet veel tijd in het huis doorbracht en eerlijk gezegd was er genoeg te doen op kantoor om haar bezig te houden en een excuus te hebben dat Catherine zou geloven.

De herinnering aan het landgoed dat te koop was bij Carrot Lake, was in de afgelopen maanden in haar gedachten gebleven en ze was die middag naar het meer gereden, had haar auto geparkeerd en was over het rustige strand gelopen. Nog niet weggetrokken eenden en Canadese ganzen gleden kalm over het kabbelende oppervlak en achter haar zwaaiden de toppen van de pijnbomen in de wind.

Geen jetski te bekennen.

Ze was terug naar de stad gereden, rechtstreeks naar het lokale makelaarskantoor. Ze had de regelgeving met betrekking tot de septic tank, rioleringseisen en resultaten van bodemonderzoek bekeken. Ze keek ook naar diepteonderzoeken en de afstand die nieuwe gebouwen tot de waterkant moesten hebben.

Het landgoed had al stroomvoorziening, wat een enorme opluchting was. Elektriciteit was kostbaar als je moest betalen voor de installatie van een gebouw vanaf de grote weg. Het perceel besloeg tien hectare, maar Celeste wilde er maar vijf. Ze had terecht aangenomen dat de makelaar die de informatie gaf ook belast was met de verkoop en haar niet te veel in de hand wilde spelen door te veel informatie prijs te geven. Ze was teruggegaan naar het kantoor, had Ana gevonden in het appartement waar ze dozen aan het uitpakken was en had haar de informatie voorgelegd.

Ana stelde de documenten op voor een bod op vijf hectare. De verkoper wilde dertigduizend voor het perceel van tien hectare en Celeste bood vijftienduizend voor vijf hectare, ervan uitgaand dat de verkoper dan nog steeds de vraagprijs zou krijgen; er zou alleen meer dan één koper bij betrokken zijn.

De volgende ochtend verscheen Ana in echt advocaattenue: een marineblauw mantelpak met bijpassende pumps en een ivoorkleurige blouse met een saffieren broche om het geheel af te maken. Met glanzend gepoetste aktetas ging ze naar de makelaar toe. Korte tijd later kwam ze weer op kantoor, waar zij en Celeste van plan waren het archiefsysteem onder handen te nemen, springerig als een stel vlooien op een hond met een nieuwe vlooienband. Toen de telefoon eindelijk ging, keken de vrouwen elkaar vol verwachting aan en toen smeekte Celeste: 'Neem jij maar op, Ana. Ik kan het niet!'

Ana haalde diep adem en nam de hoorn op. 'Goedemorgen, Malloy & Claiborne. Kan ik u helpen? O, ja, meneer Strutzman. Ik snap het. Ja, ik kom het nu meteen ophalen. Dank u wel.'

Ana legde de hoorn weer neer. 'De verkoper heeft een tegenbod gedaan van twintigduizend voor de gehele tien hectare.'

'Wat moet ik nou met tien hectare, Ana?' Celeste liet zich in een stoel zakken en haalde afwezig een hand door haar haar. 'Wat denk jij dat ik moet doen?'

Met half dichtgeknepen ogen antwoordde Ana: 'Nou, dit stuk grond is al een tijdje op de markt, toch? En het is hem nog niet gelukt het gehele perceel te verkopen, ik denk dat hij wil zien of je terugkomt met een tegenbod. Hij wil de verkoop niet laten afketsen, niet nadat het al zo lang op de markt is. Heb je overwogen het hele perceel te kopen als een investering en het zelf in de toekomst dan weer door te verkopen?'

'Ja, daar heb ik over nagedacht. Ik geloof dat ik nu gewoon niet meer dan vijftienduizend wil betalen en ik heb er eigenlijk geen zin in om de rest in mijn maag gesplitst te krijgen.'

'Je weet maar nooit,' antwoordde Ana, een wenkbrauw optrekkend. 'Misschien ben ik er wel in geïnteresseerd om vijf hectare van jou te kopen en ook aan het meer te komen wonen.'

'Echt, Ana?' Celeste was opgetogen. 'Als jij dat wilt, dan zetten we het op papier. Oké? Dan accepteren we het bod.'

Tegen het einde van de dag waren de papieren getekend. Ze hadden een rondedansje gemaakt in het receptiegedeelte en waren toen naar de Hay Wagon gegaan om het te vieren met een diner van spareribs. Omdat ze nog geen zin hadden om al naar huis terug te keren, waren ze na het diner naar het appartement gegaan om te dromen en plannen te maken.

Ten slotte stond Celeste op en pakte haar tas. 'Ik moet ervandoor, dan hebben jullie nog wat aan jullie avond. Tot morgen.'

Tori vroeg: 'Hé, wanneer kan ik bij het meer gaan kijken?'

'Wat dacht je van zaterdag? We kunnen je moeder meenemen en bedenken waar we onze huizen willen hebben.'

'Klinkt goed. Mag Tawnya ook mee? Ik heb haar nog niet veel gezien.'

Celeste knikte. 'Natuurlijk, ik zal het aan haar vader vragen, maar ik kan me niet voorstellen dat dat een probleem zou zijn. Goedenavond, dames.'

'Welterusten.'

Ze liep voorzichtig de donkere trap af, zichzelf verwijtend dat ze er eerder niet aan had gedacht een licht aan te laten. Toen ze veilig de begane grond bereikte, liep ze haar eigen kantoor in, liet zich in haar bureaustoel zakken en slaakte een enorme zucht. De gedachte om terug te gaan naar Catherine was ongeveer net zo aantrekkelijk als de afwas na Thanksgiving. Plotseling wilde ze Scotts stem horen en ze pakte de telefoon. Toen hij voor de derde keer overging, nam hij op en ze zei alleen maar: 'Kan ik je vanavond zien?'

'Eh, ja. Geef me een halfuur. Ben je bij Catherine?'

'Nee, op kantoor. Scott?'

'Hm?'

'Schiet op, oké?'

'Ik kom eraan.'

Ze stond buiten toen hij de truck parkeerde, deed de passagiersdeur open en klom erin. 'Fijn dat je er bent.'

'Geen probleem. Het is fijn om je te zien.'

'Het is fijn om jou te zien. Zin om een stukje te gaan rijden?'

'Natuurlijk. Waar gaan we heen?'

'Het meer, als je het niet erg vindt?'

'Helemaal niet.'

Ze hadden door de duisternis gereden en gesproken over de gebeurtenissen in hun levens sinds de laatste keer dat ze samen geweest waren. Ty leek iets meer tot rust te komen en serieuzer te worden op school, iets wat het grootste deel van zijn schooltijd geen prioriteit geweest was. Tawnya deed het ook goed op school en had een dosis zelfvertrouwen gekregen die zichtbaar werd in de manier waarop ze met andere kinderen omging. Ze werd tegenwoordig zelfs gebeld. Scott vond dat ze het allemaal aan Celeste te danken hadden en Celeste vond dat het veel meer met Tori's acceptatie en vriendschap van doen had. Wat het ook was, het was zeker goed om haar op te zien bloeien.

Tot Scotts verbazing stuurde Celeste hem naar de noordkant van het meer, langs de Old Forest Service toegangsweg die naar de waterkant leidde. Ze namen meestal de toegangsweg naar het zuidelijke strand, hoewel hij in zijn middelbare schooltijd ook wel aan deze kant van het meer was geweest. Toen ze het meer ten slotte bereikten, zette hij de motor uit en zei: 'Kom eens even hier.'

Ze gleed over haar stoel in zijn armen en had het gevoel dat ze thuisgekomen was.

Ze zaten een paar minuten zwijgend tegen elkaar aan, luisterend naar elkaars hartslag. Toen trok Celeste zich los. 'Laten we gaan wandelen. O, dat ben ik vergeten. Heb je een zaklantaarn?'

Scott kreunde. 'Serieus? In het donker?'

Ze klopte op zijn wang. 'Ik zal je niet laten grijpen door de boeman. Waar is de zaklantaarn?'

Hij deed het dashboardkastje open, pakte de zaklantaarn en gaf die aan haar. 'Oké, ga maar voor.'

Ze liepen hand in hand naar de waterkant. Het licht van de zaklantaarn hobbelde enkele meters voor hen. Er was een handjevol huizen verspreid aan de andere kant van het meer en de lichten waren zichtbaar door de bomen.

'Het wordt hier steeds voller,' mompelde Celeste.

'Ja, ik denk dat het uiteindelijk vol huizen zal staan.'

Celeste wendde zich in het donker tot hem, hoewel ze zijn gezicht nauwelijks kon onderscheiden. 'Ik heb deze grond vandaag gekocht, Scott. Tien hectare.'

Van verbazing deed hij een stap achteruit. 'Echt?'

'Ja, echt waar. Nou, wat vind je ervan?' vroeg ze terwijl ze de zaklantaarn ronddraaide om een groepje bomen en de oever te verlichten. 'Ik ben nu officieel een belastingbetaler in Kittitas County.'

'Het is geweldig, Celeste. Maar ik moet zeggen, je zet er wel vaart achter, hè?'

'Nou, niet als je bedenkt dat ik mijn oog al in juli op dit perceel heb laten vallen, althans vijf hectare ervan, zelfs al voordat ik had besloten om naar huis te komen. Maar ik moest alle opstartkosten voor de zaak achter de rug hebben voordat ik een bod kon doen. Ik wilde eigenlijk geen tien hectare, maar Ana wil er vijf van me kopen en een huis naast het mijne neerzetten. We hebben allebei vijftig meter van de oever, dus onze huizen staan niet pal naast elkaar. En we hebben in elk geval elkaar aan de ene kant en hopen op goeie buren aan de andere kant.'

Hij kneep zijn ogen samen in het donker. 'Ik kan nu niet veel zien, maar als ik het me goed herinner, heb je een prachtig plekje.'

'Ja, het heeft een fantastisch uitzicht. Nou, wat denk je ervan? Heb ik me nu te veel op de hals gehaald?'

'Jou kennende niet. Als er een vrouw is die haar dromen najaagt ben jij het wel. Ik zie je hier al op de kant zitten, met je voeten in het water bungelend. Ik zie je hier zelfs veel makkelijker voor me dan ik kon bij Lake Washington.'

Celeste snoof. 'Dat komt doordat ik nooit op een steiger zat in Seattle en mijn voeten in het water liet bungelen. De enige openbare steigers daar zijn aanlegsteigers. Ik denk niet dat ik ooit een boot wil.'

'O, misschien een roeiboot, voor de lol.'

Ze knikte. 'Ja, ik kan wel leven met een roeiboot. Zie je Tawnya en Tori al voor je op een warme augustusmiddag?'

Hij wreef over zijn nek en deed net alsof hij in elkaar kromp. 'O, ja, dat zie ik voor me. Ik zie helemaal voor me hoe ze naar Charlies rots peddelen en dan jammeren dat ze te moe zijn om nog terug te roeien.'

'Dan moeten we er gewoon heen en zelf terug roeien.'

'We?'

Celeste wierp hem een geamuseerde blik toe.

'Nou, de laatste keer dat ik keek hadden roeiboten geen buitenboordmotoren.'

Scott antwoordde langzaam: 'Nee, ik had het over "we", oftewel jij en ik.'

Toen drong het tot haar door en Celeste pakte zijn hand weer, kuste hem en zei toen zachtjes: 'Ik wil met jou in mijn nieuwe huis wonen. Ons nieuwe huis. Jij, ik en de kinderen. Scott, ik weet dat het niet het juiste moment is om hierover te praten, maar ik weet niet wanneer het ooit wel het juiste moment is, dus ik zeg het maar gewoon. Ik weet niet wat je "intenties" zijn en dat vind ik prima, want ik ken de situatie. Als het moment dat je bij mij wilt zijn wel komt, dan zal ik er zijn, in mijn houten huis, wachtend op jou.'

Ze zweeg even, haalde diep adem en ging toen verder: 'Ik loop waarschijnlijk vooruit op zaken waar je nog niet aan wilt denken en dat is prima. Neem zo veel tijd als je nodig hebt, maar ik moet ook verder leven, Scott, en dit is waar ik me wil vestigen en 's avonds thuis wil komen.'

Hij zuchtte vermoeid en zei toen: 'Laten we gaan zitten, Celeste, tenzij je het koud hebt? Nee? Hier is een boomstronk, is dat goed?' Ze gingen zitten en hij nam haar hand in de zijne. Ze bleven zwijgen terwijl hij een inwendige strijd voerde en ten slotte zei hij: 'Ik voel me vereerd, Celeste. Er is niets wat ik liever wil dan op een sneeuwerige winterochtend met jou naast me wakker te worden, of stiekem gaan zwemmen in een zomernacht. Alleen de gedachte eraan verscheurt me al vanbinnen.' Hij draaide zich naar haar toe en nam toen haar beide handen in de zijne. 'Celeste, ik...' Hij stokte halverwege de zin en wendde zijn gezicht weer af.

'Wat het ook is, Scott, zeg het maar gewoon tegen me. Ik heb je net alles wat me bezighoudt verteld, als je na al die tijd niet eerlijk tegen me kunt zijn, dan weet ik niet wat we bij elkaar doen.'

'Je hebt gelijk. Oké.'

Hij draaide zich weer naar haar toe in de duisternis en gaf toe: 'Wat er tussen ons gaande is, is wel het laatste wat ik ooit verwacht had dat er zou gebeuren. En toen het eenmaal *gebeurde*, had ik een heel nieuw schuldgevoel om mee om te gaan. Het voelde als een verborgen motief Rach van de machines af te halen zodat wij samen kunnen zijn. Daarmee moest ik in het reine zien te komen. Ik zoek geen uitvluchten, Celeste, en ik wil niet dat het klinkt of ik er spijt van heb dat we bij elkaar zijn, want dat is niet zo. Als Rach niet was waar ze nu is, zou het nooit gebeurd zijn. Maar dat is wel het geval en ze zal nooit meer bij me zijn. Maar wij zijn er nog wel, samen. En Tyler en Tawnya. En Catherine.'

'Ja.'

'Maar er is nog iets.'

'Wat dan?'

Hij zuchtte diep. 'Ik heb de kinderen nog niet over Rach verteld.'

'Dat vroeg ik me al af. Ik dacht het al van niet. Lieve help, Scott, waarom niet? Het is alweer bijna eind oktober. Ik dacht dat je al weken geleden met ze zou gaan praten!'

'Dat zou ik ook. Ik was echt van plan het ze een paar weken geleden te vertellen toen de school weer begonnen was, maar toen gebeurde dat met Dwight en ik kon het Ty op dat moment niet nog moeilijker maken. Ik bedoel, het gaat net zo goed! Hij doet zijn huiswerk op tijd en zorgt dat hij geen problemen veroorzaakt. Hij gaat zelfs in de weekenden 's avonds het huis niet uit en ik denk dat hij eindelijk losgekomen is van de rest van de jongens waar hij mee feestte. Ik geloof dat hij clean en nuchter blijft, wat op zich al geweldig is. Ik zie de dagen verstrijken en word steeds zenuwachtiger, maar ik kan gewoon niet, kon niet... nou ja, ze van streek maken.'

Hij nam haar gezicht in zijn handen. 'Ben je erg teleurgesteld in me? Je hebt er het recht toe. Ik had hier met je over moeten praten, vooral nu er nauwelijks tijd meer is.'

'Nee, ik ben niet boos op je. Ik kan alleen maar proberen een voorstelling te maken van hoe je hiermee geworsteld hebt. En ik heb het recht niet je te veroordelen omdat je deed wat je dacht dat het juiste was, waar je mee kon leven op dat moment. Ik ben blij dat je eerlijk tegen me kon zijn, maar ik denk wel dat je met de kinderen moet gaan praten, Scott, morgenavond. Stel het niet nog een dag uit, want je hebt niet meer zo veel dagen om ze voor te bereiden. Het is zo volgende week.'

Hij knikte. 'Ja.'

Ze stonden zwijgend op, hand in hand, en keken uit over het donkere oppervlak van het meer, opgaand in hun eigen gedachten over Rachels situatie, de mensen die van haar hielden en het verdriet dat in het verschiet lag. Ten slotte haalde Scott diep adem en zei: 'Morgenavond dan.'

'Wil je dat ik er ben, voor morele ondersteuning?'

Langzaam schudde hij zijn hoofd. 'Nee. Ik bedoel, natuurlijk zou ik graag willen dat je erbij bent, maar dit is iets wat ik zelf moet doen.' Hij keek haar aandachtig aan. 'Begrijp je dat? Ik denk aan de kinderen en aan het feit dat ik niet wil dat ze jou als boosdoener zien, snap je? Dat ze jou aanvallen met de negatieve dingen die ze op hun bordje krijgen.'

'Nee, je hebt gelijk. Daar had ik niet over nagedacht. Maar weet dat ik in gedachten bij je zal zijn. Ik denk ook aan mijn moeder, trouwens. Zij moet het ook te horen krijgen.'

'Dat weet ik. Ik zal de volgende dag als jij aan het werk bent bij haar langs gaan om met haar te praten.' Hoofdschuddend gaf hij toe: 'Ik denk dat ik er zelfs nog meer tegen opzie om met Catherine te gaan praten dan met de kinderen, is dat niet belachelijk?'

'Helemaal niet. Maar je moet goed onthouden dat Rachel dit van jou gevraagd heeft, niet van mijn moeder, omdat mam haar wensen nooit zou respecteren. Laat haar de verklaring zien, Scott, en blijf standvastig.'

Hij schudde zijn hoofd. 'Het zal niet meevallen.'

'Nee,' stemde Celeste in. 'Het zal niet meevallen. De hele procedure is zwaar, daarom staan de zaken er nu zo voor. Maar je doet het juiste, Scott.'

Ze waren teruggereden naar de stad en hij had haar bij het kantoor afgezet waar haar auto stond. Ze hadden elkaar nog een afscheidskus gegeven en waren toen naar huis gegaan.

Twee uur later zat Scott aan zijn bureau, met gedimd licht, de verklaring in zijn hand, en dacht aan hoe het begonnnen was. In de afgelopen paar jaar leek het of hij de herinneringen aan Rachel vóór Huntingon was kwijtgeraakt en alleen de vrouw nog maar kon zien die steeds zieker werd. Nu hij eindelijk zijn rol in haar definitieve vertrek uit hun levens had geaccepteerd, kwamen de herinneringen terug en zag hij weer duidelijk het meisje voor zich op wie hij verliefd was geworden in zijn schooltijd.

Natuurlijk was niemand een vreemde in een klein stadje en hij kende Rachel Malloy al langer, maar ze was een paar jaar jonger dan hij en ze hadden afzonderlijke vriendenkringen. Hij herinnerde zich de eerste middag dat hij haar echt opgemerkt had; de huishoudklas had 'omelet siberienne' klaargemaakt en Rachels groep was niet in het project geslaagd. Het dessert was ontploft in de oven. Hij was het lokaal binnengelopen omdat hij niets beters te doen had terwijl hij wachtte op een van zijn vrienden die klef deed met zijn vriendin. Toen was hij op Rachel gestuit, die de oven stond te boenen, met gezwollen ogen en een betraand gezicht.

'Wat is er met je aan de hand? Is er iemand gestorven aan voedselvergiftiging?' had hij gegrapt en hij voelde zich meteen schuldig toen ze opnieuw in tranen was uitgebarsten en de binnenkant van de oven zo hard schrobde dat hij er zeker van was dat de binnenlaag zou loslaten.

'Kom op, ik maakte maar een grapje,' had hij vleiend gezegd, maar ze had hem genegeerd en was verdergegaan met haar taak. Hij bleef aarzelend staan. Hij was een populaire jongen, een aantrekkelijke vent die altijd goed in de smaak viel bij de dames en niet was gewend om afgewezen te worden. Zelfs niet wanneer hij het verdiende, wat in dit geval zo was. Uiteindelijk had hij het opgegeven en haar op haar knieën voor de oven achtergelaten, maar was steeds maar blijven denken aan het meisje met de donkere ogen die die oven met een betraand gezicht stond schoon te boenen.

Toen, op een besneeuwde zaterdag vlak voor Kerst, gingen hij en Jim naar het meer om de tijd te doden. Ze waren langs het huis van de Malloys gereden en daar was ze geweest, in de voortuin, waar ze een sneeuwpop maakte met haar kleine zusje. Hij was gestopt, had het portier geopend en had geroepen: 'Heb je zin om mee naar het meer te gaan en daar wat rondjes te maken?' Hij had gedacht dat ze zou weigeren en was verbaasd geweest toen ze had teruggeroepen: 'Alleen als mijn zusje mee mag.' Hij en Jim hadden hun schouders opgehaald en hij had gezegd: 'Natuurlijk, neem haar maar mee.' Ze riep dat ze tegen hun moeder moest zeggen waar ze heengingen en was in het huis verdwenen, terwijl haar zusje in de truck klom, hun de oren van het hoofd kletsend. Het leek wel een halfuur te duren en Scott had het meisje gevraagd of ze dacht dat haar zus hem gedumpt had, maar toen verscheen Rach bij de voordeur, gewapend met een grote thermosfles warme chocolademelk en een pakketje van aluminiumfolie, waarin zelfgebakken koekjes bleken te zitten, nog warm van de oven. Ze was tussen hem en Jim in gaan zitten en toen ze allebei drie koekjes verorberd hadden, had ze liefjes opgemerkt dat hij zich niet al te veel zorgen over de voedselvergiftiging moest maken. Scott was bijna gestikt in zijn laatste hap en Jim had het stuur vastgegrepen om hen op de weg te houden, terwijl hij in lachen uitbarstte. Rach had naar hem gegrijnsd; Scotts hart had een salto gemaakt in zijn borst en hij was verloren geweest. De cirkels die ze maakten op het bevroren meer hadden de brok in zijn keel niet verminderd en hij herinnerde zich nog steeds het geluid van haar lach, een muzikale toonladder van puur plezier, terwijl ze gas gaven tot de truck bijna honderd reed, toen een ruk aan het stuur gaven en hem over het ijs lieten glijden.

De enige aanwijzing van haar aangeboren verantwoordelijkheidsgevoel was het feit dat ze haar zusje absoluut verbood om achter in de truck mee te rijden terwijl ze rondjes draaiden. Dus ze was op de kant blijven staan terwijl ze Celeste voor haar eerste rondje wegstuurde en nam daarna zelf plaats in de cabine. Zelfs toen had ze het kind in de gaten gehouden, wat hij best gaaf vond; de meeste meisjes van haar leeftijd wilden niet opgescheept worden met hun kleine zusje.

Hun eerste officiële afspraakje was het gaan bekijken van een basketbalwedstrijd in de stad. Shuksan nam het op tegen Cle Elum en het was een belangrijke wedstrijd, aangezien Cle Elum het jaar daarvoor de vloer met hen aangeveegd had in de play-offs en de eer van Shuksan op het spel stond. Hij had haar thuis opgehaald, had haar moeder ontmoet en had zijn best gedaan om haar te charmeren, wat hem klamme handen en een bonzend hart bezorgde. Hij had opnieuw haar kleine zusje Celeste ontmoet, en had zich laten verleiden tot een kort spelletje Twister op de vloer van de woonkamer. Hij had een hand op blauw gehad, zijn rechtervoet op geel en zijn linker op groen en had gedacht dat hij nog nooit zo in de knoop had gezeten, zelfs niet als hij de olie van de oude John Deere tractor ververste. Hij en Celeste waren boven op elkaar gevallen op het moment dat Rach van de trap af kwam en ze was in lachen uitgebarsten. Zijn laatste beetje terughoudendheid verdween toen en hij werd net zo week als het satijn dat ze gedragen had op zijn eindexamenbal drie maanden later. Die avond had hij tegen haar gezegd dat hij van haar hield. Ze had gezegd dat ze ook van hem hield en meer woorden had ze er niet aan vuilgemaakt. Ze hadden een band die zo sterk was alsof ze de huwelijksgelofte al hadden afgelegd, hoewel dat pas drie jaar later zou gebeuren.

Het was waarschijnlijk niet realistisch om te zeggen dat hij van alles aan haar hield; want eerlijk is eerlijk, wie kan zoiets zeggen en het ook menen, nadat de kinderen er waren, de slapeloze nachten kwamen en de financiële zorgen die een huwelijk teisteren en hun tol van de romantiek eisen? Dus, nee, hij kon niet zeggen dat hij van *alles* aan Rachel gehouden had, maar dat was wel bijna het geval geweest, als hij de score zou hebben bijgehouden. Maar dat had hij niet gedaan en zij ook niet.

Hun huwelijk was standvastig geweest, hun toewijding een open boek en de lijm had het door de jaren heen gehouden, zelfs toen de band begon te kreukelen en de pagina's die hun levens omschreven geen nieuwe ervaringen of nieuwe herinneringen meer bevatten. De oude herinneringen waren degene die hij vanavond herbeleefde en zijn enige metgezellen waren de natte tranen op zijn wangen. Trouwdagen die ze samen gevierd hadden, elkaar stevig vasthouden als de kinderen in bed lagen, veilig in de wetenschap dat er nog veel meer trouwdagen zouden volgen. Dertien korte jaren waarin ze hun eigen verjaardagen en die van de kinderen, kerstdagen, Thanksgivings en paasfeesten gevierd hadden.

Dertien jaren om herinneringen te verzamelen aan het leven dat hun niet lang gegund was.

Maar vanavond was hij teruggegaan naar die eerste dagen en had hij elke herinnering opnieuw beleefd, bijna alsof ze Rachels geschenk aan hem waren. Een waardevol geschenk van vertrouwen, terwijl ze op het punt stond om dit aardse leven achter zich te laten.

'Als je van me houdt, Scott, dan laat je me gaan.'

En nu zou het dus eindigen, die eerste grote liefde, gekoesterd vanaf de pubertijd, getemperd tijdens het huwelijk en ouderschap en uiteindelijk overgegeven aan de vrede, allemaal in de geest en de herinnering van diezelfde liefde.

Hij veegde zijn wangen af, legde het document op zijn bureau en ging naar bed.

23

Het viel niet te ontkennen: huiswerk was echt irritant, vooral het wekelijkse verslag van het wereldnieuws. Ty leunde achterover in de krakende stoel en ging toen aan het bureau in zijn kamer zitten, gaapte eens flink en keek naar het lege vel papier voor hem. Hij kon elk actueel thema kiezen voor zijn wekelijkse verslag en volgde meestal de wederopbouw van Irak, de aanvallen op Amerikaanse soldaten en de voortdurende sage van moslimhaat tegen Amerika, maar dat werd afgezaagd. Er moest *iets* anders gaande zijn in de wereld, peinsde hij, en besloot dat hij zou kijken in de krant die pap laatst meegenomen had, om ideeën op te doen. Het leed geen twijfel dat schrijven niet zijn sterkste punt was en zijn wekelijkse verslagen waren op een woord of drie na feitelijk plagiaat, maar wat maakte hem dat uit? De oude meneer Graham keek met zijn ene oog halsreikend uit naar zijn pensioen en met zijn andere naar de nieuwste *Readers Digest*. Waarschijnlijk stond hij ook al met een voet in het graf en ondanks dat leerlingen de bron, auteur en datum van publicatie moesten citeren in elk verslag, ging Ty ervan uit dat meneer Graham dat niet al te zorgvuldig zou controleren. Bovendien, als hij besloot overtreders aan te pakken, moest hij bijna de hele klas nemen en dat zou niet snel gebeuren.

Met een voet in het graf. Dat deed hem meteen denken aan Dwight. De begrafenis was onwerkelijk geweest. Het had erop geleken dat het grootste deel van de stad aanwezig was bij de dienst in oma's kerk, maar de menigte was behoorlijk geslonken bij de dienst op de begraafplaats. Mevrouw Phillips had nuchter geleken, maar ze had Ty toch apart genomen op de begraafplaats. Om de een of andere reden had ze besloten dat Ty verantwoordelijk was voor de dood van haar zoon en ze had hem uitgescholden terwijl de kist in de vochtige grond zakte. Ze had haar eigen boosheid en schuldgevoel op Ty geprojecteerd en een hand geheven om hem in het gezicht te slaan. Dit was echter voorkomen door Scott die haar arm vastpakte en zei: 'Zo is het genoeg, Dora. Ik begrijp dat je verdriet hebt, maar Ty ook. Houd je nu gedeisd. Pas op.' En dat had ze gedaan, maar Ty zou zich die woedende ogen zolang hij leefde blijven herinneren en zichzelf ervan proberen te overtuigen dat het niet zijn schuld was. Iedereen zei het, maar *iedereen* was er niet bij geweest en had Dwight niet zien sterven. En ze waren er al helemaal niet geweest in die weken en maanden die aan die nacht voorafgingen, toen hij vergif in zijn longen en hersenen snoof en zichzelf centimeter voor centimeter vermoordde. Dat wat hem het meest dwarszat, was het knagende vermoeden dat Dwight dood gewild had... verslaving was één ding en iedereen wist dat die jongen wel raad wist met drank en drugs, maar op de een of andere manier voelde dit anders. Nu hij erop terugkeek, kon Ty eindelijk de vinger leggen op tal van incidenten die 'verkeerd aangevoeld' hadden op dat moment en hij was er pijnlijk zeker van dat hij Dwights pijn bewust niet had willen zien. Maar als Dwight echt dood had gewild, was dat dan niet zijn keuze? Het was in ieder geval een afschuwelijke keuze en eentje waar Ty nog elke dag op schold. Het was gewoon zo egoïstisch om te doen. Een heleboel mensen maakten nare dingen of situaties mee in hun leven maar hielden vol, waarom Dwight dan niet? Had hij niet beseft hoezeer zijn vrienden hem zouden missen, hoezeer Ty hem zou missen? Had hem dat niets uitgemaakt? Of was het vooruitzicht eindelijk een klein beetje vrede te hebben zo aanlokkelijk geweest dat het een verslaving op zich geworden was? En was zelfmoord, voor een jongen die het gevoel had dat hij niet veel controle over zijn eigen leven had, zelfs als het per ongeluk leek, geen definitieve manier om die controle voor eens en voor altijd weer terug te krijgen?

Dat was het probleem met zelfmoord; de mogelijkheid om in iemands hoofd te kijken en de belangrijke vragen te stellen stierf samen met de persoon in kwestie. Het enige wat overbleef was verdriet en de onderliggende woede om het egoïsme dat iemand belette zelfs maar naar andere opties te kijken. En waarom zou er geen alternatief zijn voor zelfmoord?

Strijdend tegen dezelfde pijn en woede die hij al weken met zich meedroeg, schoof Ty zijn stoel naar achteren en veegde driftig de tranen weg die zijn ogen vulden. Als iemand een reden had om er een einde aan te maken, was hij dat dan niet? Waarom overwoog hij dezelfde 'oplossing' niet nu mam voorgoed weg was uit haar gezin en zijn eigen onzekere medische prognose als een schim in zijn gedachten rondwaarde? Omdat hij onder al het andere dat meest basale, vitale element had dat Dwight had gemist, de zekerheid van in elk geval een liefdevolle ouder? Hij wist dat pap van hem hield, daar twijfelde hij geen moment aan.

Voor het eerst bewonderde Ty het doorzettingsvermogen van zijn vader om zijn moeders dodelijke ziekte te doorstaan en door te gaan met zijn leven, in de wetenschap dat ze nooit meer beter zou worden. Vroeg hij zich ooit af hoelang het zou duren voordat ze zou sterven, of stond hij zichzelf zelfs maar toe daarover na te denken? Was het, nu tante Celeste in beeld was, vooral nu ze weer in Shuksan was komen wonen, niet nog moeilijker voor zijn vader? Hij was niet iemand die vrouwelijk gezelschap opzocht. Er was nog nooit een andere vrouw geweest, in elk geval niet voor zover Ty wist, en de geruchten in een kleine stad waren een behoorlijke graadmeter voor zaken op het romantische vlak. Als zijn vader een ander had, zou hij het hebben gehoord. Toen de aantrekkingskracht tussen pap en tante Celeste uit het niets was gekomen en hem verblind had, had hij gereageerd uit een gevoel van trouw aan zijn moeder waarvan de heftigheid hem had verbaasd. Hij had ook tijd gehad om dat te verwerken en in de afgelopen weken, vooral sinds die keer in het appartement van tante Celeste, toen hij hen samen had gezien, was hij gaan toegeven dat ze echt om elkaar leken te geven. Ze hadden met respect met elkaar gesproken en luisterden echt naar wat de ander zei. En zelfs hun lichaamstaal, alles, leek gewoon *goed*. Hij was de situatie gaan accepteren zoals die was en waarom ook niet? Het was niet zo dat mam het wist of ooit zou weten trouwens. Ty besloot de verantwoording aan zijn vader en tante over te laten. Wat hem betreft waren ze oud genoeg om hun levens te leiden zonder zijn inmenging. Maar dat stomme verslag kwam zo natuurlijk nooit af. Hij kon maar beter naar beneden gaan en op zoek gaan naar die krant. Hij liep de donkere trap af naar de keuken, waar de krant meestal terechtkwam. Maar vanavond lag hij niet op tafel, wat betekende dat pap hem al weggegooid had, of mee naar zijn kantoor had genomen. Hopend op dat laatste liep hij de gang door, deed het licht van het kantoor aan, keek snel om zich heen en zag tot zijn opluchting de opgevouwen krant op het bureau liggen. Terwijl hij naar de voorpagina zocht, dwarrelde er een vel papier op de grond en hij bukte automatisch om dat op te pakken. Afwezig keek hij naar het papier, toen verstijfde hij, hield het dichterbij en las ingespannen.

Wilsverklaring/bevel om niet te reanimeren

Hierbij verklaar ik dat ik mijn man, Scott William Parnell, de volledige beslissingsbevoegdheid geef in alle medische beslissingen. Daarnaast verklaar ik dat ik niet wil dat mijn leven op kunstmatige wijze wordt verlengd, in het geval ik niet langer in staat ben deze beslissingen zelf te nemen.

Rachel Catherine Parnell
Getekend op 21 november 2002

Lijkbleek las Ty het document nog tweemaal en besloot toen dat hij het goed genoeg begreep. Mam had pap gemachtigd om ervoor te zorgen dat ze niet op de manier zou eindigen als nu het geval was. Ze had erop vertrouwd dat hij ervoor zou zorgen dat dat *niet* zou gebeuren. Het formulier was bijna vier jaar geleden ondertekend! Dat betekende dat pap dit papier lange tijd verborgen had gehouden, lang voordat mam naar Fircrest ging en zeker lang voordat ze aan al die machines werd gekoppeld.

Na de eerste schok kwam de boosheid op zijn vader om hetgeen hij zijn moeder, hun allemaal, de laatste paar maanden had aangedaan, terwijl hij heel goed had geweten wat de wens van zijn moeder was geweest. Hij bestudeerde de kriebelige handtekening van zijn moeder en zijn maag trok zich samen bij de aanblik van haar handschrift. Hoelang geleden was het dat hij voor het laatst iets persoonlijks van zijn moeder had gezien? Soms moest hij zelfs naar de muur onder de trap lopen en naar de familiefoto's kijken om zich haar echt te herinneren. Welke zoon vergeet nou hoe zijn moeder eruitziet?

De zoon die zijn moeder al meer dan een jaar niet meer gezien heeft, siste een bittere stem van schuld hem het antwoord toe.

Hij liet het papier weer op het bureau vallen, draaide zich om en beende het kantoor uit. De krant en zijn huiswerkopdracht was hij vergeten. Hij pakte zijn spijkerjasje van de kapstok aan de keukendeur en trok dat aan terwijl hij de voordeur uit liep. Hij trok het portier van zijn truck open, plofte neer op de stoel, bukte en pakte de fles onder de passagiersstoel vandaan waar hij verstopt lag. Hij gooide de dop op de stoel, hief de fles en nam een flinke slok. Toen leunde hij met zijn hoofd tegen de achterkant van de stoel terwijl de whisky de scherpe kantjes van zijn gevoelens verdoofde.

Dat is beter.

Hij nam nog een slok en toen nog een. Ten slotte veegde hij zijn mond af met de mouw van zijn jas, deed de dop weer op de fles en startte de motor. Wanneer het tegen zat, had hij altijd met Dwight kunnen praten. Vanavond was een van die avonden, maar Dwight was voorgoed weg. Met wie moest hij nu gaan praten?

Hij verafschuwde de tranen die zijn zicht belemmerden. Hij draaide de landweg op, blindelings naar de fles grijpend, en reed sneller dan op de tweebaansweg gereden mocht worden. *Nou en?* Misschien zou hij die grote bocht voor hem wel uit vliegen en dan waren al zijn problemen voorgoed voorbij. Vaarwel ziekte van Huntington die, als de papegaai van een piraat, op zijn schouder leek te zitten, elke dag en nacht van zijn leven. Vaarwel eenzaamheid van een leven zonder Dwight en helemaal vaarwel vooruitzicht de rest van zijn leven het hooi van anderen te moeten maaien, hun tarwe te moeten oogsten en elk dubbeltje te moeten omdraaien om te kunnen rondkomen.

Overweeg ik echt om zelfmoord te plegen?

Op dat moment wist hij hoe het voelde om geen hoop meer te hebben, om helemaal alleen te zijn, om te weten dat niets in het leven ooit nog goed zou zijn.

Dit was hoe Dwight zich had gevoeld.

Ty huiverde onder zijn jasje, zette de verwarming helemaal aan en nam toen nog een slok van de whisky, die zo brandde dat hij dacht dat het een gat in zijn ziel zou branden.

Mijn ziel.

Vanuit zijn diepste herinneringen kwam er een Bijbelvers in

zijn gedachten. 'Welnu, met de Heer wordt de Geest bedoeld, en waar de Geest van de Heer is, daar is vrijheid.'

Waar was dat vandaan gekomen? Het leek wel of hij gek werd. Nou, als hij er dan toch een einde aan maakte, dan kon hij maar net zo goed geen pijn voelen. Hij nam nog een flinke teug uit de fles, draaide toen de dop er weer op en gooide hem op de grond, terwijl hij met zijn rechterhand naar een cd zocht. Dat had hij nodig, wat muziek. Goede, harde, stevige rock, misschien wat Nirvana. Dat was wel geschikt om naar te luisteren tijdens zijn dood. Als het goed genoeg voor Kurt Cobain was, dan was het zeker goed genoeg voor Tyler Parnell.

Hij pakte de cd, haalde de cd die nu in de speler zat eruit en gooide hem op de passagiersstoel. Toen deed hij *Smells like teen spirit* erin en maakte zijn hoofd leeg, wachtend tot de woorden van een andere zelfmoordenaar hem vergezelden naar zijn einde.

Wat was dit? Het was Cobain niet. Hij moest de verkeerde cd gepakt hebben. Maar zelfs als dat zo was, dit was niet iets waar hij ooit naar geluisterd had. Het was zeker geen cd van hem. Wacht eens even... had Celeste hem geen cd gegeven toen ze onderweg naar buiten waren op de ochtend dat hij en pap bij haar weggingen? Hij had er geen moment meer aan gedacht toen hij eenmaal thuisgekomen was en hem gewoon in de truck bij de rest van zijn muziek gegooid. Geconcentreerd fronste hij zijn wenkbrauwen, terwijl de alcohol danste door zijn zenuwstelsel, en luisterde naar de woorden van Casting Crowns in de duisternis. Woorden van wanhoop, hopeloosheid, pijn en gebrokenheid, en uiteindelijk van Gods genezende kracht.

Hij reed door, maar iets diep in hem reageerde, zich bewust van het krachtige werk dat in hem plaatsvond. Tegen de tijd dat het derde lied begon te spelen was zijn hart bereid om de krachtige tekst en muziek te horen, die, op dat moment, zijn leven voorgoed veranderden.

Het lied stierf weg tot het stil was, maar de boodschap weerklonk luid en duidelijk in Ty's hart. Hij drukte wat knoppen in op het dashboard en het lied klonk opnieuw.

Hij was zich er vaag van bewust dat zijn voet zich ontspande op het gaspedaal en toen het lied voor de tweede keer ten einde kwam, had hij het gas bijna volledig losgelaten. Waarschijnlijk maar goed, aangezien de tranen die hem overvielen als een zomerstorm hem bijna verblindden. Hij vertraagde nog meer en sloeg toen van de landweg af naar een weg die naar een appelboomgaard leidde. Daar zette hij de motor uit. Hij bleef stil zitten en probeerde de controle over zichzelf terug te krijgen. Wat was er net gebeurd? Hij legde zijn hoofd tegen de achterkant van de stoel, keek omhoog naar de sterren en werd zich plotseling bewust van zijn nietigheid in het universum. Wie zou het eigenlijk iets uitmaken als hij weg was in het grote geheel der dingen? 'Ik ben gekomen om hun het leven te geven in al zijn volheid.'

Hij sloot zijn ogen en vroeg zich af hoe al deze Bijbelverzen vanavond vanuit de diepte van zijn herinneringen in zijn gedachten kwamen.

Bent U het, God?

Hij wist niet wanneer hij de laatste keer aan God had gedacht, maar herinnerde zich nog de lessen die hij zowel thuis als op de zondagschool had gehad en later tijdens catechisatie. Hij herinnerde zich hoe hij voor de gemeente gestaan had op een mooie zondagochtend in mei, drie jaar geleden, en zijn geloof voor iedereen beleden had. Mama had in de kerkbank gezeten met pap, Tawnya en oma. Het was een van de laatste keren geweest dat ze naar de kerk had kunnen gaan, maar hij herinnerde zich de vreugde in haar donkere ogen toen dominee Olson de catechisanten aan de gemeente had voorgesteld.

Hij meende zich te herinneren dat hij de woorden die hij die ochtend had uitgesproken ook echt had geloofd. Wat was er in drie jaar gebeurd om hem vandaar te brengen naar waar hij zich nu bevond, hol en leeg?

Plotseling vielen de puzzelstukjes in elkaar en hij huiverde in zijn jas. Het lied dat hem zo diep geraakt had kon over hemzelf zijn geschreven!

God, was ik degene die de duisternis binnenliet? Ik dacht eigenlijk niet dat ik iets verkeerd deed... niets wat de rest van de jongens ook niet deed!

Hij verschoof achter het stuur en zijn voet raakte de fles die hij eerder op de grond had gegooid. Plotseling werd de fles een tastbaar symbool voor alles wat misgegaan was in zijn leven. Met nieuwe energie deed hij de deur open, zwaaide zijn benen eruit en bukte om de fles op te pakken. Hij deed een paar passen bij de truck vandaan en, met zo veel kracht als hij op kon brengen, slingerde hij de fles de duisternis in. Gerinkel van glas klonk toen de fles ergens tegenaan was geknald.

Hij liet zich op de grond zakken. Zijn ogen waren eindelijk geopend voor zijn zonde en hij dacht eerlijk na over alle manieren waarop hij de satan had toegestaan toegang tot zijn ziel te krijgen.

'Misbruik de naam van de HEER, uw God, niet.'

Vergeef me, Heer. Ik kan niet eens beginnen met het tellen van alle keren dat ik U op die manier beledigd heb.

'Toon eerbied voor uw vader en uw moeder. Dan wordt u gezegend met een lang leven in het land dat de HEER, uw God, u geven zal.'

Vergeef me, Heer. Ik denk dat U beter weet dan ik hoelang ik nog leef, maar ik weet dat er morgen weer een dag is en dat kon ik eerder vanavond niet zeggen. Ik weet dat ik het pap lastig gemaakt heb. Vergeef me. Ik denk dat het misschien makkelijker was om hem op afstand te houden dan te veel van hem afhankelijk te zijn. Ik bedoel, wat als er ook iets met hem zou gebeuren? Het was gewoon eenvoudiger om tegen mezelf te zeggen dat ik niet van hem hield, dat hij niet van mij hield. En mam. God, het doet gewoon zo zeer... Ik dacht dat het makkelijker was om gewoon kwaad op haar te zijn, maar dat was niet zo. Ik weet niet hoe ik nog eerbied voor haar kan hebben, Heer. Haal haar alstublieft thuis. Alstublieft, Heer. Ze is er al zo lang toe bereid en nu ben ik misschien eindelijk bereid om haar te laten gaan.

'Ga ontucht uit de weg; wie ontucht pleegt zondigt tegen het eigen lichaam.'

Vergeef me, Heer. Reinig me, maak me nieuw. Help me om sterk te blijven als de verleiding terugkeert en dat gebeurt altijd, God, altijd. Help me.

'Bedrink u niet, want dat leidt tot uitspattingen, maar laat de Geest u vervullen.'

Vergeef me, Heer. Wees mijn hoop, Jezus, en vervul me zo dat ik deze afschuwelijke leegte niet meer voel. Neem het deel van me weg dat verlangt naar de roes die alcohol met zich meebrengt.

Hij lag plat op zijn rug en staarde met betraande ogen naar de sterren boven zich. Bij elke belijdenis die hij aan de voeten van de Redder neerlegde, voelde hij de druk in zich afnemen. Hij werd bijna duizelig van de opluchting vanbinnen en was nauwelijks in staat zich zo'n gevoel van oprechte vrede zoals op dit moment te herinneren. Opnieuw begon hij te huilen.

Dank U, God. Neem het allemaal weg, Heer. Ik vind het vreselijk waar ik geweest ben. Ik wil daar nooit meer naar terugkeren.

Hij werd zich bewust van het vocht dat door zijn kleding drong en realiseerde zich dat hij al bijna een uur op de koude grond lag, opgaand in zijn tijd van gebed en belijdenis. Zijn ledematen waren stijf en hij stond moeizaam op, eerst op een been springend, toen op het andere, terwijl duizenden speldenprikjes ervoor zorgden dat hij weer gevoel in zijn voeten kreeg. Hij liep naar zijn truck, deed het portier open en ging in de cabine zitten, terwijl hij zijn neus optrok vanwege de geur van de whisky die nog steeds in de afgesloten ruimte hing. Hoe kon iets wat zo verschrikkelijk stonk en in feite nergens naar smaakte hem zo in zijn greep hebben gehad?

Dank U, God, dat U me geholpen hebt de waarheid in te zien, dat U mijn veilige plaats bent, in plaats van alcohol. Maak me sterk, Heer. Ik kan dit niet alleen.

De sleutel stak in het slot en hij stopte de hand die automatisch de sleutel om wilde draaien. Hij voelde zich prima, geweldig zelfs, en voorzag geen problemen om thuis te komen, maar hij had gedronken. Hij had God beloofd dat hij grote veranderingen zou doorvoeren in zijn leven. Hij kon net zo goed hier en nu beginnen. Iemand met hersens in zijn hoofd ging niet de weg op als hij gedronken had.

Hij klopte op zijn jas, zocht in de zakken en haalde uiteindelijk zijn mobiele telefoon tevoorschijn. Hij deed hem open en zei hardop: 'Thuis.' Hij sloot zijn ogen en wachtte tot de verbinding tot stand was gebracht. Voor het eerst sinds lange tijd wist hij met volkomen zekerheid dat een echte band met zijn vader niet alleen mogelijk was, maar ook iets waar hij intens naar verlangde.

Toen het geluid van zijn vaders slaperige stem klonk, haalde hij diep adem en zei toen: 'Pap? Ik ben het. Ja, alles is in orde. Luister. Je moet naar me toe komen. Stimsons appelboomgaard, vlak bij County Road 14. Ja. Nee, ik heb geen ongeluk gehad, alles is in orde. Ik heb gewoon... ik heb jou gewoon nodig.' Hij schraapte zijn keel en veegde het vocht uit zijn ogen weg met de mouw van zijn jas. 'Oké, geweldig. Bedankt. Goed. Dan zie ik je zo.'

Hij klapte de telefoon dicht en stopte hem weer in zijn zak. Toen drukte hij op de toets van de cd-speler en leunde achterover om te luisteren naar de liedjes die zijn tante hem gegeven had. Hoewel hij alleen in de truck zat, wist hij zonder twijfel dat hij niet alleen was.

Hij zou nooit meer alleen zijn.

24

De week die volgde was er een die een keerpunt in de familie Parnell kenmerkte, een tijd van genezing en nieuwe hoop. Scott was meteen in zijn kleren geschoten na Ty's nachtelijke telefoontje en was gekomen. Met angst en beven was hij over County Road 14 naar de boomgaard van Stimson gereden, onzeker over wat hij bij aankomst kon verwachten. Ondanks Ty's geruststelling dat hij niet betrokken was geweest bij een ongeluk dacht hij als vader natuurlijk automatisch aan het ergste en hij was intens opgelucht toen hij ontdekte dat Ty niet gelogen had en niet gewond was.

Bovendien was zijn zoon *veilig* in elke zin van het woord. Een geweldige verandering had in dat jonge leven plaatsgevonden. Het was begonnen bij zijn zoon en kreeg ook zijn weerslag op hun nieuwe relatie. Het fundament was gelegd en verbeteringen begonnen zichtbaar te worden. De stenen en het cement die bij dit proces gebruikt werden, waren die van de bevestiging van de liefde die hij nu openlijk aan Ty kon tonen en het aanhoudende herstel van het bestaande bouwwerk dat zich stevig in de handen van de Meesterarchitect bevond.

Zoals bij elk bouwproject waren er nog altijd tijden van onzekerheid, van trage vooruitgang en op die momenten keerden ze terug naar de blauwdruk, Gods Woord. Het bouwwerk, wanneer dat eenmaal af was, zou er een van schoonheid en genade zijn. En Scott wist dat er voor een grote verandering, of dat nu in gebouwen of in relaties was, eerst sloopwerkzaamheden nodig waren. Muren moesten worden weggehaald om een grotere ruimte te creëren in een bestaand bouwwerk, evenals in harten.

Hij vergeleek de nieuwe bouw aan zijn gezin met de strijd om Jericho; opnieuw vielen de muren.

Voor hemzelf was het onvermogen om vrijuit van zijn kinderen te houden, zonder enige reserve, en om Gods geweldige liefde net zo vrijuit te omarmen, de muur die hem zo lang gevangen gehouden had. Opnieuw kon hij zichzelf herkennen in de woorden van David in de Psalmen; zijn beker stroomde over. Zijn ziel was gezalfd met goddelijke genade en een nieuwe ochtend omvatte nu belofte in plaats van wanhoop en hopeloosheid.

Voor Tawnya waren de muren die doorbroken waren in haar eigen persoonlijke Jericho, muren waar hij zich totaal niet van bewust was geweest. Hij had zijn kleine meisje stevig omhelsd, terwijl zijn eigen tranen op haar hoofd vielen, en luisterde naar de verhalen over haar strijd tegen haar gewicht, met haar zelfbeeld en haar voortdurende gevecht met Ariel Reardan, die haar gevoelens van onzekerheid nog meer aanwakkerde. Elke ouder die de pijn van zijn kind ziet, veroorzaakt door iemand anders, heeft waarschijnlijk jeukende handen om dat kind een pak voor de broek te geven en de andere ouder zijn mening even duidelijk te maken.

Uiteindelijk was dat echter niet echt de oplossing van het probleem. Hoe verleidelijk het ook was om zich te mengen in Tawnya's strijd met Ariel en haar aanhangers, na veel bidden en nadenken had hij geweten dat dat niet de manier was om met de situatie om te gaan. In plaats daarvan was zijn rol bidden voor zijn dochter, het vertrouwen in Gods kracht stimuleren en haar groeiende vertrouwen in zichzelf bevestigen. Hoewel hij het niet wist, waren de woorden die hij tot haar sprak dezelfde woorden als die haar vriendin Tori uitgesproken had in de nacht in augustus waarop het proces van Tawnya's eigen overgave aan God was begonnen.

'We kunnen de houding van iemand anders niet veranderen, alleen die van onszelf. Dat is de taak van God. Onze taak is ervoor zorgen dat we zijn waar we horen te zijn, in ons eigen geloof en onze overtuigingen. Laat je licht schijnen, Tawn – wees het licht dat in de kantine schijnt, bij de kluisjes, waar je ook maar duisternis ervaart. Volg Zijn voorbeeld en leg de rest in Zijn handen.'

Zijn dochter had een ijzeren wil, dit herkende hij als Rachels geschenk aan hun dochter. Het was dezelfde onwankelbare kracht die Rachel door de donkere jaren van haar ziekte gedragen had. Het verlangen om het leven van Christus in dat van haarzelf te weerspiegelen, was duidelijk zichtbaar bij Tawnya, en Scott werd zowel nederig als geïnspireerd door het geloof van zijn dochter. Ze was al bezig met catechisatielessen sinds september en ervoer een tijd van geestelijke groei die haar besluit om te groeien in geloof en God te dienen, versterkte.

Je moeder zou zo ongelofelijk trots op je zijn, schat. Ik ben zo trots op je.

En dan was er Tyler. De verandering in het leven van zijn zoon was een geweldig vertoon van Gods werk. De jongeman die bij hen aan de eettafel zat, had in veel opzichten weinig gemeen met de gekwelde, sombere persoon die hij geweest was.

Het overviel Scott op een avond bij de warme maaltijd, terwijl de drie Parnells dankten voor het eten, dat hij de ware betekenis van het woord luxe begreep en dat het tijd was. Hoewel dat woord bij sommige mensen beelden oproept van schitterende zwembaden en weelderige hotelkamers op een tropische locatie, wist hij wel beter. Luxe was de tijd hebben om je voor te bereiden op een moeilijke weg die voor je lag, tijd om een breekbaar gezin te beschermen tegen nog meer pijn.

Als hij de mogelijkheid had gehad om te kiezen, dan zou hij

ervoor gekozen hebben om deze nieuwe dagen van hoop en eenheid voor zijn gezin niet te doorbreken, zodat het genezingsproces niet verstoord zou worden en het proces van opbouw op schema bleef. Maar die keuzemogelijkheid was er niet en in de week na Ty's middernachtelijke telefoongesprek had Scott urenlang gebeden en gevraagd om wijsheid en leiding. De beslissing was genomen en hij had er eindelijk vrede mee. Rach zou eindelijk naar Huis mogen gaan.

Hij had de vorige middag een pijnlijk halfuur op Fircrest doorgebracht, waar de puntjes op de i werden gezet. Op zondagmiddag zou de familie voor het laatst aan haar bed bijeenkomen en dan zouden in aanwezigheid van haar arts de machines die haar in leven hielden, worden uitgezet.

Alles wat hem nog te doen stond, was Tawnya en Catherine op de hoogte brengen en hij had zelden ergens meer tegenop gezien. Tijdens een van hun openhartige gesprekken had Ty bekend dat hij de verklaring had gevonden. Ze hadden een uur lang een zwaar gesprek over de situatie gevoerd en Ty accepteerde volledig wat er voor hen lag. Ty's kennis over de situatie had iets van de last in Scotts hart weggenomen, maar hij wilde nog steeds dat hij iets meer tijd had. Een paar extra maanden, een paar extra weken.

Toen hij nog klein was, gebruikte zijn moeder weleens een gezegde dat hij zich nu weer herinnerde en dat hem een zekere mate van troost gaf.

'De mens wikt, maar God beschikt.'

Hij had begrepen dat daar een diepere betekenis in school, dat het geen slimme manier was om te zeggen dat de oogst misschien weg regende, maar dat onze verlangens tijdelijk zijn en dat alles op Gods moment gebeurt, tot aan het weer toe. Hoewel een boerenvrouw de lucht zeker in de gaten hield, had zijn moeder zich stevig vastgeklampt aan de diepere betekenis. Prediker zei dat er voor alles een tijd was, een tijd voor blijdschap en verdriet, een tijd om geboren te worden en een tijd om te sterven.

En nu was het Rachels tijd.

God, ik geloof dat U er bent en me leidt. Ik had hier zonder Uw hulp niet kunnen komen. Ik weet dat U ons nooit meer geeft dan we kunnen dragen. Het is gewoon dat... nou, ik ben bang, Heer. Ik ben overal zo bang voor: met Tawnya praten, met Catherine praten. Ik weet niet hoe ik met zondag om zal gaan, ook al denk ik dat ik er eindelijk aan toe ben om haar te laten gaan. Hoe kan ik sterk zijn voor alle anderen als ik zelf zo zwak ben? Wat als de kinderen hierdoor in hun oude gewoontes terugvallen? Ik ben zo bang, Heer, en dat spijt me. Ik vertrouw erop dat U alles in de hand hebt, maar ik heb er nog steeds moeite mee om los te laten en het over te geven. Help me, Heer. Wandel met me mee, leid me. Dank U, Heer. Amen.

De tijd was gekomen... Hij had op de woensdagavond voordat het zou gebeuren met Tawnya gesproken, onderweg naar huis vanaf catechisatie. Ze hadden beiden gehuild, maar ze had haar moeders ziekte al maanden daarvoor geaccepteerd en ze gaf toe dat ze God had gevraagd om haar moeder Thuis te halen, zodat er een einde aan haar lijdensweg zou komen.

En toen Catherine. Celeste had op donderdagmiddag met hem afgesproken in haar moeders huis en samen hadden ze de verklaring uitgelegd, het document aan Catherine laten zien en, zo voorzichtig mogelijk, gesproken over de laatste bijeenkomst aan haar bed op zondag. Zoals hij en Celeste al gevreesd hadden, had de oudere vrouw het nieuws niet goed opgenomen.

'Rachels leven ligt in Gods handen, niet in die van jou. Hoe durf je net te doen of je Gods wil kent?'

Het feit dat dit uiteindelijk Rachels eigen wil was, had niet geholpen om Catherines pijn en woede te verzachten. Nu ze geconfronteerd werd met een situatie waarin ze geen controle of wettelijke rechten had, was ze woedend uitgevallen en de woorden waren als zweepslagen aangekomen.

'Denk maar niet dat ik niet weet wat er hier werkelijk gaande is. Jullie tweeën hebben een verhouding en dit heb jij allemaal bekokstoofd, Celeste, zodat je met hem kunt trouwen. Zo veel mannen in Seattle, maar jij moet zo nodig terug naar huis komen om de man van je zus recht onder haar neus vandaan te kapen! Je bent mijn dochter niet meer. Je bent dood voor me. En jij, Scott! Ik heb me mijn leven lang nooit méér voor iemand geschaamd. Mijn dochter vermoorden zodat je ontucht kunt plegen met deze... vrouw. Jij bent niet wie ik dacht dat je was. Ga mijn huis uit, jullie allebei. Pak je spullen en ga weg. Na de begrafenis wil ik jullie nooit meer zien.'

Hij was ontzet geweest over de bittere, verschrikkelijke woorden die uit de mond van zijn schoonmoeder waren gekomen en had intens medelijden met Celeste. Ze was ineengekrompen alsof ze geslagen werd en hoewel de tranen over haar bleke wangen stroomden, had ze geen woord gezegd om zichzelf te verdedigen. Ze was alleen de trap op gelopen om haar kleding en persoonlijke spullen uit haar slaapkamer te halen. Omdat hij niet in staat was om toe te kijken en niets te doen, was hij naar haar toe gegaan en was hij een aantal keren naar zijn truck gelopen met dozen vol spulletjes uit haar jeugd. Toen hij voor de laatste keer naar boven ging, stond ze daar blindelings voor zich uit te staren, terwijl de restanten van haar kindertijd verdwenen. Uiteindelijk had ze hem aangekeken en hij schrok opnieuw van haar kwetsbaarheid en pijn.

'Ben je klaar?'

Ze had geknikt, diep ademgehaald en was na nog een keer om zich heen te hebben gekeken met de laatste doos in haar armen, achter hem aan de trap af gelopen. Catherine zat nog steeds daar waar ze haar achtergelaten hadden, gehuld in ijzig stilzwijgen.

Celeste was naast haar moeder blijven staan alsof ze wachtte tot ze nog iets zou zeggen, maar haar moeder had geweigerd haar aan te kijken en ten slotte was ze door de hordeur die Scott voor haar openhield naar buiten gelopen.

Hij volgde haar naar de weg en wachtte terwijl ze de doos in de auto zette.

'Het spijt me zo, Celeste. Ik kan niet geloven wat ze tegen je heeft gezegd.'

'Of tegen jou.'

Hij schudde zijn hoofd. 'Ik had niet anders verwacht, maar ik had niet verwacht dat ze zo tegen *jou* tekeer zou gaan. Het spijt me zo dat ik ermee ingestemd heb dit samen te doen. Ik had je de volle laag misschien kunnen besparen als ik het alleen had gedaan.'

Ze veegde verwoed de tranen weg die maar bleven stromen en keek toen naar het huis waaruit haar moeder haar verbannen had. 'Ze heeft nooit van me gehouden, Scott. Ik denk dat ik dat altijd geweten heb. Ze heeft me eens verteld dat ik een jongen had moeten zijn, voor mijn vader. Wat ben ik een teleurstelling gebleken, hè?'

Het verlangen om naar haar toe te gaan, haar in zijn armen te nemen en de pijn weg te kussen was bijna te groot, maar alleen het feit dat andere ogen dan die van Catherine hen gadesloegen zorgde ervoor dat hij bleef staan waar hij stond.

Ten slotte hervond ze haar zelfbeheersing, droogde haar ogen en haalde diep adem.

'Ik moet hier weg.'

'Waar ga je heen?'

Ze haalde haar schouders op. 'Naar Ana's huis. Daar slaap ik wel op de bank, denk ik.'

Plotseling riep hij gefrustreerd uit: 'Dit is belachelijk, Celeste. Kom naar de boerderij, we hebben een extra slaapkamer.'

Met een bittere, humorloze lach schudde ze haar hoofd. 'En al haar vermoedens bevestigen? Die voldoening geef ik haar niet, maar bedankt. Nee, ik denk dat ik een paar dagen de tijd neem om even bij te komen. Na de begrafenis regel ik iets anders, al moet ik in een tent bij het meer gaan slapen!'

Hij keek haar aan en zag de pijn in haar blauwe ogen. De kleur op haar wangen was teruggekomen, ze waren rood van emotie. Woede stroomde door hem heen, hij had dit gedaan, dit was zijn verantwoordelijkheid, niet de hare. Hoe kon Catherine zo gevoelloos met haar dochter omgaan?

Misschien had Celeste wel gelijk. Misschien had Catherine alle liefde die ze in zich had wel over Rachel uitgegoten. Zijn hart brak toen hij dacht aan het kleine meisje dat zich altijd enigszins onwelkom moest hebben gevoeld in haar eigen huis.

Plotseling, zonder dat het hem iets kon schelen wie er door gesloten jaloezieën meegluurde, kwam hij dichterbij en nam haar hand in de zijne. Ze keek naar hem op en ze maakten zwijgend oogcontact. Toen gaf hij haar nog een kneepje in haar hand en deed toen een stap naar achteren. 'Bel me, Cel. Wanneer dan ook. Je weet dat je bij mij terecht kunt. Wanneer dan ook, oké?'

Ze knikte en fluisterde toen: 'Dag.'

'Wanneer dan ook, Celeste.'

Op dat moment hadden hun wegen zich gescheiden en afgezien van een paar telefoongesprekken hadden ze geen contact gehad tot zondagochtend, toen ze stiekem blikken wisselden vanaf hun plaatsen in de kerkbanken aan weerskanten van de kerk. Catherine zat alleen, een eenzaam figuur, te midden van families en vrienden die wel samen waren gekomen. Celeste had overwogen naar haar moeder toe te gaan, maar de oudere vrouw had haar een kille blik toegeworpen en ze was naar een andere bank gelopen, waar ook zij alleen zat.

Celeste deed helemaal mee aan de dienst, ze sprak de liturgie uit, zong met de liederen mee en vierde het Avondmaal, terwijl ze zich volledig verdoofd voelde vanbinnen. Af en toe testte ze zichzelf en herinnerde ze zichzelf eraan dat ze over slechts enkele uren bijeen zouden komen in Fircrest om afscheid te nemen van haar zus. Op de een of andere manier had de realiteit van de situatie plaatsgemaakt voor een gevoel van onwerkelijkheid, alsof ze de woorden wel begreep maar weigerde ze volledig te verwerken.

Ze verkeerde in een roes sinds de scène bij haar moeder op donderdag en ze had zich vrijdag verscholen gehouden in Ana's appartement. Ze was er alleen even uit gegaan om een nieuwe klant te ontmoeten. Ze dacht dat ze het aardig goed gedaan had, maar zeker wist ze het niet aangezien ze zich niets meer van het consult kon herinneren. Gelukkig was ze zo slim geweest om een taperecorder in een bureaulade te verstoppen en het hele gesprek op te nemen. Misschien zou ze morgen of dinsdag naar het bandje luisteren en weer aan de slag gaan.

Ze schudde haar hoofd, nog steeds worstelend met het feit dat er een begrafenis zou zijn. Ze was naar het gangpad gelopen nadat de zegen was uitgesproken, had mensen die haar begroetten teruggegroet, met haar blik op de deur, gedreven door slechts één doel.

Ze had Scott nodig. Hij zou met haar praten, ze zou in zijn ogen kunnen kijken en daar kracht uit putten en dan zou ze weer kunnen voelen. Hij zou haar genezen en dan zou ze weer heel zijn.

Had ze gebeden in de afgelopen dagen? Ze kon haar aandacht er niet bij houden, maar ze dacht dat ze dat misschien niet gedaan had. Misschien was dat de reden dat ze zich nu zo voelde. Misschien moest ze tijd met God doorbrengen in gebed en Hem vertellen over haar pijn. *Dat zal ik doen,* beloofde ze zichzelf.

Maar toen ze Scott en de kinderen het gebouw zag verlaten, liet ze haar gedachten varen en maakte dat ze wegkwam uit de hal waarin de gemeenteleden samendromden om de voorganger te groeten.

Ze baande zich een weg naar buiten en wierp een paniekerige blik om zich heen. Daar stonden ze, aan de rand van de parkeerplaats, in gesprek met Tawnya's lerares. Zijn ogen ontmoetten de hare toen ze aan kwam lopen en ze moest zichzelf bedwingen om niet naar hem toe te rennen, zich in zijn armen te werpen en te roepen: 'Bescherm me.' In plaats daarvan hield ze haar emoties in toom, ook al voelde ze haar ledematen trillen. Zou het gesprek nooit eindigen?

Ga naar huis, mevrouw Abbott. Alstublieft. Ga nu weg.

Ten slotte liep de oudere vrouw weg en bleven ze met z'n vieren alleen achter, samen maar afgezonderd. Geen van hen zei iets over wat voor hen lag, en Celeste werd opnieuw geraakt door de onwerkelijkheid van deze dag.

Uiteindelijk slaakte Scott een zucht. 'Ik geloof dat het tijd is om erheen te gaan,' in het besef dat ze allemaal wisten wat de geplande bestemming was. Op deze dag bestond er geen andere bestemming. Er was alleen de vrouw in Fircrest die verlost zou worden van haar pijn en lichamelijke gevangenschap.

Na een zwijgend instemmen stapten ze allemaal in Celestes auto, terwijl de stilte zwaar op hen drukte. Na enkele minuten kwamen ze aan en bleven stil in de auto zitten. Niemand had haast om te zien wat hun binnen stond te wachten. Scott sloot zijn ogen, keek toen Celeste aan en daarna zijn kinderen. 'Kunnen we eerst elkaars hand vasthouden en samen bidden, voordat...' Hij maakte zijn zin niet af en veegde met een hand over zijn gezicht. Toen ze elkaars handen vasthielden, begon hij. 'Hemelse Vader, Heer Jezus, we komen vandaag bij U... Ik weet niet hoe ik moet bidden, Heer. Ik heb geen woorden om te omschrijven hoe ik me voel, maar U kent de harten van iedereen die nu bij U komt en U begrijpt het. We vragen U gewoon om nu bij ons te zijn, terwijl we ons voorbereiden om Rachel naar U toe te laten gaan. En zegen Rachel, Vader. Haal haar snel Thuis. Amen.'

Hij haalde diep adem en zei toen: 'Zijn we er klaar voor?'

Drie hoofden knikten, drie stemmen mompelden instemmend en ze zetten de eerste stappen naar de glazen deuren die wachtten om open te glijden bij hun aankomst. Ze bewogen zich zwijgend voort, elk opgaand in gedachten en herinneringen, onzekerheid en angst over wat er zou komen. Ze begroetten de receptioniste en liepen toen voor de laatste keer door de gang naar de kamer waarin het lichaam lag van de vrouw van wie alle aanwezigen hielden. De deur stond open en binnen stond een verpleegster metingen van de monitor op een klembord te schrijven. Stil medeleven was aanwezig in haar glimlach terwijl ze hen begroette en een tedere hand op Rachels voorhoofd legde. 'Neem zo veel tijd als jullie willen. Als jullie klaar zijn, piep ik dokter Schmick op, hij doet nu zijn ronde. Druk gewoon het alarm in, dan kom ik eraan.' Toen liep ze, het klembord in haar hand, zachtjes de deur uit. Ze sloot de deur achter zich en liet de bezoekers achter bij haar patiënt.

Rach.

Mam.

Ze lag bewegingloos op het smalle bed, gekoppeld aan de machines. Er klonk een gestaag gesis uit de beademingsapparatuur en Rachels borst steeg en daalde ritmisch mee. Een plastic masker hield de slang in haar mond op zijn plaats. Het donkere, krullende haar was nog maar een trieste herinnering aan gezondere tijden en was kortgeknipt om het makkelijker hanteerbaar te maken voor haar verzorgers. Voor Tyler, die zijn moeder niet meer had gezien sinds ze uit huis gegaan was, was het zijn moeder en toch ook niet. Dit lichaam van een vrouw die nog maar net een bobbel vormde in het ziekenhuisbed en die nog maar een schaduw van haar vroegere zelf was, was mam niet.

Ze stonden aan de rand van het bed, elk opgaand in herinneringen, nog niet helemaal in staat om de vrouw van vroeger te associëren met degene die in het bed voor hen lag. Celeste zat naast haar zus en pakte een hand die vervormd was door spieratrofie. 'Ik houd van je, Rach. Je was een geweldige zus. Ik wil dat je weet dat ik weer thuis ben. Ik wil niet dat je je zorgen maakt over Scott en de kinderen; ik ben er voor ze. Je hebt een paar geweldige kinderen, Rach. Je zou zo trots op ze zijn en ook op Scott. Je weet dat ze altijd van je zullen houden, maak je geen zorgen dat dat ooit zal veranderen.' Met een brok in haar keel boog ze zich voorover en kuste haar zus op de wang. 'Rust nu maar. Ik houd van je, Rach.' Ze kwam overeind, liep bij het bed vandaan, veegde de tranen van haar wangen en ging bij de deur staan, waardoor Scott en de kinderen vrij toegang hadden tot het bed. Een voor een namen ze naast Rachel plaats, spraken over hun liefde en namen afscheid en bleven toen met betraande gezichten besluiteloos staan.

Terwijl ze hun best deden om hun zelfbeheersing te bewaren, zei Tawnya aarzelend: 'Komt oma niet?'

Scott keek Celeste aan en beiden dachten aan Catherines reactie die donderdagmiddag. 'Wat denk je, Cel? Moeten we haar bellen? Ik dacht echt dat ze hier zou zijn.'

'Dat dacht ik ook. Ik weet niet of ik het kan, maar ik zal haar bellen. Dat verdient ze.' Ze deed de deur open en keek over haar schouder de kamer in, in de hoop kracht te putten uit degenen die daar stonden. 'Ik ben zo terug.'

Ze liep op wankele benen naar de receptie, met angst in haar hart. Haar moeder... waarom was ze er niet? Welke kwetsende woorden zou ze zeggen tegen de dochter die ze uit haar leven had verbannen?

Veel te snel stond ze aan de balie en draaide ze het nummer dat ze al dertig jaar uit haar hoofd kende, nauwelijks in staat om adem te halen. Ten slotte klonk de stem van haar moeder door de lijn. 'Hallo.'

Ze haalde diep adem. 'Mam?'

Stilte. Toen vroeg haar moeder met ijzige stem: 'Wie is dit?'

Tranen welden op in haar ogen, terwijl de frustratie over haar moeders koppigheid door haar heen stroomde. 'Mam, met Celeste. We zijn in Fircrest. We wilden weten… kom je nog?'

Catherine snauwde, de vijandigheid hoorbaar in elke lettergreep: 'Nee, ik maak zeker geen deel uit van deze… moord… die jullie gaan plegen. Ik zal in staat zijn mijn Rachel recht aan te kijken in het hiernamaals, om maar niet te spreken over God, met een goed geweten.'

Celeste sloot haar ogen en bad dat God haar moeders hart wilde verzachten en haar pijn wilde verlichten. 'Mam, je zou echt moeten komen om haar nu te zien, voordat… nou, het is gewoon dat dit de laatste kans is en ik weet dat je er spijt van krijgt als je het niet doet. Alsjeblieft, mam. Wij gaan de kamer wel uit en geven je privacy met Rach, maar kom alsjeblieft.'

'Je weet niets over hoe ik me voel en het interesseert je al helemaal niet. Nee. Jullie begaan deze zonde zonder mijn toestemming en moge God genade hebben met jullie zielen, als dat nog rechtvaardig is.'

Met een klik werd de verbinding verbroken en met trillende hand gaf Celeste de telefoon terug aan de receptioniste, mompelde 'bedankt' en keerde toen verdrietig terug naar Rachels kamer.

Drie stemmen vroegen tegelijk: 'Komt ze eraan?'

Celeste schudde haar hoofd en hield trillende vingers voor haar ogen. 'Nee… nee, ze komt… niet. Ik heb geprobeerd haar over te halen, maar…'

Scott knikte. De kinderen waren op de hoogte van de afschuwelijke confrontatie met hun oma van die donderdag, van de manier waarop ze haar jongste dochter uit haar huis en uit haar leven verbannen had. Ze hadden uitgebreid over de situatie gesproken en hij kon op dit moment eerlijk in hun aanwezigheid praten. 'Het is haar keuze. We kunnen haar niet dwingen om te komen en het spijt me dat haar bitterheid haar ervan weerhoudt hier vandaag te komen.' Hij zuchtte diep. 'Nou, zijn we er klaar voor? Zullen we het ze laten weten?'

Hij keek elk van zijn kinderen aan en wendde zijn blik toen tot Celeste. Ze knikte zwijgend en de blik die ze deelden omvatte verdriet, spijt en toch ook een gevoel van vrede, van acceptatie. Ze konden niets doen om Catherines beeld van wat er zou gaan gebeuren te veranderen en ze hadden gedaan wat ze konden.

Het was tijd.

Scott drukte op de alarmbel en deed toen een stap naar achteren. Hij keek naar de vrouw die een arrogant tienerhart voor zich gewonnen had, dat stevig vastgehouden had en uiteindelijk had geholpen het gezin dat ze gevormd hadden groot te brengen. Hij raakte haar wang aan en streelde toen zachtjes over het korte, donkere haar, met nieuwe tranen in zijn ogen. 'Rach...'

Er werd zachtjes op de deur geklopt en toen kwam een oudere man met vermoeide ogen, gekleed in een witte doktersjas over een zondags pak, de kamer binnen. Rachels verpleegster volgde hem, het klembord in de aanslag. 'Scott, kinderen. En Celeste. Verwachten we Catherine nog?' Toen ze hun hoofden schudden, zuchtte hij. 'Ach, Catherine. Ik hoopte... nou ja. Ik zal even uitleggen wat er nu gaat gebeuren. Als jullie er klaar voor zijn, haal ik de beademingsslang uit Rachels mond. Dat is de slang die haar longen van zuurstof voorziet. Als ik de beademing heb afgekoppeld, duurt het een paar minuten en dan zien jullie deze getallen hier zakken,' hij wees naar de monitor, 'hartslag en zuurstofgehalte. Er zullen geen getallen voor de ademhaling meer zijn, want de machine ademt niet langer voor haar. Het zal vrij snel gaan, maar ik zal niet tegen jullie liegen en zeggen dat het snel genoeg gaat. Het zal waarschijnlijk uren lijken te duren, maar in werkelijkheid zijn het twee, misschien drie minuten.'

Hij zweeg en vroeg toen: 'Nog vragen?' Toen iedereen 'nee' aangaf door met het hoofd te schudden of zachtjes te praten, ging hij door: 'Wanneer jullie klaar zijn dan beginnen wij.'

Celeste, gevolgd door Tawnya en toen Tyler, namen uiteindelijk afscheid, kusten de stille vrouw nog een keer op de wang en toen pakte Scott de hand van zijn vrouw beet. 'Rust zacht, Rach. Je gaat eindelijk naar Huis. Het spijt me dat ik de kracht niet had om je eerder te laten gaan. Ik hield van je, Rach, je zult altijd een deel van me zijn.' Hij hief zijn vrije arm om de tranen uit zijn ogen te vegen. 'Slaap nu maar, Rach. Rust in Gods vrede.'

Hij legde zijn hand op het bed, kwam overeind en keek de dokter aan. Zwijgend gaf hij toestemming om door te gaan en deed toen een stap naar achteren, naar zijn kinderen, die hij bij de hand pakte. De dokter en verpleegster werkten efficiënt en communiceerden in medische taal die alleen zijzelf begrepen.

'Sat?'

'Achtennegentig procent. Eenentwintig procent FIo2, PEEP van zes.'

'Beademing stopzetten.'

Ze keek op haar horloge en schreef toen het tijdstip op het formulier op het klembord. 'Dertien vierenveertig. Hartslag zevenenzestig, normale sinus.'

De dokter ging op zijn plaats aan de rand van het bed staan, haalde de tape weg die de beademingsslang aan Rachels wang plakte, nam toen de slang in zijn hand, drukte hem leeg en haalde hem uit Rachels mond. Er hing een stilte van enkele seconden en toen zei de verpleegster met zachte stem: 'Sat tweeënnegentig en dalend. Hartslag veertig. Abnormaal ritme.'

Dokter Schmick wendde zich tot de familie. 'Haar zuurstofniveau en hartslag dalen. Dit zal een paar minuten zo doorgaan.' Bij het geluid van een gesmoorde snik, zei hij met troostende stem: 'Ze heeft geen pijn. De receptoren in haar hersenen maken deel uit van wat al verwoest is. Wat jullie zien, zijn alleen de lichaamsfuncties die ten einde komen. Vergeet niet dat Rachel zelf zich al lange tijd van niets meer bewust is. Vitale tekenen?'

'Sat zesentwintig, hartslag zestien. Bloeddruk veertig over nul.'

De dokter hield Rachels hand vast en drukte zijn vingers tegen haar pols. 'Het zal nu niet lang meer duren.'

Vier paar ogen keken naar de monitors, wachtend op wat urenlang leek, niet wetend wat er nu zou gaan gebeuren. Ze hoefden niet lang te wachten. De monitors die hartslag en zuurstofniveau aangaven, bleven hun gegevens spuwen en gaven aan dat de waarden in snel tempo daalden, 40... 25... 10. Een elektronische, felgroene lijn kronkelde over het scherm, verdween toen en kwam terug als een rechte lijn. *Ze is weg.* De monitor gaf een schril alarm, die de verpleegster uitzette met een schakelaar.

Dokter Schmick hield Rachels hand nog even vast, vingers aan haar pols, en legde haar hand toen naast haar neer. 'Tijdstip van overlijden dertien zevenenveertig.'

Het was gebeurd.

De dokter sprak woorden van medeleven tegen elk familielid en ging toen, gevolgd door de verpleegster, de kamer uit. De familie bleef achter om nog een laatste moment met Rachel door te brengen.

Scott omhelsde zijn kinderen, terwijl zijn tranen zich vermengden met die van hen. Celeste stond op enige afstand. Ze voelde zich niet op haar plaats, alsof ze zich bemoeide met hun verdriet. Ze liep naar de deur en, na nog een laatste blik op het lichaam van haar zus te hebben geworpen, glipte ze de gang op en liep snel naar de receptie. Tegen de tijd dat ze de ingang bereikt had, rende ze bijna. Het was plotseling cruciaal dat ze aan deze plaats van dood en verdriet ontsnapte en met een gevoel van enorme opluchting ademde ze de frisse herfstlucht in.

O, Rach... Mam, hoe kon je nou niet komen? Hoe kun je hier nu niet bij zijn?

Ze bereikte haar auto, terwijl ze met haar handen op haar maag drukte, bijna stikkend in de tranen die over haar wangen gleden en op het asfalt onder haar vielen. Nu ze alleen was, gaf ze toe aan haar tranen en spuugde ze de zoute brok uit die in haar keel hing. Na een tijdje nam de druk vanbinnen af, verminderden ook haar tranen en haalde ze trillend adem. Scott en de kinderen kwamen net het gebouw uit. Ze veegde haastig de tranen weg en probeerde zichzelf te vermannen. Terwijl ze aankwamen, realiseerde ze zich dat ze geen moeite had hoeven doen om haar verdriet te verbergen; niet alleen haar ogen waren gezwollen en niet alleen haar stem trilde van de emoties. Ze liepen langzaam en Celeste kreeg opnieuw tranen in haar ogen bij de aanblik van hun verdriet. Toen ze de auto bereikten, stonden ze bij elkaar, elkaar omhelzend, troostende woorden mompelend. Ten slotte schraapte Scott zijn keel. 'Nou...'

Celeste knikte. 'Kom mee, ik zal jullie bij de kerk afzetten. Ik weet zeker dat jullie nu alleen maar naar huis willen.'

Ze reden in stilte, elk opgaand in herinneringen, maar Celeste voelde zich opnieuw een buitenstaander en indringer in de tijd van rouw van dit gezin. Ze hoopte uit alle macht dat Scott zou zeggen: 'Kom mee naar de boerderij, Cel. Breng de dag met ons door. Je wilt vandaag niet alleen zijn.' Ook al erkende ze de behoefte van hem en de kinderen om de dag samen door te brengen, alleen, om te verwerken wat ze zojuist gezien hadden en elkaar te troosten met liefde, toch hoopte ze er toch deel van uit te kunnen maken.

Nadat ze de parkeerplaats was opgereden en naast Scotts truck geparkeerd had, zette ze de versnelling in zijn vrij en draaide zich opzij. Drie paar rode, gezwollen ogen keken in de hare. De kinderen mompelden een afscheid en verlieten de achterbank. Scott bleef nog even zitten. 'Gaat het wel, Celeste?'

Ze voelde zich allesbehalve goed, maar ze knikte. 'Natuurlijk. En jij? Kan ik iets voor je doen? Koken... wat dan ook?' Ze hield haar adem in en hoopte... hoopte. Maar hij schudde zijn hoofd. 'Nee, ik denk dat we gewoon naar binnen gaan, misschien proberen wat te slapen... geen van ons heeft erg goed geslapen vannacht. Maar bedankt.'

Ze knikte en voelde een pijn in haar borst die niet alleen met het overlijden van Rachel te maken had. Op dat moment had ze het gevoel dat ze geen familie meer over had, dat niet alleen haar moeder, maar ook Scott en de kinderen blind voor haar pijn waren en haar alleen met haar verdriet achterlieten.

Ze had zich nog nooit in haar leven zo alleen gevoeld.

Toen ze weg waren, zat ze alleen in haar auto totdat de zon aan de hemel begon te vervagen. Ten slotte, omdat ze nergens anders heen kon, startte ze de motor en ging terug naar het appartement boven het kantoor, waar Analiese wachtte. Ze zou zich beter voelen als ze met Ana gepraat had, dan zou dit gevoel van verlating, van leegte, verdwijnen.

Waar bent U, God? Kan het U niets schelen dat ik zo veel pijn heb?

Ze gooide het autoportier open, pakte haar tas en zette vermoeid haar voeten op de stoep. Een nieuwe broosheid typeerde haar bewegingen en vanbinnen was er de pijn van alleen zijn.

Wat moet ik nu doen?

Ze zocht naar haar sleutel, liet zichzelf het kantoor binnen, bleef even onzeker staan en beklom toen de trap naar het appartement erboven.

Ze dankte God voor Ana. Ook al had iedereen haar verlaten, ze had altijd Analiese nog.

In elk geval *iemand* begreep het concept van trouw. Als ze op niemand anders kon rekenen, kon ze wel op Ana rekenen.

Als Ana met haar wilde bidden, prima. God leek van de radar te zijn verdwenen wat Celestes eigen zoektocht naar Hem betrof.

De nieuwe tranen uit haar ogen vegend, vermande ze zichzelf en liep toen resoluut de trap op. Haar vriendin wachtte boven en als er ooit een moment geweest was waarop ze een vriendin nodig had gehad, dan was het vandaag wel. Haar enige vriendin, de enige die echt om haar gaf.

25

Het was oktober en het weer was schitterend. Nog drie dagen en dan was het Halloween en overal in Shuksan waren vogelverschrikkers en uitgeholde pompoenen opgedoken in tuinen en voor ramen. Het ongewoon warme weer bracht rouwenden in korte mouwen naar St. John's Lutheran Church en er werd opgemerkt dat het fijn was dat de nazomer lang genoeg was blijven hangen om in stijl afscheid van Rachel Parnell te nemen.

Er stonden natuurlijk geen vogelverschrikkers op het terrein rondom de kerk, maar recht aan de overkant, in de tuin van de Hundabees, stond een groot exemplaar. Er waren niet veel avonturen waar Celeste Rachel voor had weten over te halen, dus de herinnering aan hun weergaloze grap met de ongelukkige vogelverschrikker van Alice was nog leuker vanwege de zeldzaamheid ervan.

Alice was een forse, sterke vrouw die haar erf met argusogen in de gaten hield, alert op kinderen die haar voortuin bevuilden met lollystokjes of ijspapiertjes. Ze zat altijd in haar schommelstoel op de veranda in het halfuur nadat de scholen 's middags waren uitgegaan om mogelijke overtreders in de gaten te houden. Zoals gewoonlijk had ze daar die oktobermiddag waarop Celeste en Rach waren langsgelopen onderweg naar huis ook gezeten.

'Kijk,' had Celeste van achter haar hand tegen Rachel gefluisterd. 'Haar ondergoed hangt in de achtertuin aan de lijn. Heb je ooit eerder zo'n enorme bh gezien?'

De grijnzende vogelverschrikker die midden in de voortuin

prijkte was gehuld in een saaie tuinbroek met een verwassen rode zakdoek en Celeste had besloten dat hij wel wat opgedirkt mocht worden. Ze had Rachel opgedragen naar de veranda te gaan om Alice een paar minuten af te leiden en had de vrouw gegroet voordat ze tegen Rachel had gezegd dat ze haar thuis wel zou zien. Toen was ze naar de achterkant van het huis gegaan, had de poort voorzichtig geopend en was naar de waslijn geslopen. Wauw! De vrouw had onderbroeken (als je het al onderbroeken kon *noemen*) in het formaat van tenten! Celeste had er eentje met bloemetjes en een grote bustehouder van de knijpers getrokken, ze met een grijns in haar tas gestopt en zichzelf voorgehouden dat ze in elk geval schoon waren. Ze was weer weggeglipt door de poort, had Rachel een teken gegeven en was naar huis gegaan.

Die avond laat waren ze met een zaklantaarn in de hand weggeslopen toen hun moeder al sliep. Giechelend en fluisterend waren ze bij het huis van de Hundabees aangekomen. Rachel had de zaklantaarn vastgehouden, zenuwachtig met de lichtbundel naar alle kanten geschenen en tegen haar zusje gefluisterd dat ze op moest schieten. Celeste had de vogelverschrikker versierd met de bh van Alice en had de E-cups volgepropt met lapjes die ze uit haar moeders naaidoos had gepikt. Daarna begon ze aan de onderbroek. Ze had al enige problemen met dit deel van het proces voorzien en had een schaar en een paar veiligheidsspelden gepakt om dit snel af te kunnen handelen. Toen ze eindelijk klaar was, had ze een bord tevoorschijn gehaald met daarop de woorden *Te koop* in blokletters. Dit zette ze tegen de houten benen van de vogelverschrikker aan.

De oude vogelverschrikker had een nacht en een paar uur daglicht gezien in deze kledij, totdat Alice hem in de gaten kreeg. Ze had hard genoeg gegild om de buurthonden te laten blaffen en was in ochtendjas en op pantoffels de tuin in gelopen. Daar had ze woest haar misbruikte ondergoed bevrijd en, naar verluid, het bord met een gebaar van afkeer de straat op geschopt, waar het op dominee Olsons voorruit beland was toen die net het parkeerterrein van de kerk op wilde draaien.

Die arme Alice was er nooit achter gekomen wie de dader was en vanaf die dag bekeek ze alle kinderen met dezelfde argwaan, afgezien van Rachel Malloy natuurlijk, omdat iedereen wist dat Rachel nooit zoiets zou doen. Het had vijf jaar geduurd voordat Alice' schaamte zozeer verminderd was dat ze het weer aandurfde om haar vogelverschrikker met Halloween neer te zetten.

Celeste vroeg zich af wat Alice' reactie zou zijn als ze haar toe zou vertrouwen dat Rachel toch betrokken geweest was bij die wrange grap. Ze zou waarschijnlijk de enige vijfendertigjarige in de geschiedenis zijn die een pak voor haar broek kreeg op de begrafenis van haar zus.

Ze bleef een paar minuten op de parkeerplaats, waar ze begroet en gecondoleerd werd. Met Ana en Tori aan haar zijde liep ze de trap naar de kerk op. In de hal voegde ze zich bij haar moeder, Scott en de kinderen en ten slotte liep ze met de rest van haar familie naar de eerste rij, waar ze zwijgend plaatsnamen. De kist stond aan de voet van het altaar. De witte rozen lagen op het glimmende mahoniehout verspreid en hun geur vulde de ruimte.

De kerkklok sloeg drie keer en de laatste achterblijvers vulden de banken terwijl de dominee zijn plaats innam voor in de kerk en de liturgie begon.

'In de naam van de Vader, de Zoon en de Heilige Geest.'

'Amen.'

Celeste volgde de dienst in het gezangenboek, terwijl ze nog steeds het gevoel had dat ze zichzelf moest knijpen en moest dwingen te accepteren dat deze woorden die werden gesproken en deze liederen die werden gezongen voor Rach waren. De laatste drie dagen waren als een droom verstreken.

Scott was een zwijgzame, bleke vreemdeling geworden. De warmte en tederheid leken uit hem te zijn gestroomd. De momenten die ze samen hadden doorgebracht, waarvan ze geloofd had dat die de basis legden voor een relatie tussen hen, zouden net zo goed nooit kunnen hebben plaatsgevonden. Hij was als een kluizenaar die niemand binnenliet.

En de kinderen, hoe hielden zij zich? Ze zaten aan weerszijden van Scott, met de liedbundels in hun handen. Ty's gezicht vertoonde geen enkele emotie en Tawnya's ogen waren gezwollen van het huilen.

'We zijn vandaag bijeengekomen om het leven van Rachel Catherine Malloy Parnell te gedenken...'

De voorganger hield een toespraak, een korte samenvatting van het leven van een vrouw die te snel was heengegaan van degenen die van haar hielden en nu veilig in de handen van de liefhebbende God was. Woorden uit Openbaring, die bedoeld waren om de rouwenden te troosten: 'Hij zal alle tranen uit hun ogen wissen. Er zal geen dood meer zijn, geen rouw, geen jammerklacht, geen pijn, want wat er eerst was is voorbij.'

Scott zat stijf rechtop met zijn kinderen, *Rachels kinderen*, aan weerskanten van hem. Verdoofd luisterde hij naar de stem van de voorganger maar in plaats van de kist te zien, zag hij voor zich hoe ze op een dag op exact dezelfde plaats hadden gestaan en Gods zegen hadden ontvangen over hun huwelijk. Het was een dag precies zoals vandaag geweest, hun trouwdag, en hun levens hadden tot in de oneindigheid voor hen uitgestrekt geleken. *Tot de dood ons scheidt.* Verdriet, zo intens dat hij dacht dat zijn hart in tweeën zou scheuren, overspoelde hem en zijn schouders trilden van de kracht van de tranen die hij probeerde te bedwingen. Hij voelde dat zijn handen werden vastgepakt door zijn kinderen en gaf hun een kneepje. Toen gaf hij zich over en liet de tranen vrij stromen.

De gemeente stond op en zong *De Heer is mijn herder*, de voorganger sprak de zegen uit en toen, terwijl de kerkklok treurig sloeg, sloot hij de dienst af met de woorden: 'In Uw handen, o machtige Verlosser, leggen we Uw dienares, Rachel. Moge zij gezegende rust van U ontvangen, eeuwige vrede, en in Uw nabijheid zijn.'

Het was afgelopen.

De gemeente werd weggestuurd, rij voor rij, en ten slotte verschenen de dragers om de kist mee te nemen. De stralende middagzon vormde een scherp contrast na de koelte in de kerk en degenen die binnen gehuild hadden schermden hun gevoelige ogen af tegen het felle licht. Zij die van plan waren zich bij de familie te voegen op het kerkhof gingen naar hun auto's en voegden zich bij de stoet wagens die door Shuksan reed, langs Fircrest en over de stadsgrens en vervolgens een heuvel op naar de begraafplaats. De dienst was kort, een gebed voor de overledene en eentje voor haar familie, en toen sprak de voorganger de laatste zegening uit. Rachels kinderen legden bloemen op haar kist. Scott legde een hand op het door de zon verwarmde hout, nam Ty en Tawnya aan weerskanten naast zich voor een laatste afscheid en leidde zijn kinderen toen bij het graf vandaan, met een knikje naar de begrafenisondernemer waarmee hij aangaf dat zijn mensen konden beginnen aan de teraardebestelling.

Er was een maaltijd georganiseerd door de dames van de kerk en er werd nog meer gecondoleerd, maar ten slotte was het tijd om naar huis te gaan, waar Rachels aanwezigheid nog steeds gevoeld kon worden. Catherine werd omringd door dames uit haar naaigroepje, Scott en de kinderen waren waarschijnlijk al naar huis.

Celeste was naar Ana's appartement gereden. Daar trok ze

haar jurk uit, deed een joggingbroek met trui aan en liet zich toen op de bank vallen. Ana en Tori waren bij de dienst in de kerk aanwezig geweest, maar niet bij die op de begraafplaats en ze nam aan dat Ana in haar kantoor beneden bezig was. Tori was ook weg, het appartement was stil.

Een golf van vermoeidheid overspoelde haar. Ze had niet goed geslapen, deels door het feit dat de bank te kort was voor haar lange benen, maar vooral vanwege de stress en emotionele overbelasting. Ze trok een deken over zich heen en viel in slaap, waarna ze enkele uren later wakker werd van de geur van iets wat op het fornuis stond te sudderen.

Ana keek op bij het fornuis, legde een lepel op het aanrecht en veegde haar handen af aan een handdoek. Ze had een bezorgde blik in haar ogen en ging naast Celeste zitten. 'Hoe gaat het met je, Cel?'

Celeste schudde haar hoofd in een vergeefse poging de sufheid van zich af te schudden en gaapte. 'Lieve help, ik kan niet geloven dat ik zo geslapen heb. Hoe laat is het eigenlijk?'

'Half zeven. Heb je honger?'

Verbaasd realiseerde ze zich dat ze voor het eerst in een week ook daadwerkelijk honger had. 'Ja, ik ben uitgehongerd. Er ruikt hier iets heerlijk.'

Ana knikte in de richting van het fornuis. 'Groentesoep en broodjes tonijn. Kom op, laten we ervoor zorgen dat je iets in je maag krijgt.'

Celeste liep naar de tafel en strekte ondertussen haar verkrampte spieren. 'Waar is Tori?'

'O, ze zit beneden achter de computer, wat op te zoeken voor haar huiswerk. Ze komt er zo aan. Kom op, eet het op nu het nog warm is.'

Celeste ging zitten, boog zich over de dampende kom voor haar en snoof de geur op. 'Dit ruikt verrukkelijk. Dank je, Ana.

Binnenkort ga ik je een keer verbazen en ga ik zelf koken.'

'Laat me raden, havermout en kaneeltoast?'

Celeste snoof: 'Dat blijf je me voorgoed voor de voeten gooien, hè? Kom op, dat was maar een keer en je moet toegeven dat het lekker was, toch?'

'Dat is waar. Hoewel het me nog steeds dwarszit dat ik voor het diner uitgenodigd werd en vervolgens havermout voorgeschoteld kreeg!'

'Wat kan ik zeggen? Het was drie dagen voor 1 april! Je kunt toch niet van me verwachten dat ik uitgebreid ga koken vlak voor een belastingdeadline?'

Ana grinnikte. 'Nee, dat zal wel niet. Maar serieus, wat havermout betreft geloof ik niet dat ik ooit lekkerdere heb gegeten. Ah, gelukt!'

Bij Celestes vragende blik haalde Ana haar schouders op. 'Je glimlacht. Dat wilde ik zien. Hoe voel je je echt? Wees nu eerlijk.'

'O, ik weet het niet, Ana. Ik denk dat ik me nu iets rustiger voel. Misschien vanwege het feit dat het voorbij is, de begrafenis, alles... Ik geloof dat ik me nog steeds een verschoppeling voel. Weet je wel, alsof ik al mijn familie ben kwijtgeraakt en helemaal alleen ben.'

Ana schudde haar hoofd. 'Ik snap je moeder niet, al die bitterheid en woede.'

'Ik denk dat ze er al jaren mee rondloopt, Ana. Ze is een van die mensen die niet gelukkig zijn tenzij er iets is om boos over te zijn. Ik bedoel, nu heeft ze Rachels dood om aan haar arsenaal toe te voegen. Ik denk niet dat ze ooit echt gelukkig kan zijn.'

'Bid voor haar, Cel. Echt. Ik weet hoeveel pijn ze je gedaan heeft, maar ik denk dat je haar moet vergeven voordat je het zelf achter je kunt laten.'

Celeste legde haar lepel naast haar kom. Plotseling was haar eetlust verdwenen. 'Ik heb niets verkeerd gedaan, Ana! Dat doet me het meest zeer, het feit dat ze die dingen in de eerste plaats tegen me kon zeggen! Ik bedoel, ik ben Rach niet, maar geeft ze dan helemaal niets om me?'

Ana legde een hand op die van Celeste. 'Natuurlijk geeft ze om je, Cellie. Ze denkt nu gewoon niet helder na. Maar luister naar me, dit is jouw kans om Gods genade aan Catherine te tonen en om te vergeven zoals *jij* vergeven bent. Ik denk dat ze zo verbitterd is dat ze Hem helemaal uit het oog is verloren.'

'Ik denk niet dat ik het kan, Ana.'

'Niet uit jezelf, Cellie. Daarom is Jezus aan het kruis gestorven, omdat geen van ons het zelf kan.'

Ze aten zwijgend verder en brachten hun kommen en borden toen naar de gootsteen. Ana goot de rest van de soep in een plastic bakje en zette de pan, gevuld met water, in de gootsteen. 'Nou, wat staat er voor vanavond op de agenda?'

Celeste bleef bij de koelkast staan en sloot de deur. 'Niets. Ik moet steeds maar aan Scott en de kinderen denken, maar ik heb het gevoel dat ze me gewoon niet in de buurt willen hebben.'

'Vind je dat vervelend?'

'Onvoorstelbaar.'

Ana trok een paar rubberen handschoenen aan en begon de soeppan te schrobben.

'Je zou hen altijd kunnen bellen, om te vragen hoe het met ze gaat.'

'Ze hebben mijn mobiele nummer. Als ze me erbij willen hebben, weten ze hoe ze mijn nummer in moeten toetsen.'

Ana besloot geen antwoord te geven, trok haar handschoenen uit, waste haar handen en droogde ze af. 'Nou, ik ga even liggen. Als dat meisje ooit nog klaar is beneden, kan ze wat soep voor zichzelf warm maken. De keuken is nu gesloten.' Ze deed het licht uit, volgde Celeste de woonkamer in en plofte met een flinke zucht op de bank neer, terwijl ze haar voeten op de salontafel legde. 'Cel, zou je het raar vinden als ik mijn pyjama aantrok?'

'Ben je gek? Ga je gang.'

Toen Ana's slaapkamerdeur achter haar dichtging, bleef Celeste alleen achter en haar gedachten keerden weer terug naar het gezin van haar zus dat alleen in de boerderij was. *Wat zou het voor kwaad kunnen om er even snel heen te gaan, kijken of iedereen in orde is en er misschien een tijdje te blijven?* Na een paar minuten te hebben getwijfeld, pakte ze een spijkerbroek achter de bank vandaan en trok die aan in plaats van haar joggingbroek. Na haar favoriete sportschoenen te hebben aangetrokken, haalde ze een borstel door haar haar en vond het wel goed zo. Ze hoefde vanavond niemand te imponeren.

Ze klopte zachtjes op Ana's deur. 'Ik ga naar de boerderij. Tot straks.' Ze pakte haar tas en sleutels, sloot de deur achter zich en liep naar buiten.

De rit naar de boerderij was een uitdaging. Er was een dichte mist ontstaan en ze moest flink vaart minderen om de slingerende weg te kunnen blijven volgen, terwijl ze ingespannen over het stuur van haar auto de avondlucht in staarde. Daar stonden de brievenbussen, ze was er bijna. Ze minderde nog meer vaart, draaide Scotts grindpad op en volgde dat tot aan het huis.

Het huis was heel donker, op een klein lichtje in Ty's kamer na, Tawnya's kamer was donker, evenals de kamers beneden. Celeste zette de motor uit en vroeg zich af wat ze nu moest doen. Als iedereen al in bed lag, wilde ze niet binnen komen vallen en hen wakker maken, maar ze kon zich niet voorstellen dat ze al sliepen. Niet op deze avond. Terwijl ze zat te twijfelen, zag ze een licht in de schuur. Kon het Scott zijn, die probeerde bezig te blijven om zijn gedachten te verzetten? Als Ty in zijn kamer was, sloot dat hem uit en ze kon zich niet voorstellen dat Tawnya daar op dit tijdstip was. Ze besloot het erop te wagen en stapte de auto uit, liep voorzichtig over het erf, door de vochtige mist die kleine druppeltjes water op haar haren en wimpers achterliet. Ze was bijna bij de schuur aangekomen toen Scotts stem door de duisternis klonk. 'Celeste? Ben jij het?'

'Ik ben het.'

Hij bleef tegen de schuurdeur aanleunen zonder een spier te vertrekken en vroeg: 'Wat brengt jou door deze mist?'

Hij deed zeker geen moeite om haar te verwelkomen. Ze besloot dat hij waarschijnlijk gewoon verbaasd was dat ze opdook zonder eerst te hebben gebeld en antwoordde: 'Ik wilde gewoon zien hoe het met jullie gaat en ik denk dat ik vanavond ook niet alleen wilde zijn.'

Even bewoog hij zich niet. Toen ging hij rechtop staan en zuchtte. 'Kom binnen. Het is er niet veel warmer, maar het is er in elk geval droog.'

Hij hield de deur open en, nadat ze naar binnen was gelopen, volgde hij haar en liet de deur achter zich dichtvallen. Hij liet haar naast de deur staan en liep zelf naar de eerste stal, waar hij op het hek ging zitten en zijn voeten liet bungelen. Celeste sloeg haar armen voor haar borst en huiverde. 'Ik geloof dat het weer eindelijk omslaat, hè?'

Hij zweeg even en vroeg toen op vlakke toon: 'We gaan het toch niet echt over het weer hebben, hè?'

Ze hadden het weer al vele malen gebruikt als inleiding op een dieper gesprek, vervolgens de manoeuvre herkend en erom gelachen. Maar vanavond was er bij Scott geen twinkeling te bekennen. Zijn ogen waren donker, zijn stem mat en ze dacht dat ze de Scott herkende die hij maanden geleden was geweest, voordat ze weer was teruggekeerd in zijn leven. Hij had zo'n enorme verandering doorgemaakt. Maar vanavond zag ze niets van het licht dat zo helder in hem geschenen had.

'Is alles goed met je, Scott?'

Ze herkende zijn stem nauwelijks, doordrenkt met sarcasme. 'O, geweldig, Celeste! Kan niet beter! Afgezien van het feit dat ik vandaag mijn vrouw begraven heb, was het gewoon een woensdag als alle andere.'

Omdat ze niet wist hoe ze moest reageren, zei ze niets.

Scott liet zich van het hek zakken en leunde tegen de stal aan. 'Waarom ben je gekomen, Celeste?'

Geschrokken antwoordde ze: 'Nou, ik... ik wilde bij je zijn. Ik heb je gemist. We hebben geen kans meer gehad om te praten sinds die laatste keer. Ik maak me zorgen om je, hoe het met je gaat, hoe het met de kinderen gaat. Ik krijg het gevoel dat je boos op me bent. Is dat zo?'

Hij schudde zijn hoofd. 'Boos op jou? Nee.'

'Op de een of andere manier geloof ik je niet. Wat is er, Scott? Wil je met me praten?'

Abrupt vroeg hij: 'Vind je het erg dat ze weg is, of ben je opgelucht?'

'Nou, natuurlijk vind ik het erg, maar het is ook een opluchting, omdat ik weet dat ze niet meer lijdt.'

Hij knikte. 'Ik dacht al dat je dat zou zeggen. Dat zegt *iedereen*.' Hij begon langzaam door de stal te lopen, met zijn handen in zijn zij, en keek haar toen recht aan. 'Maar vind *jij* het erg?'

De emotie die zo dicht aan de oppervlakte lag stroomde over en ze riep uit: 'Ja, natuurlijk vind ik het erg, Scott. Wat denk jij dan? Je gedraagt je net als mijn moeder; alsof het allemaal *mijn* idee was zodat ik jou kon krijgen!'

Op het moment dat ze de woorden uitsprak, had ze er al spijt van, maar het was te laat om ze terug te nemen. Ze stonden recht tegenover elkaar en toen wreef Scott over zijn gezicht. Hij keek haar niet langer aan en sloeg zijn armen over elkaar. 'Doe ik dat? Het spijt me dat je er zo over denkt.'

'Ik ken je vanavond niet meer terug.'

Met een vreugdeloze glimlach hief hij zijn handen op en liet ze toen weer langs zijn zij vallen. 'Ik ben gewoon, zoals ik altijd al geweest ben.'

'Je bent nu iemand die ik niet ken.'

Hij keerde haar de rug toe, strekte zijn armen om een hoofdstel recht aan een haak te hangen en draaide zich toen weer naar haar toe. 'Nee, daar heb je waarschijnlijk gelijk in. Ik ken mezelf nu ook niet. Maar ik weet wel dat dit... wat er tussen ons is... nergens toe leidt. We houden onszelf voor de gek als we denken van wel.' Hij veegde zijn handen af aan zijn broek. 'Het spijt me, Celeste. Ik denk dat ik nu gewoon niet beschikbaar ben voor een andere vrouw.'

Beschikbaar? Alsof ze een voorwerp was dat gekocht of verkocht kon worden? De pijn die zich door haar heen verspreidde was koud en scherp als ijspegels. Er kwam een brok in haar keel en haar stem was dik van de tranen toen ze zei: 'Ik dacht dat jij net zo graag bij mij wilde zijn als ik bij jou. Dat is deels waarom ik naar huis ben gekomen, zodat wij bij elkaar konden zijn.'

Hij keek haar strak aan. 'Ik heb je nooit gevraagd om naar huis te komen, Celeste. Dat was jouw keuze, jouw beslissing. Ik heb je nooit iets beloofd.'

Ze schudde haar hoofd. 'Nee, dat klopt. Maar ik dacht... nou, ik had het blijkbaar mis. Zie je het niet? Ik probeer Rachel niet te vervangen, Scott. Ik dacht dat wij iets unieks hadden samen, dat het niet om Rachel ging.'

'Hoe kan iets tussen ons nou niet met Rachel te maken hebben? Denk je niet dat elke keer dat ik jou zie, ik weer dat kleine meisje zie dat achter haar grote zus aan loopt? Ik waardeer alles wat je voor Tawnya gedaan hebt en dat je er de afgelopen paar maanden voor me bent geweest, maar er is geen 'ons'. Het leidt nergens toe.'

Hij had net zo goed een zwaard door haar hart kunnen steken in plaats van die woorden uit te spreken. Hoe had ze de situatie zo verkeerd in kunnen schatten? Zou er ooit een tijd komen dat deze pijn niet langer elke vezel van haar lichaam domineerde?

Ze haalde beverig adem. 'Wat heb ik verkeerd gedaan? Zeg het gewoon! Ik gaf alleen maar om je!'

'En dat waardeer ik. Maar nu... ga gewoon naar huis, Celeste. Ga verder met je leven en laat mij verdergaan met het mijne.'

Ze knikte. 'Naar huis. Dat is een interessant idee. Ik heb geen huis Scott, of ben je dat vergeten? Mijn relatie met jou heeft de relatie met mijn moeder verwoest en nu besef ik dat er niet eens iets tussen ons was! Bedankt, Scott. Ik wou dat ik kon zeggen dat dit alles het waard geweest was!'

Ze draaide zich om om weg te gaan en keek hem toen nog een keer aan. 'Je bent niet de enige die Rach is kwijtgeraakt, hoor. Je bent niet de enige die verdriet heeft.'

Ze draaide zich weer naar de staldeur toe en zei zachtjes: 'Zeg tegen de kinderen dat ze me altijd mogen bellen.'

Ze was halverwege richting de deur toen Scott zei: 'Celeste...'

Ze bleef staan zonder zich om te draaien.

Hij aarzelde even en zei toen: 'Niets. Voor wat het waard is, het spijt me.'

Zonder antwoord te geven, trok ze de staldeur open en liep naar buiten, waarna ze de deur open liet staan. Even later hoorde hij de motor starten en keek vanuit de deuropening toe hoe haar auto langs de stal reed en in de nacht verdween.

Dat was het dan.

Zijn geweten knaagde aan hem. *Je bent me er eentje, Parnell. Zag je die blik in haar ogen niet?*

'Nou, het spijt me dat ik haar pijn gedaan heb, maar ik heb ook pijn!'

Je hebt pijn omdat je uiteindelijk meer van haar hield dan van Rachel en je was vastbesloten haar daarvoor te straffen.

'Dat is onzin. Ik straf niemand.'

Celeste straffen voor je eigen gevoelens en daarbij ook nog eens tegen jezelf liegen.

'Houd op! Laat me gewoon met rust en laat me om mijn vrouw rouwen.'

Prima, rouw maar om Rachel, dat is je voorrecht en je plicht. Maar wees in elk geval eerlijk tegen jezelf als je niet eerlijk kunt zijn tegen Celeste. Ze heeft niets verkeerd gedaan, weet je nog? Je brengt jouw schuldgevoel over op haar en maakt haar de dupe ervan!

De boerderijkatten keken hem nieuwsgierig aan en hij realiseerde zich dat hij had staan schreeuwen, strijdend met zijn geweten. Zijn keel was droog maar de druk in zijn borst was iets afgenomen. Hij keek naar de katten en mompelde: 'Waar kijken jullie naar?' Hij liep met grote passen naar de ton waar het kattenvoer in zat, vulde de schep die erin lag en gooide die leeg in hun bak. Hij legde de schep weer in de ton, deed de deksel zorgvuldig dicht, knipte toen het licht uit en sloot de staldeur achter zich.

Het was bijna aardedonker buiten, wat goed bij zijn humeur paste; hij voelde zich nogal donker vanbinnen. Hij liep naar het huis en was van plan de avond in zijn luie stoel door te brengen en daar te wachten tot het daglicht de hemel weer zou verlichten.

Zijn eenzame gebed was vol van pijn en verwarring.

Help me, Heer. Ik trek het niet meer. Ik kan mezelf er niet toe zetten U vanavond voor iets te bedanken, God. Alstublieft... help me.

Maar er kwam geen vrede in deze nacht en in de kilheid van zijn pijn vroeg hij zich af of het ooit weer terug zou komen.

26

Celeste overleefde de eerste dagen na de begrafenis door haar emoties uit te schakelen en te leven in een mist van zelfbescherming die leek op de mist die al een week lang dag en nacht over de vallei hing. Tien dagen later blies de herfstwind door de bergen. De lucht werd weer helder en de laatste herfstbladeren vielen dwarrelend van de bomen. Alsof het weer buiten aangaf dat het ook weer tijd voor Celeste was om uit de matheid waaraan ze zichzelf had overgegeven te komen, werd ze op een ochtend wakker met het gevoel dit alles misschien toch te zullen overleven. Er waren twee weken verstreken sinds de begrafenis van Rachel, twee weken sinds die laatste confrontatie in de stal. Ze had Scott en de kinderen niet meer gezien. En ze had haar handen vol gehad aan haar moeder. Agnes, al sinds lange tijd de buurvrouw van haar moeder, had tegen Celeste gezegd dat haar moeder er niet bovenop was gekomen na de begrafenis en de buren maakten zich zorgen. Het was alsof haar moeder lichamelijk niet in staat was zichzelf aan te kleden en aan de gang te gaan. Ze wilde schijnbaar gewoon met rust gelaten worden. Ze was zelfs niet naar de kerk gegaan, waardoor de alarmbellen echt waren gaan rinkelen.

Een aantal van de dames van moeders naaigroepje had geprobeerd bij haar op bezoek te gaan een paar dagen na de begrafenis, maar moeder had gewoonweg geweigerd de deur open te doen en de dames waren uiteindelijk teruggegaan naar hun auto's en weer vertrokken.

Maar het sociale isolement was nog niet het ergste. Agnes had opnieuw gebeld om te vertellen dat Catherine besloten had dat het tijd was om haar tuin te beplanten en niets wat ze zeiden kon haar op andere gedachten brengen. Toen Celeste dit hoorde, raapte ze al haar moed bij elkaar, liet haar werk liggen en reed naar het huis van haar moeder. Met een onheilspellend gevoel had ze haar moeder zien ploeteren met een kruiwagen en tuingereedschap, in een poging rijen te graven in de bijna bevroren aarde, terwijl de droge maïsstengels tijdens haar werk wapperden in de wind.

Ze had de huisarts van haar moeder gebeld, die naar het huis was gekomen en een uitgebreid onderzoek had gedaan. Toen hij dat onderzoek had afgerond, raadde hij aan dat Catherine in het ziekenhuis opgenomen zou worden voor neurologisch onderzoek.

'Ik denk dat we te maken hebben met een acute depressie, en ik ben bang voor een vorm van dementie daarnaast.'

Moeder had drie dagen in het ziekenhuis gelegen. Er waren MRI- en CT-scans van haar hersenen gemaakt, er was een lumbaalpunctie verricht en uiteindelijk was de diagnose van een door stress veroorzaakte dementie gesteld. Geen van de testen had iets organisch aangetoond – een medische verklaring zoals Alzheimer of zelfs een hersentumor – om haar gedrag te verklaren. Het was de mening van de maatschappelijk werkster dat Catherine volledige zorg nodig had, meer zorg dan Celeste kon bieden. Op haar aanraden had Celeste het papierwerk getekend in Fircrest en was haar moeder opgenomen, slechts drie deuren verder dan de kamer waar Rachel haar laatste maanden had doorgebracht.

Ze bezocht haar moeder elke dag en gisteren was ze in tranen weggegaan, omdat haar moeder in bed had gelegen en hardop had gebeden om de dood.

Ze was het gebouw uit gegaan en naar haar auto gelopen

onder een zwaar bewolkte lucht, met opnieuw het gevoel dat ze haar moeder was kwijtgeraakt.

Er bestond geen medische therapie voor iemand die eenvoudigweg en onherroepelijk geloofde dat haar enige hoop op geluk in het hiernamaals lag. Haar probleem school niet in haar moeders onwankelbare geloof in Gods belofte van eeuwige vreugde, maar in het feit dat ze het leven op aarde blijkbaar had opgegeven.

Nu moeder uitgeschakeld was, was het aan Celeste om de verzekeringszaken af te handelen. Ze nam telefoontjes van klanten aan, legde aan het kantoor in Spokane uit waarom de deadlines niet gehaald werden en had geen idee wat ze met de hele zooi aan moest. Het rinkelen van de telefoon veroorzaakte telkens paniek, omdat de kans groot was dat het een verzekeringstelefoontje was, eentje die ze niet fatsoenlijk af kon handelen. Er waren nauwelijks telefoontjes die voor Celeste persoonlijk kwamen.

Nu moeder in Fircrest verbleef, was ze teruggegaan naar het huis. Als haar moeder nog steeds het contact tussen hen wilde verbreken wanneer ze weer sterker was en weer helder na kon denken zou Celeste een kamer nemen in het Tall Pines motel in de hoofdstraat tot ze iets anders had gevonden. Op dit moment zorgde ze voor het huis en probeerde ze een oplossing te vinden voor de verzekering.

In de week van Thanksgiving was ze emotioneel meer uitgeput dan ze ooit voor mogelijk had gehouden en bij de minste stress barstte ze al in tranen uit. De praktijk begon te lopen en ze had meer dagen wel dan niet een afspraak met een klant. Dit gaf in elk geval wat afleiding. Na de begrafenis hadden enkele van Bills voormalige klanten besloten haar hun zaken toe te vertrouwen. Ze wist dat haar prestaties voor deze eerste dappere mensen uit Shuksan haar zouden maken of breken in de ogen van degenen die nog steeds twijfelden om 'die jongste van Malloy' te vertrouwen met hun financiële welzijn.

De druk was enorm, zowel uitwendig als inwendig. Het zou al stressvol genoeg zijn als ze alleen met de praktijk te maken had. Maar de zorgen over de situatie van haar moeder, opgeteld bij de problemen rond de verzekering en de verwerking van de dood van Rachel, gaf haar het gevoel zo ver uitgerekt te zijn als een gitaarsnaar. Scotts afwijzing lag zwaar op haar hart als ze zichzelf toestond na te denken over die avond in de stal.

In de donkere uren van die kille herfstavonden, alleen in het bed uit haar jeugd, worstelde ze met haar pijn en werd ze heen en weer geslingerd tussen gebeden waarin ze vroeg om kracht en troost in haar meest pijnlijke momenten tot momenten van woede op God.

Waarom hebt U me verlaten?

Bovendien waren er de gedachten aan Scott, niet de persoon die ze gedacht had te kennen, maar de vreemdeling die zichzelf op elke mogelijke manier van haar had afgesloten. Hij had niet gebeld, hoewel ze dat eigenlijk ook niet had verwacht. Er was een sprankje hoop gebleven, hoewel dat met de dag minder werd naarmate de dagen en weken zonder enig contact verstreken.

Hij wilde haar niet. Einde verhaal. Het deed pijn zoals nog nooit eerder iets zo'n pijn had gedaan.

Hoe had ze het zo mis kunnen hebben wat betreft hun relatie? En als de liefde die tussen hen leek te groeien van God was geweest, waar was Hij dan nu?

Heer, het doet allemaal zo veel pijn. Maak Uzelf alstublieft aan me bekend… Ik heb U nodig…

Buiten gierde de wind door de kale takken van de oude sycomoor. Morgen was het Thanksgiving en die dag zou ze met Ana en Tori doorbrengen in haar ouderlijk huis. Ze zouden een gepast feestmaal houden met alles erop en eraan en Celeste had overwogen Tori te vragen of Tawnya nog iets had gezegd over hun plannen voor Thanksgiving. Ze besloot dat het niet eerlijk was om Tori daarvoor te gebruiken en uiteindelijk had ze niets gezegd.

Het was nog niet te laat. Ze zou altijd kunnen bellen om hen voor het eten uit te nodigen, al was het alleen maar voor de kinderen. Maar de herinneringen waren nog te vers, de pijn zat nog te dicht aan de oppervlakte en ze verwierp het idee.

Morgen zou een goede dag zijn. Alleen zij met z'n drietjes. En om de traditie van de familie Malloy in ere te houden zou ze vijf dingen zoeken waar ze dankbaar voor was, die opschrijven en de lijst aan de koelkast hangen. Elke keer dat ze er langs liep, werd ze dan herinnerd aan die vijf zegeningen. Ze begon zich te realiseren dat, hoewel de pijn haar wereld verscheurd had, ze op zo veel manieren gezegend was. Hoeveel gezinnen leefden in het door oorlog verscheurde Midden-Oosten en delen van Afrika en hadden geen dak boven hun hoofd tijdens de feestdagen, geen geld of een baan en weinig hoop voor de toekomst? Haar moeder had altijd tegen haar en Rachel gezegd dat ze moesten onthouden dat hoe slecht de dingen ook leken, er altijd iemand was die meer problemen had.

Help me, Heer, om door Uw ogen te kijken en niet zo op te gaan in mijn eigen problemen dat ik de pijn van anderen niet meer zie.

Als een enorme boom die geveld was door een storm, zo was alles om haar heen ingestort en het had haar overweldigd. In plaats van zich tot God te wenden voor troost en leiding, had ze op haar eigen inzicht vertrouwd en daar was het misgegaan. Als ze terugkeek op de paar dagen die voorafgegaan waren aan Rachels dood, begreep ze dat ze door angst overmand was geweest, het soort angst dat zo diep in iemand zit dat het niet verklaard of hardop met anderen gedeeld kan worden. Ze was bezeten door een angst die zo verwoestend was geweest, dat God zo ver weg leek en onbereikbaar was geworden.

De realiteit van Rachels naderende dood, gecombineerd met haar moeders emotionele en lichamelijke afwijzing, had een pijn veroorzaakt die groter was dan ze zich ooit voor had kunnen stellen. Als een gewond dier was ze in een donker hoekje weggekropen, niet bereid, zelfs niet in staat om om hulp te roepen.

Ze had zich aan haar pijn overgegeven en was vergeten dat haar Hemelse Vader geduldig wachtte tot ze haar tranen zou delen, om te luisteren en te troosten. Wat zei dit over haar geloof? Was ze gewoon iemand die in God geloofde zolang dat haar uitkwam? Was haar geloof zo klein dat ze God vergat zodra er problemen waren?

Vergeef me, Vader. Hoe kon ik mezelf toestaan zo ver van U af te raken?

Haar angst was nog niet volledig verdwenen, maar ze had weer hoop en hernieuwd geloof dat Iemand om haar gaf en elke stap met haar meeging.

Ze sprak een snel dankgebed uit en ging toen verder met het noteren van de lijst met zegeningen van dit jaar: een groeiende, goed lopende zaak, een trouwe vriendin en het vooruitzicht op haar nieuwe huis bij het meer. En vooral het besef dat waar geluk school in het loslaten van dingen die duidelijk niet zo hoorden te zijn, erop vertrouwen dat God de weg voor haar plaveide en dat Hij het kompas vasthield. Alles wat van haar gevraagd werd was gewoon te vertrouwen dat Hij haar over de weg begeleidde.

Dank U, Heer. Help me om mijn doel te ontdekken, de reden dat U me terug naar Shuksan gebracht hebt. U hebt me tot hier geleid; help me erop te vertrouwen dat U afmaakt wat U begonnen bent in mijn leven. Amen.

27

Het ergste aan de winter was volgens Scott, buiten het weer en het feit dat er geen inkomen was in die lange maanden, de verveling, de isolatie. Zoals elk jaar had hij in november reparaties uitgevoerd aan de maaidorser, tractor en balenperser. En toen de machines weer helemaal in orde waren, riemen vervangen waren en andere problemen opgelost, kon hij het werk tot aan het volgende seizoen neerleggen. Dit jaar, toen de laatste moersleutel vervangen was in de gereedschapskist, voelde hij, in plaats van de rustige voldoening die hij anders voelde aan het einde van het werkjaar, een leegte in zich. Hij had een paar dagen aan het opruimen van de stal besteed en daarbij het oude stro vervangen voor nieuw, terwijl de laatste woorden die hij tegen Celeste had gezegd in zijn oren echoden. Hij had gefrustreerd zijn hoofd geschud en nog harder gewerkt, vastbesloten om hun laatste gesprek hier in de stal op die pijnlijke avond te vergeten.

Maar hij miste haar. In de afgelopen weken die op Rachels dood waren gevolgd had hij gerouwd, en niet alleen om het verlies van zijn vrouw. In de donkere uren van de nacht als hij in bed lag en zijn diepste gedachten bovenkwamen, rouwde hij om het verlies van zijn relatie met Celeste.

Het hielp niet om toe te geven dat als hun relatie voorbij was, het was omdat hij de beslissing had genomen.

Spijt was echter geen stuiver waard en soms leek het wel of hij de komende tien jaar in de nor zou zitten omdat hij die stuivers uitgegeven had. Spijt om zijn langdurige onvermogen om met Rachels situatie om te gaan, spijt van de fouten die hij met de kinderen gemaakt had door zichzelf emotioneel van hen af te zonderen en, ten slotte, spijt van de manier waarop hij Celeste behandeld had.

De stuivers vielen in de spaarpot van zijn hoofd. Ze vielen in perfecte symmetrie en vormden stapels pijn en gevoelens van mislukking. De kinderen hielden zich sterk en zijn relatie met hen werd hechter en daar was hij dankbaar voor. Af en toe was er een terugval, maar daar kon je op wachten; het waren tenslotte tieners.

Een excuus voor zijn slechte humeur had hij niet. Maar toch had hij op de meeste dagen het gevoel dat echt geluk aan hem voorbijgegaan was, of hij die tijd misschien al had meegemaakt toen Rachel nog gezond was geweest en de grootste zorgen die ze hadden waren of ze de rekeningen wel konden betalen en kleding konden kopen voor de kinderen.

Op die momenten werd hij herinnerd aan die maanden in de zomer en in het begin van de herfst, toen zijn relatie met Celeste was opgebloeid en hij een belofte van geluk ervaren had die hij dacht nooit meer mee te zullen meemaken. Uiteindelijk vroeg hij zich af wat het nut ervan was geweest, waarom hij zichzelf had laten meeslepen in iets waar hij helemaal geen deel van uit hoorde te maken. Maar het had zo goed gevoeld en al zijn gebeden over zijn gevoelens voor Celeste hadden hem het gevoel van vrede en juistheid gegeven. Wat was er dan verkeerd gegaan?

Nu aan het begin van de winter, waarin de ene dag rustig in de volgende overging, had hij veel tijd om over de situatie na te denken, genoeg tijd om zichzelf de les te lezen.

Hij verafschuwde zijn luiheid en het koude weer dat een einde maakte aan de lange, uitputtende zomerdagen, dagen waarin lichamelijke vermoeidheid zorgde voor nachten van ononderbroken slaap. Hij was die lichamelijke inspanning *nodig* gaan hebben in de afgelopen paar jaar; het was zijn patroon geworden. Nu hij zichzelf geen slag in de rondte meer kon werken, voelde hij zich niet op zijn gemak.

Natuurlijk waren er nog andere dingen die aan zijn rusteloosheid bijdroegen en het besef dat alles hem boven zijn pet ging, maakte het nog zwaarder. Voor het eerst stond hij er echt alleen voor wat de kinderen betrof. Want nu Catherine niet meer in beeld was, kwam alles op hem neer. Hij had haar hulp gewaardeerd, maar had zich nooit gerealiseerd wat ze allemaal deed om te helpen de dingen in het gareel te houden. Ze hielp met de boodschappen, zorgde ervoor dat de kinderen nieuwe kleren hadden als ze die nodig hadden en had hem zelfs geholpen de kinderen op te voeden in de loop der jaren. Al die dingen kwamen aan het licht nu ze er niet meer was om haar steentje bij te dragen.

Een andere stuiver om erbij op te tellen was zijn bedroefdheid over Catherines steeds slechter wordende geestelijke gezondheid en het feit dat hij bang was dat hij zijn waardering en grote dankbaarheid voor haar betrokkenheid in de afgelopen jaren nooit echt geuit had. Nu was ze afgegleden naar een niveau waar niemand haar meer kon bereiken, hijzelf noch de kinderen. Ze waren naar Fircrest gegaan om haar te bezoeken. Het was pijnlijk ironisch geweest na al die maanden Rachel op diezelfde plaats te hebben opgezocht. Bij het weggaan hadden ze het gevoel gehad dat ze nog een familielid hadden verloren. Catherine had geen enkele drang meer om te leven, had het eenvoudigweg opgegeven, en daarbij had ze het toch al broze bouwwerk van de kinderlevens opnieuw doen afbrokkelen.

Ze hadden te veel verlies ervaren in korte tijd en hij kon het ze niet kwalijk nemen als ze zich afvroegen of er nog enige stabiliteit over was in hun leven. Hij begreep en accepteerde dat er stress en opstandigheid zouden zijn, terwijl ze de verliezen en veranderingen in hun leven moesten gaan accepteren. Wat hij niet verwacht had, was dat juist hij degene zou zijn die de meeste moeite had zich aan te passen.

De kinderen deden het verbazingwekkend goed en alle verdienste hiervoor legde hij volledig in Gods handen. Ze hadden beiden geweldige momenten in hun leven gehad waarop God heel dichtbij leek. Hun krachtige geloof en hun onwankelbare toewijding aan Hem maakten hem nederig en inspireerden hem tegelijkertijd.

En dan was Celeste er nog.

Van alle zaken die hij in de afgelopen weken onder ogen had moeten zien, waren zijn gevoelens voor haar en de beëindiging van hun relatie feiten die nog onopgelost waren. Hij had geprobeerd de hele situatie uit zijn hoofd te zetten, maar het leek wel alsof ze altijd bij hem was. Ze hadden herinneringen gecreëerd in de tijd die ze samen hadden doorgebracht en dat waren de beelden die hinderlijk vaak in zijn hoofd kwamen. Hij was gaan erkennen dat als het maar een tijdelijk iets geweest was, hij niet nu nog steeds zo vaak aan haar zou denken.

Hij had er al vaak aan gedacht om haar te bellen, gewoon om haar stem te horen, gewoon om te zeggen: 'Hé, ik vraag me af hoe het met je gaat.' Maar na alles wat er gebeurd was, schaamde hij zich voor zijn eigen gedrag en voor de dingen die hij die avond tegen haar gezegd had. Als hij het er al moeilijk mee had zichzelf te vergeven, dan kon hij zich alleen maar voorstellen hoeveel moeilijker het moest zijn voor Celeste, die niets gedaan had om zo slecht behandeld te worden.

Maar hij miste haar.

Hij had gehoopt dat zij de eerste stap zou zetten op Thanksgiving en hem en de kinderen misschien zou uitnodigen voor het diner. Hij was geen moment van zijn telefoon geweken tot de ochtend van Thanksgiving, toen hij eindelijk had geaccepteerd dat ze niet zou bellen. Ze hadden nauwelijks Thanksgiving gevierd en daar voelde hij zich schuldig over, omdat hij had gedacht dat ze wel met Celeste, Ana en Tori zouden eten.

Broodjes tonijn en tomatensoep, en wat dacht je van die appels? Een Thanksgiving om te onthouden en eentje die hij het liefst zou vergeten. De kinderen leken zich eroverheen te hebben gezet, maar de hele gebeurtenis had hem er opnieuw aan herinnerd hoe slecht hij was in het dagelijkse ouderschap; maaltijden plannen, boodschappen doen, alles. Die dingen waren altijd door anderen geregeld. Eerst door Catherine en daarna door Connie Ripley en het ontging hem nu niet dat zijn rol als vader zich opnieuw, nog steeds, ontwikkelde.

Nou, hij deed zijn best, toch? Wie had gedacht dat iets eenvoudigs als de was doen, zo ingewikkeld had kunnen zijn? Wat kon makkelijker zijn dan een lading kleding in de wasmachine gooien, er een schepje wasmiddel bij doen en de machine aan te zetten? Maar nee, daar kwam heel wat meer bij kijken. Wit bij wit, kleur bij kleur en absoluut nooit smerige overalls bij de schoolkleren van de kinderen. Maar ondanks alles was er nog een lichtpuntje geweest... Ty noch Tawnya liet hem hun vuile kleren nog aanraken. Dus nu zorgde hij alleen voor die van hemzelf en als zijn ondergoed grijs werd omdat hij het bij de bonte was had gedaan, dan was dat maar zo. Daar kon hij wel mee leven.

Hij had een gezond gevoel voor humor en was niet te koppig om af en toe om zichzelf te lachen. Dat waren de momenten waarop hij Celeste het meest miste. Ze had een pittig gevoel voor humor dat goed bij dat van hemzelf had gepast. Ze hadden samen kunnen lachen en hij miste hun gedeelde pret, ze had de lach weer in zijn leven gebracht.

Een ding was zeker en dat was dat Celeste wist hoe ze haar leven moest leven. Ze aarzelde nooit om iets van haar leven te maken, met de moed en vastberadenheid om nieuwe uitdagingen en risico's aan te gaan. Ze had haar baan in Seattle opgezegd om een kleine firma over te nemen, terwijl ze heel goed wist dat ze er nooit zo veel mee zou verdienen als met het partnerschap in haar oude bedrijf. Hij kende niet veel mannen, of vrouwen, die het zelfs maar zouden overwegen en afzien van die financiële zekerheid, wat voor gevoel ze ook over hun baan hadden.

Maar dat was Celeste; kordaat wanneer ze deed wat ze geloofde dat Gods weg voor haar was en bereid om risico's te nemen als de opbrengst iets was wat ze waardevol achtte.

Als er ooit een tijd geweest was dat hij erop rekende dat haar hart loyaal en liefdevol genoeg was om zijn gezonde verstand opzij te schuiven, was dat nu.

Zijn falen, zo wist hij nu, was vanwege de angst voor een toekomst die hij nog maar recentelijk had kunnen bevatten. De angst dat zijn gevoelens voor haar verraad ten opzichte van Rachel betekenden. Angst voor financiële misère, angst voor de kinderen en hun onbekende kans op Huntington. Ten slotte was hij bang dat zijn gevoelens voor Celeste haar de macht zouden geven om hem uiteindelijk te kwetsen en hij vreesde het vooruitzicht op emotionele pijn meer dan al het andere.

Hij had gemerkt dat hij weer iets terug begon te vallen in zijn vervreemding van God en terwijl de tranen over zijn wangen stroomden had hij een moment van bezinning gehad, alleen op zijn knieën in de stal op een besneeuwde middag in december.

Hij had alles bij God neergelegd: zijn schuldgevoelens tegenover zowel Rachel als Celeste, zijn angst dat hij beide vrouwen had misleid met die toewijding die hij met de een gedeeld had, maar verlangde de ander te bieden.

Vergeef me, Heer.

Hij bekende zijn onvolkomenheden als vader, de angst die hem op afstand van zijn kinderen had gehouden toen ze hem zo hard nodig hadden.

Vergeef me, Heer. Leid me, laat me zien hoe ik er nu voor ze kan zijn.

Ten slotte legde hij zijn liefde voor Celeste en zijn schaamte over de manier waarop hij haar behandeld had aan Gods voeten neer.

Vader, wat heb ik gedaan? Is het te laat voor ons? Heer, als het Uw handen waren die ons bij elkaar gebracht hebben, help me dan alstublieft om de moed en de woorden te vinden om het weer goed te maken. Als dat nog mogelijk is. Ik houd van haar, Heer. Ik kan het eindelijk toegeven. Ik houd van haar.

De woorden van Jeremia kwamen in zijn gedachten en hij hield zich stevig vast aan die belofte. *'Mijn plan met jullie staat vast – spreekt de HEER. Ik heb jullie geluk voor ogen, niet jullie ongeluk: Ik zal je een hoopvolle toekomst geven.'*

IK HEB JE DE BELOFTE VAN EEUWIG LEVEN GEGEVEN, SCOTT; NU GEEF IK JE DE VREDE OM ZELF EEN BELOFTE TE DOEN. EEN NIEUWE BELOFTE.

De wind gierde buiten het houten bouwwerk en hij bleef op zijn knieën zitten, tussen de katten en de paarden, totdat hij een vernieuwing van zijn geest en hoop voelde. Kreunend vanwege het ongemak in zijn knieën stond hij op en legde de paar passen naar de voerton van de katten af, vulde hun bak en gooide de paarden toen vers hooi toe. Hij trok de zware staldeur open, zette zijn kraag flink omhoog en bleef toen in de deuropening staan, denkend aan de vrede die hem gegeven was. Er was niets in zijn leven dat in vergelijking stond met dat moment van genade en diep in zijn hart wist hij dat God met hem meeging, welke stormen hij ook zou meemaken in zijn leven.

Dank U, Heer. Maak mijn hart rein, God. Maak me tot een spiegel van Uw genade en help me de man te zijn die U wilt dat ik ben.

Hij liep naar de warmte en veiligheid van het huis, wetend dat hij vandaag en voor de rest van zijn leven echte veiligheid had ervaren. Op het moment van erkenning van zwakheid kwamen acceptatie en de belofte van vergeving en genade. Het was een les die hij met zich mee zou dragen voor de rest van zijn leven en die hem in staat stelde de deur naar Celestes hart te openen.

Ga met me mee, Heer. Help me de juiste woorden te vinden, de woorden die haar zeggen hoeveel ik van haar houd. Moge Uw wil geschieden. Amen.

28

Kerstavond was bitter koud. Weer een dag in een periode van twee weken van ongewoon guur weer voor de omgeving van het Cascadegebergte. Het weerkanaal en King-5 News uit Seattle informeerden kijkers met satellietbeelden van de koude lucht die vanuit Alaska het noordwesten van Amerika in dreef en lieten ze weten dat dit de laagst gemeten temperaturen voor de maand december waren sinds 1925.

Gekleed in haar warmste trui, opgekruld in de hoek van haar moeders bank, huiverde Celeste onder een dikke deken en overdacht ze de kerstnachtdienst die ze eerder die avond had bijgewoond. Het vooruitzicht om naar buiten te gaan met een temperatuur die het letterlijk pijnlijk maakte om adem te halen had haar voornemen om te gaan eerst wel getemperd. Daarnaast versterkte het feit dat ze haar moeder had beloofd om samen naar de kerk te gaan in haar moeders auto, niet echt haar vertrouwen in zichzelf en al helemaal niet in de auto. Het was een groene Cadillac uit 1962 met spoilers aan weerszijden van de wagen en zij en Rach hadden hem in hun jeugd de Batmobiel genoemd. Voor de duizendste keer vroeg Celeste zich af waarom haar moeder überhaupt dat museumstuk al die jaren had aangehouden, maar helemaal waarom ze in ieder geval niet een tweede auto ernaast gebruikte, want de Caddy was een flinke benzineslurper. Toch had de auto een ereplaats in de onberispelijke garage en, zo vermoedde Celeste, ook in haar moeders hart. Wie het spreekwoord 'liefde is blind' heeft uitgevonden, moest haar moeders langdurige relatie met de Batmobiel wel in gedachten hebben gehad.

Hoe dan ook, de auto stond al twee maanden stil en geen enkele vorm van vleierij had de motor verleid om te starten. Moeder had haar bezorgdheid over de auto geuit toen Celeste haar eerder die middag had opgezocht. Het feit dat haar moeder helder genoeg was om zich zorgen te maken over haar geliefde Batmobiel had Celeste verwarmd en bemoedigd. Dit was de eerste keer dat Catherine enige interesse had getoond in de normale dingen van haar leven en Celeste had haar moeder verzekerd dat ze die avond nog in de auto zou rijden, als hij zou starten. Dit moest toch een positief teken zijn met de hoop op nog meer; als verzekeringsagente wilde ze er zeker van zijn dat haar auto goed onderhouden werd. Celeste had ook beloofd dat ze de auto in het nieuwe jaar een beurt zou laten geven.

Ze zou bijna alles beloofd hebben op dat moment van hoop en was opgetogen bij Fircrest vandaan gegaan. En voor het eerst in jaren verwarmde een echt kerstgevoel haar hart.

De weken die ze alleen had doorgebracht in het huis uit haar jeugd waren een tijd geweest van terugblikken, in oude fotoalbums bladeren uit de tijd dat haar vader en moeder de leeftijd hadden die zij nu had, tot albums uit de beginjaren van Rach en haarzelf. Ze had verlangend haar vingers laten glijden over foto's van Halloweenkostuums, paasjurken en kerstochtenden in pyjama. Ze had in moeders cederhouten kist gesnuffeld en daar voorwerpen uit hun jeugd gevonden die extra dierbaar moesten zijn geweest voor moeder; bronzen babyschoentjes van Rachel en van haarzelf, kleine fluwelen en kanten jurkjes en twee plastic bakjes met lokjes babyhaar van de eerste knipbeurten – eentje met goudblond en de andere met satijnzwarte krullen. Ze had haar moeders herinneringen in haar handen gehouden en herkende moederliefde. In de dagen en weken die volgden ging ze geloven in haar moeders liefde, die bewezen werd in de verzameling gedenkstukken, en was ze met een open hart opnieuw naar haar jeugd gaan kijken. Eindelijk was er acceptatie gekomen.

Ze was geliefd geweest. *Was* geliefd. Het was misschien niet dezelfde liefde die haar moeder voor Rachel had gehad, maar het was evengoed liefde geweest. Ze had weleens horen zeggen dat een moeder van geen van haar kinderen op dezelfde manier houdt, dat elk kind uniek is en de liefde voor dat kind dat ook is. Dit begreep ze nu beter en met het begrip kwam vrede, en met de vrede kwam een acceptatie van haar eigen *waarde*, als dochter en als zus.

Met deze dingen kwam ook vergeving, van haar moeder voor haar kwetsende woorden en, ten slotte, vergeving van Scott voor de schijnbaar makkelijke manier waarop hij haar dromen op hun toekomst samen had verwoest.

Dit was misschien wel het moeilijkst geweest en de pijn was er nog steeds als ze zichzelf toestond aan hem te denken en hoe het had kunnen zijn. Maar wat had hij uiteindelijk echt gedaan behalve van zijn vrouw houden? Dat kon ze hem niet kwalijk nemen, hoeveel pijn het haar ook deed om het te erkennen. Toen ze zich afvroeg of ze misschien anders gereageerd zou hebben als de betrokken vrouw iemand anders dan Rach was geweest, had ze moeten toegeven dat de eerste fase van scheiding, die door Rachel veroorzaakt werd, haar niet in staat had gesteld genoeg afstand te nemen om het natuurlijke rouwproces van Scott voldoende te begrijpen. Dat was dus nog iets geweest om te vergeven en hier werkte ze nog steeds aan; de vergeving van zichzelf voor haar boosheid dat Rachel tussen haar en Scott in was komen te staan, zelfs nu ze begraven was.

Ze was verbijsterd geweest en toen vol afschuw over het deel in haar dat boos was op een dode vrouw, omdat haar man nog steeds van haar hield.

Sommige dromen bleven lang hangen en deze spande wel de kroon, maar het was tijd om hem los te laten. Ze had naar acceptatie hiervan toegewerkt en had langzaam vooruitgang geboekt, maar vanavond raakte de realiteit haar recht in haar hart. Ze had vijfendertig jaar zonder hem geleefd; overleven en zelfs gedijen in de jaren die nog voor haar lagen kon geen onmogelijke opgaaf zijn.

Het was tijd om haar aandacht en energie te richten op die komende jaren, te beginnen bij het nieuwe jaar dat al bijna aanbrak; de nieuwe zaak, haar nieuwe huis aan het meer en de acceptatie van Gods uiteindelijke plan voor haar. Misschien zou Hij weer liefde in haar leven brengen, misschien ook niet. Ze was eindelijk op een plaats beland waar ze Zijn wil hierin kon accepteren en het eenzame verlangen dat ze zo lang in haar hart had meegedragen was tot rust gekomen. In plaats daarvan was ze vervuld met de viering van de geboorte van Jezus, die nieuwe hoop brengt voor allen die zoeken naar dat ongrijpbare *iets* om hun leven compleet te maken.

Er stond dit jaar geen boom naast de haard. Er lagen geen zelfgebakken koekjes te wachten om opgegeten te worden en er lag geen kalkoen in de koelkast. Maar voor Celeste was het Kerst geworden. Er was nieuwe hoop geboren.

Morgen zou ze bij haar moeder op bezoek gaan, daarna naar het meer rijden en werken aan de plannen voor het nieuwe huis en bepalen waar ze de steiger zou laten bouwen. Komende zomer zou er een roeiboot klaarliggen voor de meiden. Er zouden heldere zomeravonden zijn die ze op haar rug, liggend op de steiger zou doorbrengen. Er zouden krekels en kikkers zijn, het lied van coyotes en de scherpe geur van pijnbomen in de lucht. En er zou vrede in haar leven en in haar hart zijn.

Ze zou de middag doorbrengen met Ana en Tori. Ze zouden Kerst vieren in hun kleine appartement, rondom de kerstboom, omringd door hun liefde.

Met deze eenvoudige dingen kon ze tevreden zijn. Voor nu was Kerst gekomen en daarmee vrede. Voor Celeste kon dat geen groter geschenk zijn.

29

Ze hadden dit jaar een boom gehad en de kinderen hadden elk een paar cadeaus onder die boom. Er hadden er zelfs een paar voor Scott onder gelegen en hij had veel lol gehad om het gekke paar sokken dat de kinderen voor hem hadden ingepakt. Met grote ogen boven een ronde, oranje neus en aparte teengaten in verschillende kleuren waren het de gekste sokken die hij ooit gezien had. Terwijl de kinderen toekeken had hij onmiddellijk de gewone witte sokken die hij had gedragen uitgetrokken en het nieuwe paar aangedaan. Dat had Tawnya een lachbui bezorgd en Ty had hem uitgedaagd ze de komende zondag naar de kerk aan te trekken. 'Dat gaat niet gebeuren, jongen,' had hij zijn zoon verzekerd, maar stiekem speelde hij met het idee. De kinderen, zij allemaal, hadden al te lang veel te weinig plezier in hun levens gehad, dus misschien zou hij ze wel verrassen. Hij zou er waarschijnlijk geen goeie beurt mee maken in de gemeente, maar een van de eenvoudige levenslessen waarvan hij het gevoel had dat hij ze had nagelaten, was de kinderen te leren om om zichzelf te kunnen lachen.

Misschien zou hij geplaagd worden met de sokken, maar dat kon hem niet veel schelen. Zijn kinderen hadden wel behoefte aan wat gekheid en gelach in hun leven en dit, evenals gezonde maaltijden, passende kleding en een veilig thuis, waren dingen waarin hij zou voorzien.

De geschenken die ze deze Kerst aan elkaar gegeven hadden waren niet duur geweest, waren niet het nieuwste en mooiste, maar dat had niets uitgemaakt. Hun gezin was samen geweest rond een prachtig versierde boom, had normale kerstlekkernijen uit de winkel gegeten, weggespoeld met warme chocolademelk, en pakjes opengemaakt met tegoedbonnen voor wasbeurten voor de auto en maaltijden bij Alpine Burger. Eenvoudige dingen. Het was de beste Kerst in jaren geweest.

Het kerstdiner zou het hoogtepunt van de dag worden. De herinnering aan hun sobere Thanksgiving had ertoe geleid dat Scott plannen had gemaakt voor de maaltijd. Het zou niet luxe worden, maar het zou zeker geen tomatensoep met broodjes tonijn worden.

Iedereen kon een ham braden; dat was de indruk die hij had gekregen van het meisje bij de vleesafdeling van Harvest Foods en hij wilde haar heel graag geloven. Toen hij grinnikend had gevraagd om een garantie daarop, had ze gelachen en medelijden met hem gehad. Ze had hem geholpen een grote, roze ham uit te kiezen en voorgesteld om stukjes ananas over de ham te leggen, die op hun plaats te houden met kruidnagels. Ze had ook zoete aardappels met marshmallows aangeraden, in de schil gebakken aardappels en groente erbij, misschien een salade, met kant-en-klare broodjes, en was met hem door de paden gelopen om hem te helpen alle ingrediënten te verzamelen. Hij was weggegaan met een volgeladen boodschappenkar, compleet met pompoen- en appeltaarten van de gebakafdeling, slagroom, liters eierpunch en, met herinneringen aan kerstdagen uit zijn jeugd, vijf pond noten en een grote zak pindarotsjes.

Er lagen ingrediënten die geschikt waren voor een koningsmaal; alles wat nog gedaan moest worden was het ontmoedigende proces van het verwerken van de ingrediënten tot iets wat zijn gezin veilig kon nuttigen.

Celeste zou het wel weten. Ze zou haar moeders keuken binnenlopen (na al die tijd dacht hij er nog steeds aan dat die net zo goed het domein was van zijn moeder als van Rachel) en orde scheppen in de chaos die zijn koelkast en kasten vormden. Hij zag haar voor zich, had dat beeld al weken voor ogen en had haar al zo vaak willen bellen dat hij de tel was kwijtgeraakt. Uiteindelijk had hij de moed niet bijeen weten te rapen om het daadwerkelijk te doen en nu was het kerstochtend en had hij haar nog steeds niet gesproken.

Het voedsel was gewoon een middel. Hoewel hij niet kon ontkennen dat hij haar aanwezigheid in de keuken zou verwelkomen, gaf hij meteen toe dat hij crackers kon eten en nog steeds gelukkig kon zijn als zij bij hem was. Dus het plan was gesmeed en hij hoopte dat ze later die middag met hen zou willen dineren. Hij hoefde haar er alleen nog maar van te overtuigen dat hij hopeloos onhandig was in de keuken en het gevaar bestond dat hij zijn kinderen aan voedselvergiftiging zou blootstellen. *Dat moet niet zo moeilijk zijn,* dacht Scott. Iemand die per ongeluk karnemelk in instantpudding gooide en vervolgens zout voor suiker aanzag moest niet eens in de buurt van een keuken komen. Dat was een fiasco geweest. Zelfs Skip had zijn neus opgetrokken voor de slappe hap en Skip stond bekend als een alleseter. De hond die vrolijk ratten en dode vogels opat wanneer hij die te pakken kreeg (en niet te vergeten af en toe een paardenbrokje) was weggelopen van zijn kom, had zijn bek vertrokken van afkeer, en was jankend weer op zijn mat gaan liggen.

Die stomme hond had het geheugen van een olifant. Vandaag de dag bekeek hij zijn voedsel nog steeds met een onbetrouwbare blik.

Skip hoefde zich dit keer geen zorgen te maken; restanten van de maaltijd die zijn kant opkwamen zouden veilig zijn. Ana en Tori maakten ook deel uit van het plannetje en zouden zich bij hen voegen voor het diner dat tot grote opluchting van Scott was overgedragen aan de capabele handen van Ana en de twee meiden. Alles wat nog overbleef was zijn best doen om het goed te maken met Celeste en haar er dan van overtuigen bij hen te komen eten.

Aangezien hij er zo'n puinhoop van gemaakt had en hun relatie zelf verbroken had, twijfelde hij er ernstig aan of hij de middelen wel had om die relatie weer te repareren. Soms was iets zo vernield dat je het maar beter kon weggooien en met iets nieuws moest beginnen. Maar je wist nooit, totdat je het materiaal onderzocht had, in welke staat het verkeerde. Kwaliteit was hierin belangrijk; als je begon met iets echts en stevigs, was het dikwijls nog wel robuust genoeg om hersteld te kunnen worden. Soms eindigde je zelfs met iets beters dan ervoor.

Kerst. Een vreemd moment om het goed te maken, maar als hij veehouder zou zijn en er was een hek kapot en het vee stond op het spel, dan zou het niet hebben uitgemaakt welke dag het was en zou hij het probleem verholpen hebben. Hij zou het ontbrekende vee hebben gezocht, ongeacht de temperatuur of weersomstandigheden, de dieren in veiligheid hebben gebracht en er vervolgens voor hebben gezorgd dat de reparatie met zorg werd uitgevoerd, zodat het hek niet nog een keer kapot zou gaan.

Kerstfeest en de belangrijkste reparatie van zijn leven lag voor hem.

'Ik ga ervandoor,' riep hij in de richting van de keuken. Tawnya's stem klonk boven het gekletter uit. 'Succes, pap.' Ty verscheen boven aan de trap, knikte bevestigend en zei: 'Zet 'm op, pap.'

Hij trok warme laarzen aan, zijn winterjas en de nieuwe handschoenen die hij had gekregen. Nadat hij meer zorg dan normaal had besteed aan zijn ochtendritueel, en een ruime hoeveelheid aftershave had opgesprenkeld, bedacht hij dat hij eigenlijk moed aan het indrinken was. Natuurlijk kwam deze vorm van moed uit een andere fles dan gewoonlijk, maar hij was in beide zaken voorzien; er lag een fles appelcider in de koelkast. Als alles goed ging, als herstel mogelijk was, zouden ze die fles vanmiddag opentrekken.

Hij wierp een blik in de woonkamer. Er stond een schitterende boom, versierd met ballen en slingers; misschien zou dit de laatste Kerst zijn die ze in dit oude huis zouden doorbrengen. Hij hoopte dat dat zo zou zijn.

Hij liet de warmte van zijn huis achter zich en liep de gure ochtendlucht in. Het zou zelfs nog kouder zijn aan het meer, maar met een beetje geluk hoefde hij daar niet lang te blijven.

Hij startte de motor en ging op zoek naar het verloren schaap dat waardevoller was dan hij kon uitdrukken. Met de hulp van God zou ze bereidwillig de bescherming van zijn herstelde, liefdevolle hart betreden, met geloof in de toewijding van de bouwer.

Als Ana gelijk had, zou Celeste nu bij het meer zijn om een beeld van haar toekomst te krijgen. Met een klein beetje geluk en een beetje hulp van boven zou die toekomst hem en twee anderen, die wachtten in het huis waarin hun vader opgegroeid was, omvatten. Meer dan ooit, zeker meer dan hij verdiende, rekende hij op dat loyale hart van haar om met hem verder te gaan. Hij fluisterde een gebed en gaf de situatie over aan Degene die de meest intieme verlangens van ons hart kent. De rest moest hij zelf doen.

30

De ijzige kou die bevroren pijpleidingen had doen knappen zorgde voor een verraderlijke ijslaag op de wegen en Celeste vermoedde dat daardoor ook de accu van de Batmobiel was bevroren. Over de gehele lengte en breedte van Carrot Lake lag een laag ijs van een halve meter dik. Het was een vreemd gezicht, aangezien er geen sneeuw was gevallen tijdens dit winterweer, nog iets raars voor december in de Cascaden. Maar het gebrek aan sneeuw maakte het mogelijk het bevroren oppervlak van Carrot Lake op te lopen en je te verwonderen over de onberispelijke winterdeken van de natuur. De zon was vandaag niet tevoorschijn gekomen en de lucht had een unieke, winterwitte kleur. Een sneeuwlucht. Het zou leuk zijn om een witte Kerst mee te maken. Misschien zou het de dag iets feestelijker maken en het zou zeker een welkome afwisseling voor Ana en Tori zijn die gewend waren aan een regenachtige Kerst in Seattle. Niet dat ze er vandaag zo erg mee zaten; ze hadden beiden griep gekregen ergens tussen de kerstnachtdienst en vanmorgen, wat betekende dat Celestes eigen agenda nu leeg was. Onder deze omstandigheden had ze geen haast om terug te keren naar de stilte van haar moeders huis.

Haar bezoek aan haar moeder was bemoedigend geweest; haar moeder had onmiddellijk nadat de kerstgroeten waren uitgewisseld naar de toestand van de Batmobiel gevraagd. Ze hield vol dat Scott wel wist wat er gedaan moest worden en dat Celeste hem naar het huis moest laten komen om ernaar te kijken. Met een pijn in haar hart die zo dik was als het ijs waar ze nu op stond, had ze de belofte gedaan. Nu ze wat tijd gehad had om over de situatie na te denken, realiseerde ze zich dat ze nu een perfect excuus had om hem te bellen. Misschien zorgden haar moeder en de Batmobiel wel voor een meevaller.

Met haar handen diep weggestopt in de zakken van haar jas stapte ze voorzichtig op het ijs. Doordat er geen sneeuw lag, waren de omstandigheden perfect om te schaatsen en ze vroeg zich af wat er met haar oude schaatsen was gebeurd. Waarschijnlijk lagen ze in de garage. Misschien moest ze daar maar eens gaan kijken, om te zien of ze ze kon vinden. Misschien konden zij en Ana over een paar dagen met de meiden gaan schaatsen; met een thermosfles chocolademelk en een kampvuur op de oever.

Opgaand in haar gedachten zag ze de truck niet aankomen en het geluid van een deur die werd dichtgegooid, weerklonk als een geweerschot door de ijzige lucht. Ze draaide zich met een ruk om en daar stond hij, aan de rand van het meer, zo stil als een standbeeld. Haar hart bonsde in haar keel en haar mond was kurkdroog. Ze bleef stokstijf staan, niet in staat zich te bewegen, en keek toe hoe hij over het ijs naar haar toe kwam. Waarom was hij hier? Was er iets gebeurd met haar moeder? Nee, ze kwam zelf net uit Fircrest vandaan. Waarom was hij dan hier? Ze raapte haar onsamenhangende gedachten bijeen en besloot zo koel te blijven als het ijs onder haar voeten en hem te laten praten.

Maar hij was nu hier en al het verlangen van de dagen en nachten sinds hij haar weggestuurd had kwam als een vloedgolf van pijn en verlangen terug. Hij moest haar zijn komen zoeken, haar hebben opgespoord. Maar waarom, en waarom nu, vandaag?

Scott bleef op enkele meters afstand van haar staan, aarzelde even en hervond toen zijn stem. 'Hoi.'

'Hoi.' Tot nu toe ging het goed. Als ze geluk had, zou hij

nooit weten dat haar hart door de dikke jas die ze droeg heen dreigde te bonzen.

'Gelukkig kerstfeest.'

Celeste knikte. 'Jij ook een gelukkig kerstfeest.'

Nou, dat waren de begroetingen. Als Scott er op tijd aan gedacht had, zou hij de keukentang meegenomen hebben; hij had er niet op gerekend de woorden er zelf uit te moeten trekken.

'Hoe is het met je?'

'Prima. En met jou? Hoe gaat het met de kinderen?'

'O, dat gaat allemaal goed, dank je.'

'Mooi zo.' Dit was belachelijk. Hij was hier vast niet helemaal naartoe gekomen voor de beleefde prietpraat die ze van een nerveuze klant zou verwachten, vooral niet met Kerst. Plotseling, ongeduldig over de hele situatie, vroeg ze: 'Ik wil niet onbeleefd zijn, Scott, maar wat wil je? Ik bedoel, het is Kerst en dit moet wel de laatste plaats zijn waar je nu wilt zijn. Zeg dus maar wat er aan de hand is, dan kun je weer terug naar je gezin.'

Dus zo gaat het, dacht hij. Ze was bijna net zo kil als de ijspegels die aan de dakgoot van de boerderij hingen en al net zo scherp. Natuurlijk, ze had er een goede reden voor, maar het maakte het er voor hem niet gemakkelijker op om de juiste woorden te vinden. Na een aantal valse starts, hijgend en klam van de zenuwen, zei hij: 'Ik ben hiernaartoe gekomen om je uit te nodigen voor het diner. Nee, dat is niet waar. Ik bedoel, ik wilde wel dat je zou komen eten, ik *wil* dat je komt, maar... Dit komt er niet goed uit.'

Celeste trok een wenkbrauw op. 'Misschien moet je het gewoon zeggen op de manier waarop je het in de truck geoefend hebt onderweg hierheen. Dat hielp mij altijd als ik een presentatie moest houden op mijn werk.'

Scott glimlachte, een vreugdeloze glimlach die nauwelijks de hoeken van zijn mond deed krullen. 'Dat werkt misschien voor woorden die je zegt tegen een groep mensen om wie je niets geeft, maar dit is anders. Ik ben bang dat ik de juiste woorden niet zal vinden of ze in de verkeerde volgorde zet. En misschien zeg ik ze en doet het er evengoed niet toe. Dat beangstigt me het meest.'

'Ik heb nooit geweten dat jij weleens ergens bang voor bent.'

'Als dat waar is, dan moet ik een behoorlijk goeie acteur zijn, want ik ben de laatste tijd constant bang geweest. Bang voor bijna alles in mijn leven. Bang om een beslissing voor Rachel te nemen, bang om hoe de kinderen het zouden opnemen. Bang dat ik jou kwijt was, omdat ik te bang was om toe te geven hoeveel ik van je hield. Hoeveel ik van je houd. Ik ben vaak genoeg bang geweest, en nog steeds. Misschien is het te laat om dit tegen je te zeggen, Celeste, maar ik heb ontdekt dat bang zijn en een lafaard zijn twee verschillende dingen zijn. En als ik niet over mijn angst heen kom en je vertel hoeveel ik van je houd, dat ik dan zo veel spijt krijg. Dan zou ik niet alleen een lafaard zijn, maar ook een dwaas.'

Hij haalde diep adem en ging verder. 'Hoe doe ik het? Zoals dit eruit komt, waren al mijn oefeningen verspilde moeite want dit klinkt niet als iets wat ik van plan was om te zeggen.'

Haar stem was zo zacht dat hij zijn oren moest spitsen om haar te kunnen horen. 'Je doet het prima.'

Hij keek haar recht in de ogen en zei: 'Ik heb spijt van de manier waarop ik je heb behandeld op die avond in de stal. Ik wil dat je dat weet, Celeste, al heb je er misschien weinig aan. Ik hoorde mezelf toen praten en kon niet geloven dat die woorden uit mijn mond kwamen. Het heeft een tijdje geduurd, maar ik denk dat ik eindelijk weer helder na kan denken, in elk geval zo helder als ik kan. Ik weet hoezeer ik je heb gekwetst. Het spijt me, Celeste. Het spijt me zo erg dat ik er geen woorden voor heb, en niet alleen vanwege de dingen die ik gezegd heb. Ik denk dat ik alle pijn en het verdriet en schuldgevoel voor mezelf wilde houden. Ik sloot je buiten toen je iemand nodig had om mee te rouwen en het spijt me meer dan ik kan zeggen.'

De woorden stroomden over zijn lippen en toen hij stilviel, sloot Celeste de afstand tussen hen. 'Het geeft niet, Scott. Het was een slechte avond, ongeveer de ergste die ik ooit heb meegemaakt, maar het is nu voorbij. Ik heb ook veel tijd gehad om na te denken en ik moet me verontschuldigen dat ik je zo onder druk heb gezet.'

'Druk?'

'Meer van je verwachtte dan je kon geven. Ik zat op de begrafenis van mijn zus en vroeg me wat voor invloed haar dood op onze relatie zou hebben, hoe lang het zou duren tot het weer "normaal" zou worden tussen ons. Wat zegt dat over mij?'

Hoofdschuddend antwoordde hij: 'Laat het los, Celeste. Het schuldgevoel, boos zijn op jezelf, alles. Laat het los. Het is de enige manier waarop ik dingen kon zien zoals ze zijn, dat ik nog meer van je was gaan houden dan waar ik recht toe had.'

Ze stonden stil, laars tegen laars en hart tegen hart, al verlicht van de last die ze elk met zich meegedragen hadden in de afgelopen weken.

Het was tijd. Scott pakte Celestes in handschoenen gehulde handen in de zijne, een spoortje van een glimlach in zijn ogen, en zei: 'Met het risico me achter gepraat over het weer te verschuilen, ga ik toch zeggen dat het akelig koud is om hier nog veel langer te blijven staan, Celeste. Dus ik zal zeggen wat ik op mijn hart heb en dan kan ik je hopelijk overhalen om met me mee te komen voor het diner. Oké?' De glimlach verdween van zijn gezicht en hij sprak uiterst serieus. 'Als je ooit een woord hebt geloofd dat ik tegen je heb gezegd, geloof dan dat ik heel veel van je houd. Geloof dat het mogelijk is dat de bliksem twee keer vlak naast elkaar inslaat. Ik hield van Rach en ik houd van jou, Celeste. En het feit dat jullie zussen zijn, maakt alles extra bijzonder.

We stonden op een avond op die oever en je vroeg of ik en de kinderen je leven wilden delen. Ik vraag je nu om deel te worden van *ons* leven, als je ons wilt hebben. Als je *mij* wilt hebben. Ik ga niet beloven dat het allemaal rozengeur en maneschijn zal zijn, want we weten allebei dat we een aantal obstakels moeten overwinnen. Ik ben hier vandaag gekomen om het goed met je te maken, zogezegd, en om een brug te bouwen; een die ons leidt van waar we waren, met betrekking tot Rachel, tot een plaats die alleen van ons is. Als je me wilt hebben.'

De adem waarvan ze zich niet eens gerealiseerd had dat ze die inhield ontsnapte aan haar lippen en de tranen waarvan ze zich niet bewust geweest was dat ze opwelden gleden over haar wangen. Ze knipperde, keek naar hun ineengeklemde handen terwijl ze haar zelfbeheersing probeerde te hervinden en keek toen naar hem op. 'Ik wil je hebben, Scott Parnell, op elke mogelijke manier. Ik wil je hebben, of het nu rozengeur en maneschijn is of vijftig graden onder nul. Ik wil dat de kinderen de geiser leegmaken en me boos maken, omdat ik ook van hen houd. Ik wil jullie allemaal daar hebben,' zei ze, wijzend op de plaats waar hun wagens geparkeerd stonden, 'omdat ik zielsveel van jullie allemaal houd, zowel omwille van Rachel als van mezelf.'

Hij nam haar in zijn armen en ze wiegden samen, terwijl de hete tranen zich vermengden op hun wangen. 'Ik was zo bang dat je me zou vertellen wat ik moest doen met mijn opgetrokken muur en mijn brug en ik zou het je niet kwalijk hebben genomen als je dat had gedaan.'

'En ik was zo bang dat je me haatte, dat ik de rest van mijn leven moest hopen dat ik je in de stad tegen zou komen en bang zijn dat dat zou gebeuren.'

Ze grinnikten en toen zweeg Celeste even. Ze trok zich iets terug en keek op terwijl kleine sneeuwvlokken omlaag dwarrelden. 'Het sneeuwt, Scott! Het wordt toch nog een witte Kerst.'

'Het wordt een geweldige Kerst.'

Ze drukte zich weer tegen hem aan en keek naar hem op. 'Dus, wat eten we?'

'O, ham, zoete aardappeltjes, een beetje van dit en een beetje van dat.'

'Ik zou eigenlijk met Ana en Tori eten, maar ze hebben griep. Ana belde eerder vandaag en klonk verschrikkelijk.'

'Nou, eh, eigenlijk zijn ze niet ziek. Ze zijn waarschijnlijk zelfs al bij mij thuis.'

'Zijn ze niet ziek?'

'Nee, ik heb alleen mijn kansen iets vergroot; ik dacht dat ik iets meer kans had om je mee te krijgen voor het diner als je eigen plannen in het water waren gevallen, dus ik heb gebeld en hen ook uitgenodigd. De waarheid is dat ik op mijn knieën gegaan ben en Ana gesmeekt heb om het eten klaar te komen maken.'

Celeste duwde Scott plagend tegen de schouder. 'Je bent verschrikkelijk! Iemand in je huis uitnodigen voor Kerst en dan zeggen: "O, trouwens, vind je het erg om eten te koken?" Ik zie al dat ik nog genoeg werk te doen heb: jou leren hoe je je in een beschaafde maatschappij hoort te gedragen!'

'Nou, je kunt wel lachen; jij had niet de Thanksgiving die wij hadden. Ik wilde geen risico nemen met het kerstdiner.'

'Wat heb je gedaan met Thanksgiving? Ik wilde jou en de kinderen uitnodigen, maar durfde het niet.'

'Wij hadden een heerlijke maaltijd van tomatensoep en broodjes tonijn, met augurken als bijgerecht en pudding als toetje die zelfs de hond niet wilde eten. We hebben het niet echt *gegeten* als toetje, maar dat was het plan. Lang verhaal.'

'Ik snap waarom je niet een risico wilde nemen voor Kerst. Het spijt me dat ik het lef niet had om je op Thanksgiving op te bellen.'

'Mij ook. Ik zat dagenlang bij de telefoon tot die ochtend, toen ik eindelijk bedacht dat je niet ging bellen.'

'Volgend jaar,' beloofde Celeste, 'vieren we Thanksgiving hier in ons nieuwe huis met kalkoen en alles wat erbij hoort.'

'En over een jaar kijken we uit ons huiskamerraam naar waar we nu staan en herinneren we ons hoe we hier in de kou stonden dood te vriezen om een nieuwe start te maken.' Hij sloeg een arm om haar schouders. 'Kom op, laten we teruggaan. Ik wil je vreselijk graag kussen, maar ik ben bang dat we dan aan elkaar vastvriezen. Ik denk dat we beter naar huis kunnen gaan, voordat ze ons gaan zoeken.'

Als een klein kind stak Celeste haar tong uit en ving er sneeuwvlokjes mee op. Ze sloot haar ogen en liet zich door Scott over het ijs leiden. Het was alsof de jaren waren weggevallen en ze weer kind was; de verwondering en opwinding van Kerst vulden haar hart, sneeuwvlokjes vielen zachtjes op haar gezicht en ze genoot van de wetenschap dat ze nog een hele week had voordat school weer begon. Maar in plaats van een week vakantie van school had ze vandaag de belofte van een leven met de man van wie ze hield. De vreugde overheerste haar hart en bracht een ondeugende blik in haar ogen en met een zijdelingse blik vroeg ze: 'Weet je nog toen we elkaar voor het eerst ontmoetten, Scott?'

Met een overdreven kreun antwoordde hij: 'Hoe zou ik dat kunnen vergeten? Ik wilde Rachel imponeren met mijn auto en machogedrag en moest uiteindelijk haar kleine zusje meenemen voor een ritje. En je kletste me de oren van het hoofd en die van Jim ook! Wat een eerste afspraakje, hè?'

'Hé, ik was tien jaar; wat wist ik nou? Ik weet alleen nog dat ik het geweldig vond, weggaan met een paar jongens van de middelbare school. Ik weet nog dat we een stapel koekjes meenamen die we net gebakken hadden en mam kreeg bijna een beroerte, maar Rach wuifde voor eens haar bezwaren weg en zei dat we later die middag wel nieuwe koekjes zouden bakken. En dat hebben we ook gedaan. Het was een fantastische dag.'

'Ja, dat was het ook. Maar je maakte het me niet gemakkelijk. Ik probeerde Rachel een leuke tijd te geven en uiteindelijk stond ze op de oever te kijken hoe ik jou in plaats van haar mee het ijs op nam.'

Ze lachte bij de herinnering en toen keek Celeste hem ietwat verlegen aan. 'Wist je dat ik tegen Rachel gezegd heb dat ik met je zou trouwen als ik groot was?'

'Echt? Nee, dat heb ik nooit gehoord. Wanneer was dat?'

'Op de avond van je eindejaarsgala. Ik bleef wakker tot ze thuiskwam, want ik wilde er alles over horen. Ik had haar nog nooit zo mooi gevonden als in haar jurk op die avond.'

Scott knikte. 'Ja, dat was ze ook. Het was de avond dat ik voor het eerst tegen haar zei dat ik van haar hield.'

Met een zucht trok Celeste een pruilend gezicht en zei: 'Dat heeft ze me niet verteld. Ik zou heel jaloers zijn geweest.'

'En wat zei ze toen je aankondigde dat je van plan was met me te trouwen?'

Celeste grijnsde. 'Ze zei: "Ga maar achter in de rij staan."'
Hij grinnikte en lachte toen hardop. Getroffen door de humor en de onwaarschijnlijkheid van de hele situatie begon Celeste ook te lachen. Na zichzelf een hoestbui van het lachen te hebben bezorgd, zei Scott met een hand op zijn buik die pijn deed: 'Nou, daar heeft ze zich zeker aan gehouden, hè? Ik weet haast wel zeker dat ze het goedgevonden zou hebben.'

Zachtjes antwoordde Celeste: 'Ja, ik denk dat je gelijk hebt.'

Ze keken elkaar met een lieve en begripvolle blik aan en toen zei hij: 'Nou, ben je klaar om naar huis te gaan?'

Celeste grijnsde. 'Als we een paar minuten hebben, ik heb wel weer zin in een glijpartij en ik beloof dat ik mijn eetlust niet zal verpesten.'

Hij deed de passagiersdeur van de truck met een zwaai open en zei: 'Riemen vast.'

Ze zaten een paar minuten terwijl de motor opwarmde, luisterend naar de kerstmuziek op de radio, genietend van de vreugde om hun samenzijn. Toen het laatste refrein van *I'll be home for Christmas* geklonken had, zette Scott de auto in zijn versnelling, wachtte even, keek Celeste aan en vroeg: 'Rijdt Rach mee, Celeste?'

Met een knikje antwoordde Celeste: 'Ze zal waarschijnlijk altijd meerijden, Scott; ze is een te groot deel van onze levens geweest om te verwachten dat we haar altijd op de oever achter kunnen laten. Ik denk ook niet dat we dat zouden willen trouwens. Vooral voor de kinderen niet. Ik denk dat we moeten leren om grenzen te stellen met Rach, voor onszelf.' Ze zweeg, glimlachte en zei: 'Vanaf nu. Deze rit is alleen voor ons.'

Hij pakte haar hand, kneep er even in en zei: 'Ik houd van je.'

'En ik houd van jou.'

Scott zette de wagen in beweging, reed langzaam het ijs op en reed bij de bevroren oever vandaan. Hij maakte vaart tot ze het midden van het meer bereikt hadden. 'Houd je vast.' Hij gaf een ruk aan het stuur en de wagen draaide naar links alsof hij vleugels gekregen had. Celestes opgetogen kreet galmde over het meer. Ze bleven maar draaien, totdat hun buiken zeer deden van het lachen.

Alsof het voorbestemd was, vielen de brokstukken van Scotts leven weer op hun plaats. Zijn liefde voor Rach en de kinderen die uit die liefde geboren waren, nu gevolgd door het leven dat ze deelden met Celeste, paste naadloos in een puzzel waarvan de twee laatste stukjes het grotere geheel voltooiden van het leven dat voor hen lag.

Kerst, de tijd van wonderen. De tijd die nieuwe hoop op vrede op aarde bracht, ook in hun hart.

Scott nam Celestes hand in de zijne. 'Klaar?'

Ze knikte. 'Klaar.'

De oude truck kwam tot leven en ze begonnen aan de reis naar degenen die op hen wachtten in de oude boerderij, het eerste deel van de rit naar huis. De sneeuw dwarrelde zachtjes omlaag op de grond die binnenkort uitgegraven zou worden voor het nieuwe huis; een deken zo puur en wit als een nieuw begin, die de takken bedekte van de statige pijnbomen die hen zouden beschutten tegen de stormen van het leven. Meegedragen op de noordenwind, misschien op de vleugels van een gebed, kwam een lied van vrede dat ruiste door diezelfde bomen.

De grond sliep en droomde onder de witte mantel, wachtend om de dromen te vervullen van degenen die er nieuwe wortels in zouden slaan. Er was stilte in de vallende sneeuw, een stilte geboren uit vrede op dit kleine plekje van de aarde.

Nieuwe hoop en een nieuw begin; kleine zegeningen die als sneeuwvlokjes die uit de hemel vielen. In een knusse boerderij aan de andere kant van de stad was dit reden voor feestvreugde.

En overal om hen heen bleef de stille sneeuw neerdwarrelen.

Woord van dank

Op de allereerste plaats wil ik mijn Hemelse Vader danken dat Hij dit verhaal geïnspireerd heeft en deuren heeft geopend die geleid hebben tot de publicatie ervan. U bent een geweldige God en het schrijven van dit boek was een ongelofelijke reis in genade en gehoorzaamheid aan Uw roeping. Ik wil niets liever dan mijn leven lang verhalen blijven schrijven die U inspireert.

Mijn grote dank gaat uit naar dr. Ali Samii, van de universiteit van Washington en Harborview Medical Center Neurology Service/Movements Disorders Clinic. Bedankt dat u drie jaar geleden een kostbaar uur van uw tijd voor me hebt vrijgemaakt. Uw inzichten waren van onschatbare waarde. Ik twijfel er niet aan dat u een zegen bent voor de patiënten en families die u komen opzoeken.

Dankjewel, Mary, dat je mijn 'eerste lezing' gedaan hebt. We hebben een lange geschiedenis, meid, en ik koester de herinneringen. Je hebt een geweldig groot geloof, bent een krachtige gebedsstrijder en een ongeëvenaarde vriendin. Wat zou ik graag nog eens de kans hebben om een paardrijtocht met je te maken, voordat we alleen nog maar op onze schommelstoelen kunnen zitten!

Dank aan mijn man, Mike, onze zoons, Bill en Chris, mama, Chet, Bill en Judy, en schoonzussen en zwagers voor jullie steun en bemoediging. Weet hoe kostbaar elk van jullie voor me is. Ik ben echt gezegend door jullie aanwezigheid in mijn leven.

Heel veel dank aan iedereen op Tate voor jullie geloof in mij en jullie enthousiasme voor dit boek. Moge God jullie rijkelijk zegenen terwijl jullie Zijn visie voor jullie bediening volgen.

Bedankt, Cherie, voor je vriendschap en steun tijdens dit proces. Ik bid dat God je zal blijven gebruiken om mensen te bereiken die troost en bemoediging nodig hebben.

Dank aan lezers die hun zuurverdiende geld hebben uitgegeven om dit verhaal te kunnen lezen. Ik hoop dat het voor jullie een bron van bemoediging en hoop zal zijn en een herinnering dat onze God getrouw over elk van ons waakt. Jullie zijn niet alleen.

Tekstverwijzingen

De Bijbelteksten die in dit boek gebruikt zijn, zijn te vinden in de volgende Bijbelgedeelten (NBV):

Hoofdstuk 10
Filippenzen 4:6-7
Efeziërs 2:8-9
Jeremia 29:11-13

Hoofdstuk 23
2 Korintiërs 3:17
Johannes 10:10
Psalm 32:5
1 Johannes 1:9
Exodus 20:7
Exodus 20:12
1 Korintiërs 6:18
Efeziërs 5:18

Hoofdstuk 25
Openbaring 21:4

Hoofdstuk 27
Jeremia 29:11